Jojo Moyes est romancière et journaliste. Elle vit en Angleterre, dans l'Essex, avec son mari et ses trois enfants. Après avoir travaillé pendant dix ans à la rédaction de l'*Independent*, elle décide de se consacrer à l'écriture. Ses romans, traduits dans le monde entier, ont été salués unanimement par la critique et lui ont déjà valu de nombreuses récompenses littéraires. *Avant toi* a créé l'événement et marqué un tournant dans la carrière de Jojo Moyes. Ce best-seller a rencontré un succès retentissant qui lui a valu d'être adapté au grand écran.

Du même auteur, chez Milady, en grand format :

Avant toi
La Dernière Lettre de son amant
Jamais deux sans toi
Après toi

Au format poche :

Avant toi
La Dernière Lettre de son amant
Jamais deux sans toi

Ce livre est également disponible
au format numérique

www.milady.fr

Jojo Moyes

APRÈS TOI

Traduit de l'anglais (Grande-Bretagne)
par Alix Paupy

Milady

Milady est un label des éditions Bragelonne

Titre original : *After You*

ISBN : 978-2-8112-1724-2

Bragelonne – Milady
60-62, rue d'Hauteville – 75010 Paris

E-mail : info@milady.fr
Site Internet : www.milady.fr

À ma grand-mère, Betty McKee.

Remerciements

Merci, comme toujours, à mon agent Sheila Crowley et à mon éditrice Louise Moore, pour leur confiance sans faille et leur soutien indéfectible. Merci à la talentueuse équipe de Penguin, qui m'a aidée à transformer une ébauche grossière en un roman dont la couverture brillante s'est imposée dans de nombreux rayons. Je remercie tout particulièrement Maxine Hitchcock, Francesca Russell, Hazel Orme, Hattie Adam-Smith, Sophie Elletson, Tom Weldon et tous les héros anonymes qui viennent en aide aux auteurs. J'adore faire partie de votre équipe.

Toute ma reconnaissance va à ceux qui travaillent avec Sheila chez Curtis Brown, en particulier Rebecca Ritchie, Katie McGowan, Sophie Harris, Nick Marston, Kat Buckle, Raneet Ahuja, Jess Cooper, Alice Lutyens, Sara Gad et bien sûr Jonny Geller. De l'autre côté de l'Atlantique, je tiens à remercier l'inimitable Bob Bookman. C'est dans la boîte, Bob !

Pour leurs conseils avisés et leur amitié, un grand merci à Cathy Runciman, Maddy Wickham, Sarah Millican, Ol Parker, Polly Samson, Damian Barr, Alex Heminsley, Jess Ruston et tous ceux de Writersblock. Vous déchirez.

Plus près de moi, merci à Jackie Tearne (Je lirai un jour tous mes mails, promis !), Claire Roweth, Chris Luckley, Drew Hazell et tous ceux qui m'aident au quotidien.

Merci également aux acteurs et à toute l'équipe d'*Avant Toi*. Assister à la naissance de mes personnages a été un incroyable privilège et une expérience inoubliable. Vous avez tous été géniaux (mais surtout vous deux, Emilia et Sam).

Merci et gros bisous à mes parents – Jim Moyes et Lizzie Sanders – et surtout à Charles, Saskia, Harry et Lockie. Vous êtes mon univers.

Enfin, merci aux innombrables lecteurs qui m'ont écrit via Tweeter, Facebook ou mon site Internet, et qui se sont assez intéressés à Lou pour vouloir savoir ce qu'elle était devenue. Je n'aurais peut-être pas envisagé d'écrire ce livre si elle n'avait pas continué à vivre dans votre imagination. Je suis heureuse qu'elle l'ait fait.

Chapitre premier

Le gros homme assis au bout du bar transpire. Il a la tête baissée sur son scotch, mais de temps en temps il lève les yeux et regarde derrière lui, vers la porte. Son front brille à la lumière des néons. Il laisse échapper un long soupir tremblant, puis se replonge dans son verre.

— Excusez-moi ?

Je détourne mon attention de la vaisselle que j'essuie.

— Je peux en avoir un autre ?

J'ai envie de lui répondre que ce n'est vraiment pas une bonne idée, que boire ne l'aidera pas, que cela pourrait même aggraver la situation. Mais c'est un grand garçon, et je termine dans un quart d'heure. Et puis, d'après le règlement, je n'ai aucune raison de lui dire non. Alors je prends son verre et ressors la bouteille.

— Un double, précise-t-il en passant une main potelée sur son visage en sueur.

— Ça fera 7,20 livres, s'il vous plaît.

Il est 22 h 45 un mardi soir. Le *Shamrock and Clover*, le pub irlandais de l'East City Airport, qui, soit dit en passant, est à peu près aussi irlandais que Mahatma Gandhi, s'apprête à cesser son activité pour la nuit. Le bar ferme ses portes dix minutes après le décollage du dernier avion et, à cette heure, il ne reste plus que moi, un jeune homme concentré sur son ordinateur portable, deux femmes qui gloussent ensemble à la table trois et le gros bonhomme qui tète son double Jameson en attendant soit le SC107 pour Stockholm, soit le DB224 pour Munich ; ce dernier est en retard de quarante minutes.

Je travaille depuis midi, puisque Carly a eu des maux d'estomac et a dû rentrer chez elle. Je m'en fiche. Travailler tard ne me dérange pas. En chantonnant à mi-voix sur *Cornemuses celtes de l'Île d'Émeraude, Volume III*, je traverse la salle afin de récupérer les verres vides des deux femmes, occupées à regarder une vidéo sur un portable. Elles rient du rire facile des gens bien imbibés.

— C'est ma petite-fille, me dit la blonde quand je me penche sur la table. Elle a cinq jours.

— Mignonne, réponds-je avec un sourire.

Pour moi, tous les bébés sont mignons à croquer.

— Ma fille habite en Suède. Je n'y suis encore jamais allée, mais c'est l'occasion ou jamais, non ? C'est ma première petite-fille.

— On boit à la santé du bébé, ajoute l'autre dans un grand éclat de rire. Vous voulez vous joindre à nous ? Allez, prenez une petite pause. Sans vous, on n'aura jamais fini cette bouteille à temps.

— Oups ! Il faut y aller ! Allez, Dor !

Alertées par un écran d'affichage, elles rassemblent leurs affaires à la hâte et s'éloignent d'un pas légèrement titubant. Je pose leurs verres sur le bar et parcours la pièce des yeux pour vérifier que rien d'autre n'a besoin d'être nettoyé.

— Vous n'êtes jamais tentée ? me demande la plus petite des deux femmes, qui est revenue prendre son écharpe.

— Pardon ?

— Tentée de descendre à l'aéroport à la fin de votre journée. De sauter dans un avion. À votre place, j'en mourrais d'envie, dit-elle en gloussant. Chaque jour que Dieu fait.

Je lui souris, le genre de sourire professionnel qui signifie tout et son contraire, puis me retourne vers le bar.

Autour de moi, les boutiques détaxées ferment pour la nuit. Les volets de fer descendent avec fracas sur les sacs à main hors de prix et les Toblerone géants. Les lumières clignotent puis s'éteignent aux portes trois, cinq et onze, et les derniers voyageurs du jour disparaissent dans le ciel nocturne. Violette, la femme de ménage congolaise, pousse son chariot vers moi, de son pas lent et chaloupé. Ses chaussures aux semelles de caoutchouc grincent sur le lino brillant.

— Bonsoir, ma chérie.

— Bonsoir, Violette.

— Tu ne devrais pas traîner si tard, ma belle. Tu devrais être à la maison avec ceux que tu aimes.

Elle me répète exactement la même chose tous les soirs. Comme d'habitude, je réponds :

— Je n'en ai plus pour longtemps.

Satisfaite, elle hoche la tête et poursuit son chemin.

Le jeune homme à l'ordinateur portable et le buveur de scotch au front luisant sont partis. J'achève d'empiler les verres et fais les comptes, vérifiant avec zèle que le contenu du tiroir-caisse correspond bien aux encaissements du jour. Je consigne le tout dans le grand-livre, vérifie les pompes à bière, note les commandes à effectuer. Je remarque alors que le manteau du gros homme est toujours posé sur son tabouret. Je m'approche et jette un coup d'œil à l'écran des horaires. Le vol pour Munich s'apprête tout juste à embarquer. Je vérifie une nouvelle fois, puis me dirige à pas lents vers les toilettes des hommes.

— Il y a quelqu'un ?

La voix qui en émerge est teintée d'angoisse. Je pousse la porte.

Le buveur de scotch est penché sur le lavabo, il s'asperge le visage d'eau fraîche. Il est blanc comme un linge.

— Ils ont appelé mon vol ?

— À l'instant. Vous avez encore quelques minutes.

Je m'apprête à partir, mais me ravise. L'homme me regarde fixement, l'angoisse se lit dans ses yeux.

— Je ne peux pas, dit-il.

Il attrape une serviette en papier et s'en tamponne le front.

— Je ne peux pas prendre l'avion.

J'attends qu'il poursuive.

— Je suis censé rencontrer mon futur patron, mais je ne peux pas. Je n'ai pas osé lui dire que j'ai peur de l'avion. Ou plutôt, je n'ai pas peur, je suis tétanisé.

Je laisse la porte se refermer derrière moi.

— En quoi consiste votre nouvel emploi ?

Il semble surpris.

— Euh… je bosse dans les pièces auto. Je suis le nouveau directeur régional chez Hunt Motors.

— C'est un poste à haute responsabilité, on dirait.

— J'y travaille depuis longtemps, déclare-t-il d'une voix étranglée. C'est pour ça que je n'ai pas envie de mourir dans une boule de feu volante…

Je suis tentée de lui faire remarquer qu'il s'agirait plutôt d'une boule de feu en chute libre, mais mon commentaire ne lui serait d'aucun secours. Il s'asperge encore une fois le visage, et je lui tends une nouvelle serviette en papier.

— Merci.

Il pousse un soupir tremblant et se redresse, essaie de se remettre d'aplomb.

— Je parie que vous n'avez jamais vu un homme se comporter de façon aussi ridicule, hein ? ajoute-t-il avec un petit rire gêné.

Je le détrompe aussitôt :

— J'assiste à ce genre de spectacle quatre fois par jour, en moyenne.

Il ouvre grands ses petits yeux.

— Quatre fois par jour, je dois récupérer quelqu'un dans les toilettes des hommes. Et généralement, c'est à cause de la peur de l'avion.

Il me regarde d'un air ahuri.

— Mais vous savez, poursuis-je, comme je le dis à tous les autres, aucun avion parti de cet aéroport ne s'est jamais écrasé.

— C'est vrai ?

— Pas un seul.

— Même pas… un petit crash sur la piste d'atterrissage ?

— C'est d'un ennui mortel, ici, réponds-je en haussant les épaules. Des gens s'en vont vers leur destination et reviennent quelques jours plus tard.

Je m'appuie sur la porte pour l'ouvrir. Ces toilettes ne sentent jamais la rose en fin de journée. J'ajoute :

— Et franchement, je pense que de pires choses pourraient vous arriver.

— Oui, je suppose.

Il réfléchit un instant, puis me regarde d'un air suspicieux.

— Quatre par jour ? répète-t-il.

— Parfois plus. Maintenant, si ça ne vous dérange pas, je dois vraiment y aller. Ce n'est pas bon pour moi d'être vue trop souvent en train de sortir des toilettes des hommes.

Il sourit, et l'espace d'une minute, je vois à quoi il doit ressembler en d'autres circonstances. Un homme naturellement affable, au sommet de sa carrière dans les pièces de voitures manufacturées en Europe.

— Je crois que c'est le dernier appel pour votre vol.

— Vous êtes certaine que ça va bien se passer ?

— Mais oui. Vous avez choisi une compagnie très sûre. Et ce vol ne durera que quelques heures. Regardez, le SK491 a atterri il y a cinq minutes. En vous rendant à votre porte d'embarquement, vous croiserez les hôtesses de l'air qui rentrent chez elles. Vous les verrez discuter et rire avec insouciance. Pour elles, prendre l'avion est aussi anodin que prendre le bus. Certaines le font deux, trois, quatre fois par jour. Et elles ne sont pas stupides : si elles n'étaient pas persuadées d'être en sécurité, elles ne monteraient pas à bord, pas vrai ?

— Aussi anodin que prendre le bus, répète-t-il.

— C'est même probablement bien moins risqué.

— Oui, c'est sûr, répond-il en haussant les sourcils. Il y a tellement de crétins sur les routes…

Je hoche la tête.

Il redresse sa cravate.

— Et c'est un travail important.

— Ce serait dommage de rater une telle opportunité pour un si petit problème. Vous irez mieux quand vous serez là-haut.

— Peut-être. Merci…

— Louisa.

— Merci, Louisa. Vous êtes très gentille.

Il me regarde d'un air songeur.

— Je suppose…, reprend-il. Je suppose que vous… ne voudrez pas boire un verre avec moi un jour ?

— C'est le dernier appel, monsieur, dis-je à nouveau en ouvrant la porte pour le laisser passer.

Il hoche la tête et fait mine de chercher quelque chose dans ses poches afin de masquer sa gêne.

— Oui. Bien sûr. Bon… alors j'y vais.

— Amusez-vous bien avec vos pièces auto.

Deux minutes après son départ, je découvre qu'il a vomi dans tout le troisième box.

J'arrive chez moi à 1 h 15. J'entre dans l'appartement silencieux, me déshabille, enfile un bas de pyjama et un sweat à capuche, puis ouvre le frigo pour en sortir une bouteille de blanc. Je me sers un verre. Le vin est aigre à m'en faire grimacer. J'examine l'étiquette et me rends compte que j'ai dû ouvrir la bouteille la veille au soir, puis oublier de la reboucher. Je me laisse tomber sur une chaise, ma bouteille à la main.

Sur le manteau de la cheminée sont posées deux cartes. La première vient de mes parents, qui me souhaitent un joyeux anniversaire.

Ce courrier de « meilleurs vœux » de maman est aussi douloureux qu'une blessure par arme blanche. L'autre est de ma sœur, qui me propose de passer pour le week-end avec Thom. Elle date d'il y a six mois. J'ai deux messages vocaux sur mon répondeur. Un du dentiste. Un de quelqu'un d'autre.

« Salut, Louisa. C'est Jared. On s'est rencontrés au *Dirty Duck*. Enfin, on a baisé plutôt (ricanement nerveux). C'était… tu vois… j'ai bien aimé. Je me disais qu'on pourrait peut-être remettre ça ? Tu as mon numéro… »

Je termine ma bouteille, puis envisage d'aller en acheter une autre. Mais je n'ai pas envie de ressortir. Je n'ai pas envie que Samir, qui tient l'épicerie ouverte vingt-quatre heures sur vingt-quatre, me resserve ses blagues sur mes éternelles bouteilles de pinot gris. Je n'ai pas envie de devoir parler à qui que ce soit. Je suis soudain épuisée, mais c'est le genre d'épuisement mental qui me dit que si je vais me coucher, je ne pourrai pas trouver le sommeil. Je pense un instant à Jared et à la drôle de forme de ses ongles de pied. Des ongles bizarres suffisent-ils à me dégoûter ? Je regarde fixement les murs nus du salon et me rends soudain compte que tout ce dont j'ai besoin, c'est d'un bon bol d'air. J'ouvre la fenêtre de l'entrée et grimpe d'un pas mal assuré sur l'escalier de secours qui mène jusqu'au toit.

La première fois que je suis montée sur le toit, il y a neuf mois, l'agent immobilier m'a dévoilé l'existence du jardinet que les précédents locataires y avaient aménagé à l'aide de quelques bacs à fleurs et d'un petit banc.

— Cette terrasse ne vous appartient pas officiellement, bien entendu, avait-il déclaré, mais votre appartement est le seul à bénéficier d'un accès direct sur les toits. Je trouve ça très joli. Vous pourriez même y organiser une fête !

Je l'avais regardé en me demandant s'il cherchait vraiment à vendre cet appartement à un fêtard invétéré.

Les plantes sont mortes depuis longtemps. Apparemment, je n'ai pas la main verte, et je ne suis pas très douée pour m'occuper des choses… ni des gens. Maintenant, je suis debout sur le toit et j'observe l'obscurité clignotante de Londres à mes pieds. Autour de moi, un million de gens vivent, respirent, mangent, se disputent. Un million de vies complètement séparées de la mienne. J'en ressens une étrange sérénité.

Les réverbères scintillent tandis que les bruits de la ville s'élèvent jusqu'à moi dans l'air nocturne. Des moteurs rugissent, des portes claquent. À quelques kilomètres plus au sud, j'entends le vrombissement d'un hélicoptère de police dont le faisceau lumineux scanne l'obscurité d'un parc à la recherche d'un malfaiteur. Quelque part, au loin, une sirène retentit. On entend toujours une sirène.

— Vous verrez, vous n'allez pas tarder à vous sentir ici chez vous, avait affirmé l'agent immobilier.

J'avais failli éclater de rire. La ville me semble plus étrangère que jamais. Je ne me sens chez moi nulle part.

J'hésite, puis hasarde un pas sur la corniche, les bras levés, comme une funambule un peu ivre. Un pied devant l'autre, je commence à longer le mur. La brise me donne la chair de poule. Quand je venais d'emménager, quand la situation me paraissait désespérée, je me mettais parfois au défi de parcourir toute la longueur de l'immeuble. Lorsque j'atteignais l'autre côté, j'éclatais de rire dans la nuit.

Tu vois, je suis là. Vivante. Je prends des risques. Comme tu me l'as demandé !

C'était devenu une habitude secrète. Moi, la ville, le réconfort de la pénombre, l'anonymat et la certitude que là-haut personne ne sait qui je suis. Je lève la tête, je sens la brise nocturne, j'entends des rires en dessous, le fracas étouffé d'une bouteille qu'on casse, le flot des véhicules qui s'écoule vers le centre-ville. Je vois le courant rouge interminable des feux arrière, un vrai réseau sanguin automobile.

Il n'y a qu'entre 3 et 5 heures du matin que l'on peut profiter d'un silence relatif : les alcooliques se sont effondrés dans leur lit, les chefs des restaurants ont enlevé leurs toques, les bars ont fermé leurs portes. Le silence de ces heures n'est interrompu que de manière sporadique par les travailleurs nocturnes, l'ouverture de la boulangerie juive au bout de la rue, les chocs sourds des camionnettes de livraison de journaux qui laissent tomber leurs bottes de papier. Je connais les mouvements les plus subtils de la ville parce que je ne dors plus.

Quelque part, en bas, une soirée privée se déroule au *White Horse*, pleine de bobos et de hipsters. Dehors, un couple se dispute. À l'autre bout de la ville, l'hôpital ramasse les morceaux des pauvres et des blessés, et soigne ceux qui viennent de remporter un nouveau jour face à la mort. Là-haut, il n'y a que l'air, l'obscurité, le vol de fret aérien de la RedEx qui relie LHR à Pékin, et d'innombrables voyageurs, comme mon buveur de scotch, tous en route pour une nouvelle destination.

— Dix-huit mois. Dix-huit longs mois. Quand est-ce que j'en aurai fini ?

J'adresse ma question à l'obscurité.

Et la voilà. Je la sens qui remonte, la colère inattendue. Je fais deux pas en avant en regardant mes pieds.

— Je ne me sens pas vivre. Je ne ressens rien.

Deux pas. Deux de plus. Ce soir, j'irai jusqu'au coin.

— Ce n'est pas une vie que tu m'as donnée, pas vrai ? Pas vraiment. Tu t'es contenté de détruire l'ancienne. Tu l'as fait voler en éclats. Mais qu'est-ce que je suis censée faire de ce qu'il en reste ? Quand est-ce que j'aurai l'impression…

J'étends les bras, je sens l'air froid de la nuit sur ma peau et me rends compte que je me suis remise à pleurer.

— Je te déteste, Will, dis-je dans un murmure. Je te déteste pour m'avoir abandonnée.

La peine enfle de plus belle, comme un brusque raz-de-marée qui m'accable. Et juste alors que je me sens prête à m'y noyer, une voix retentit dans l'ombre :

— Je ne crois pas que vous devriez être ici.

Je me retourne à moitié et aperçois en un éclair un petit visage pâle non loin de l'escalier de secours. Une paire d'yeux grands ouverts. Sous le choc, mon pied glisse sur le parapet. Mon cœur vacille une fraction de seconde avant que mon corps le suive dans sa chute. Et alors, comme dans un cauchemar, je ne pèse plus rien dans l'abîme de l'air nocturne. Mes jambes s'agitent au-dessus de ma tête, et j'entends un hurlement qui doit être le mien.

Puis un bruit mat.

Et tout devient noir.

Chapitre 2

— Comment vous appelez-vous ?

Quelque chose me serre le cou.

Une main me tâte la tête, doucement.

Je suis en vie. C'est une surprise.

— C'est ça. Ouvrez les yeux. Regardez-moi, maintenant. Regardez-moi. Pouvez-vous me dire votre nom ?

Je veux parler, ouvrir la bouche, mais les sons qui en sortent ne sont qu'un charabia incompréhensible. Je crois que je me suis mordu la langue. Je perçois le goût métallique du sang. Je ne peux pas bouger.

— On va vous mettre sur un brancard, d'accord ? Ce sera peut-être inconfortable pendant une minute, mais je vais vous administrer un peu de morphine pour soulager la douleur.

La voix de l'homme est calme, apaisante, comme si c'était la chose la plus naturelle au monde que d'être étendue, brisée, sur une dalle de ciment, les yeux levés vers le ciel nocturne. J'ai envie de rire et de lui dire à quel point la situation est ridicule. Mais rien ne semble fonctionner normalement.

Le visage de l'homme disparaît. Une femme en veste fluo, ses cheveux bruns bouclés attachés en une queue-de-cheval, se penche sur moi. Soudain, la lumière d'une lampe torche m'aveugle. La femme me regarde avec un intérêt détaché, comme si j'étais un spécimen et non pas une personne.

— Est-ce qu'il faut l'intuber ?

Je veux parler, mais je suis distraite par la douleur dans mes jambes.

Merde !

Difficile de savoir si je l'ai dit à haute voix.

— Fractures multiples. Pupilles normales et réactives. Pression sanguine quatre-vingt-dix sur soixante. Elle a du bol d'être passée à travers cet auvent. Et quelles étaient ses probabilités d'atterrir sur une chaise longue, hein ? En revanche, je n'aime pas trop cet hématome.

De l'air froid sur mon ventre, puis le contact léger de doigts tièdes.

— Hémorragie interne ?

— Il nous faut une seconde équipe ?

— Pouvez-vous reculer, s'il vous plaît ? Reculez.

La voix d'un autre homme :

— Je suis sorti fumer, et elle est tombée tout droit sur mon balcon. Elle a failli m'atterrir dessus, bordel !

— Eh bien, on dirait que c'est votre jour de chance : elle vous a raté.

— J'ai eu le choc de ma vie ! On ne s'attend pas à ce que des gens tombent du ciel comme ça. Regardez ma chaise. Elle m'a coûté huit cents livres au Conran Shop… Vous pensez que je peux me faire rembourser ?

Un bref silence.

— Vous êtes libre de faire ce que vous voulez, monsieur. Vous savez quoi, vous pouvez même lui demander de payer le nettoyage du sang sur votre balcon, tant que vous y êtes. Qu'est-ce que vous en dites ?

Le premier homme jette un regard complice à sa collègue. Quelques secondes passent. Enfin, je comprends. Je suis tombée d'un toit ? Mon visage est froid. Je me rends compte dans un brouillard que je tremble de tous mes membres.

— Elle entre en état de choc, Sam.

La porte d'une camionnette s'ouvre quelque part en bas. Puis la planche sous moi se déplace, et l'espace d'un instant… *la douleur la douleur la douleur !* Et tout devient noir.

Une sirène, un tourbillon bleu. On entend toujours une sirène à Londres. On se déplace. Le néon court d'un bout à l'autre de l'ambulance, tressaute et clignote, illuminant l'intérieur plein à craquer du véhicule. L'homme à l'uniforme vert tape quelque chose sur son téléphone avant de se tourner vers moi pour ajuster la perfusion au-dessus de ma tête. La douleur a diminué – merci la morphine ? –, mais alors que je reprends conscience, une terreur grandissante s'empare de moi, comme un airbag qui se gonfle peu à peu dans mes poumons.

Oh, non. Oh, pitié, non.

— Egcusez-gnoi ?

L'homme, calé à l'arrière de l'ambulance, met quelques secondes à réagir. Il se retourne et se penche sur moi. Il sent le citron, et je remarque qu'il s'est entaillé la joue en se rasant.

— Vous allez bien ?

— Est-ce gne…

L'homme se penche un peu plus.

— Désolé, j'ai du mal à vous entendre avec la sirène. On arrive bientôt à l'hôpital.

Il pose une main sur la mienne. Celle-ci est sèche et tiède, rassurante. Soudain, je panique à l'idée qu'il me lâche.

— Tenez bon. Donna, quelle est l'heure estimée d'arrivée ?

Je ne peux pas parler. Ma langue remplit ma bouche. J'ai l'esprit confus, mes pensées se bousculent. Ai-je bougé les bras quand ils m'ont ramassée ? J'ai bien levé la main droite ?

— Gne suis garalysée ? parviens-je enfin à articuler dans un souffle.

— Pardon ? demande-t-il en approchant son oreille de ma bouche.

— Garalysée ? Gne suis garalysée ?

— Paralysée ?

L'homme hésite, les yeux plongés dans les miens, puis se retourne pour regarder mes jambes.

— Pouvez-vous agiter les orteils ?

J'essaie de me souvenir comment bouger mes pieds. L'effort semble me demander beaucoup plus de concentration que d'habitude. L'homme touche doucement mes orteils, comme pour me rappeler où ils se trouvent.

— Essayez encore. Voilà.

La douleur m'explose dans la jambe. Un halètement retentit, peut-être un sanglot. Le mien.

— Vous allez bien. La douleur, c'est bon signe. Je ne peux rien garantir, mais je ne crois pas que votre moelle épinière soit touchée. Vous avez la hanche brisée, ainsi que plusieurs contusions.

Ses yeux sont plongés dans les miens. Un regard doux. Il semble comprendre à quel point j'ai besoin d'être convaincue. Je sens sa main se refermer sur la mienne. Je n'ai jamais eu tant besoin d'un contact humain.

— Vraiment, ajoute-t-il. Je suis sûr que vous n'êtes pas paralysée.

— Oh, Gnieu merci.

J'entends ma voix comme venue de très loin. Mes yeux s'emplissent de larmes.

— Gn'il vous plaît, gne me lâgez pas, dis-je dans un murmure.

Il se penche un peu plus sur moi.

— Je ne vous lâcherai pas.

Je veux parler, mais son visage se brouille et je perds à nouveau conscience.

Plus tard, ils m'apprennent que je suis tombée de deux étages sur les cinq que comporte l'immeuble, et que j'ai traversé un auvent pour atterrir sur l'immense chaise longue de luxe à l'épais coussin waterproof du balcon de M. Antony Gardiner, avocat spécialisé en droit des brevets. J'ai la hanche cassée, et deux de mes côtes ainsi que ma clavicule sont brisées net. Je me suis également cassé deux doigts de la main gauche et un métatarse, qui a transpercé la peau de mon pied et fait s'évanouir un interne. Mes radios sont pour eux une source de fascination.

Je n'arrête pas d'entendre la voix de l'urgentiste qui m'a soignée : « On ne sait jamais ce qui peut arriver quand on chute de si haut. » Apparemment, j'ai eu beaucoup de chance. Ils ne cessent de me le répéter et attendent, tout sourires, comme si j'allais réagir par un grand sourire. Ou peut-être un petit numéro de claquettes. Je ne me sens pas chanceuse. En fait, je ne ressens rien du tout. Je somnole et m'éveille. Parfois, la vue au-dessus de moi me fait penser aux lumières aveuglantes d'un théâtre ; parfois, je me retrouve dans une chambre calme et silencieuse. Le visage d'une infirmière. Des bribes de conversation.

« Tu as vu le merdier qu'a mis la vieille de la D4 ? Sympa pour finir sa garde… »

« Repose-toi, Louisa. On s'occupe de tout. Repose-toi. »

La morphine me rend somnolente. Ils augmentent ma dose, et j'accueille avec reconnaissance ce goutte-à-goutte qui me fait tout oublier.

J'ouvre les yeux pour découvrir ma mère debout au pied de mon lit.

— Elle est réveillée. Bernard, elle est réveillée ! Il faut qu'on aille chercher l'infirmière ?

Tiens, elle a changé de couleur de cheveux, me dis-je distraitement. Et puis : *Oh, c'est ma mère. Ma mère ne me parle plus.*

— Oh, Dieu merci. Dieu merci.

Ma mère touche le crucifix suspendu à son cou. Ce geste me rappelle quelqu'un, mais je ne sais plus qui. Elle se penche sur moi et me caresse doucement la joue. Bizarrement, mes yeux s'emplissent de larmes.

— Oh, ma petite fille.

Elle se penche sur moi, comme pour me protéger de nouvelles blessures. Je sens son parfum, aussi familier que le mien.

— Oh, Lou, gémit-elle en essuyant mes larmes à l'aide d'un mouchoir. J'ai eu la peur de ma vie quand ils ont appelé. Est-ce que tu as mal ? Tu as besoin de quelque chose ? Tu es bien installée ? Je peux aller te chercher un verre d'eau ?

Elle parle si vite que je n'ai pas le temps de répondre.

— On est venus tout de suite. Treena garde grand-père. Il t'embrasse. Enfin, il a grommelé un truc incompréhensible, mais on sait tous ce que ça veut dire. Oh, ma chérie, comment t'es-tu mise dans ce pétrin ? Qu'est-ce qui t'est passé par la tête ?

Elle ne semble pas attendre une réponse. Tout ce que j'ai à faire, c'est rester couchée là sans rien dire.

Ma mère se tapote les yeux, puis essuie de nouveau les miens.

— Tu es toujours ma fille. Et… et je ne supporterais pas si quoi que ce soit t'arrivait et qu'on ne soit pas… tu sais.

— Ngung…

Je ravale les mots. Ma langue me paraît ridiculement épaisse. Je parle comme si j'étais ivre.

— Gne n'ai gnamais voulu…

— Je sais. Mais tu ne m'as pas simplifié la tâche, Lou. Je ne pouvais pas…

— Pas maintenant, chérie, dit papa en lui étreignant l'épaule.

Ses yeux se perdent dans le vide, et elle me prend la main.

— Quand on a reçu le coup de fil, poursuit-elle. Oh. Je me suis dit… Je ne savais pas.

Elle renifle de nouveau, le mouchoir pressé sur ses lèvres.

— Dieu merci, elle va bien, Bernard.

Papa se profile au-dessus de moi. Nous nous sommes téléphoné pour la dernière fois il y a quelques semaines, mais je ne l'ai pas vu en personne depuis dix-huit mois, depuis le jour où j'ai quitté ma ville natale. Il me paraît immense et familier, et surtout terriblement fatigué.

— Désolée, dis-je dans un murmure.

Je ne sais pas quoi ajouter.

— Ne sois pas bête, réplique-t-il. On est heureux que tu ailles bien. Même si tu as l'air d'avoir combattu six rounds contre Mike Tyson. Tu t'es regardée dans un miroir depuis que tu es arrivée ici ?

Je fais « non » de la tête.

— Peut-être… que tu devrais attendre encore un petit peu, reprend-il. Tu te souviens de Terry Nicholls, la fois où il est passé par-dessus le guidon de son vélo devant l'épicerie ? Eh bien, sans la moustache, c'est à peu près à ça que tu ressembles. En fait, ajoute-t-il en examinant avec soin mon visage, maintenant que tu en parles…

— Bernard.

— On t'apportera une pince à épiler dès demain. Et la prochaine fois que tu as envie de prendre des leçons de voltige, va plutôt à l'aérodrome, OK ? Visiblement, sauter dans le vide et battre des bras ne fonctionne pas avec toi.

Je tente d'esquisser un sourire.

Ils se penchent tous les deux sur moi. Leurs traits sont tirés, leurs visages anxieux. Mes parents.

— Elle a maigri, Bernard. Tu ne trouves pas qu'elle a maigri ?

Papa s'approche encore un peu. Je remarque que ses yeux sont un peu plus humides et son sourire un peu plus incertain que d'ordinaire.

— Ah… elle est très jolie, ma chérie. Crois-moi. Tu es très belle.

Il serre ma main, puis la porte à ses lèvres pour l'embrasser. Il n'avait jamais agi ainsi de toute sa vie.

C'est alors que je comprends : ils ont cru que j'allais mourir. Sans crier gare, un sanglot me secoue la poitrine. Je ferme les yeux pour retenir mes larmes et sens la paume calleuse de mon père contre la mienne.

— On est là, ma chérie. Tout va bien, maintenant. Tout va bien se passer.

Ils font le trajet de vingt-cinq kilomètres tous les jours pendant deux semaines, prenant le premier train de la journée. Et même après, ils reviennent tous les deux ou trois jours. Papa a pris un congé spécial parce que maman ne veut pas voyager seule. Après tout, comme elle dit, on ne sait jamais quel genre de personne on peut croiser à Londres. Elle accompagne ces mots d'un regard furtif derrière elle, comme si un truand armé d'un poignard rôdait dans l'hôpital. Treena, quant à elle, reste à la maison pour s'occuper de grand-père. À l'expression de ma mère, je devine que ce n'est pas le premier choix de ma sœur.

Maman m'apporte des repas qu'elle cuisine. Elle le fait depuis le jour où nous avons tous examiné mon plateau et, malgré cinq minutes d'intenses spéculations, n'avons pas réussi à déterminer de quoi il s'agissait. « Et sur un plateau en plastique, Bernard ! Comme en prison. » Elle avait tristement pris un bout d'aliment avec une fourchette, puis l'avait reniflé. Depuis, elle arrive chaque fois avec d'énormes sandwichs, d'épaisses tranches de jambon ou de fromage dans du pain blanc, et de la soupe maison. « De la nourriture qu'on peut reconnaître. » Et elle me nourrit comme un bébé. Ma langue retrouve peu à peu sa taille normale. Apparemment, j'ai failli la sectionner avec mes dents en atterrissant. Ce n'est pas rare, m'ont-ils dit.

J'ai subi deux opérations pour mettre une broche à la hanche, et mon pied et mon bras gauches sont plâtrés jusqu'en haut. Keith, l'un des brancardiers, me demande s'il peut signer mes plâtres – d'après lui, cela porte malheur de les laisser blancs – et se hâte d'y inscrire un petit mot tellement cochon qu'Éveline, l'infirmière philippine, a dû coller un pansement dessus avant l'arrivée du médecin. Quand il pousse mon fauteuil pour m'emmener en radiologie ou à la pharmacie, Keith me raconte les ragots de l'hôpital. Je me passerais bien d'entendre les anecdotes de patients ayant succombé à des agonies lentes et douloureuses, mais cela semble lui faire plaisir. Parfois, je me demande ce qu'il raconte aux autres à mon sujet. Je suis la fille qui a survécu à une chute de cinq étages. En termes de statut hospitalier, cela me place au-dessus du constipé du service C qui s'est fait une occlusion intestinale ou de « cette stupide gonzesse qui s'est coupé le pouce avec un sécateur ».

C'est fou à quel point on devient vite institutionnalisé. Dès mon réveil, j'accepte les manipulations d'une poignée de gens que je reconnais à présent, tente de répondre correctement aux questions du médecin et attends l'arrivée de mes parents. Ces derniers s'occupent en réalisant de petites tâches dans ma chambre et deviennent peu à peu étrangement déférents à l'égard des docteurs. Papa ne cesse de s'excuser de mon incapacité à sautiller jusqu'à ce que maman lui assène un violent coup de pied dans la cheville.

Après la ronde des médecins, maman va généralement faire un tour dans les boutiques du rez-de-chaussée et revient en s'indignant à voix basse du nombre de fast-foods.

— Si tu avais vu cet unijambiste du service de cardiologie, Bernard ! Assis là, à se bourrer de cheeseburgers et de chips ! C'est incroyable !

Papa lit le journal local, assis sur une chaise au bout de mon lit. La première semaine, il n'a pas arrêté d'y chercher un article relatant mon accident. J'ai essayé de lui expliquer que dans ce quartier même les doubles meurtres méritent à peine un entrefilet, mais il réplique qu'à Stortfold, il y a quelques semaines, la une portait sur les « chariots de supermarché abandonnés dans la mauvaise zone du parking ». La semaine d'avant, c'étaient les « écoliers attristés par l'état de la mare aux canards » qui avaient fait les gros titres.

Le vendredi précédant ma dernière opération de la hanche, ma mère m'apporte une robe de chambre une taille au-dessus de la mienne et un grand sac en papier rempli de sandwichs aux œufs.

Je n'ai pas besoin de demander de quoi il s'agit : l'odeur soufrée envahit la pièce dès qu'elle ouvre le sac. Mon père agite la main devant son nez.

— Les infirmières vont encore m'accuser, Josie ! proteste-t-il avant d'ouvrir et de fermer la porte de la chambre pour tenter de provoquer un courant d'air.

— Les œufs vont la remettre d'aplomb, réplique ma mère. Elle est trop maigre. Et puis, tu peux parler : tu accusais encore le chien pour tes odeurs infectes deux ans après sa mort.

— C'était pour maintenir un peu de romantisme entre nous, mon amour.

Maman baisse la voix :

— Treena prétend que son dernier mec lui mettait la couverture sur la tête quand il pétait. Vous imaginez !

— Quand j'ai le malheur de lâcher un pet, ta mère menace de s'exiler dans une autre région, s'esclaffe papa.

Même quand ils rient, il règne comme une tension dans l'air. Je la sens. Quand votre univers se réduit à quatre murs, vous devenez particulièrement réceptif aux infimes variations de l'atmosphère. Tout est dans la manière dont les médecins se détournent légèrement en examinant les radios, ou dont les infirmières se couvrent la bouche en parlant d'un patient qui vient de décéder.

Je décide de crever l'abcès :

— Quoi ? Qu'est-ce qui se passe ?

Ils échangent un regard gêné.

— Eh bien…, commence maman en s'asseyant au bord de mon lit. Le docteur a dit… que… la façon dont tu es tombée n'est pas claire.

Je mords dans un sandwich aux œufs. J'arrive de nouveau à me servir de ma main gauche.

— Oh, ça, réponds-je. J'ai été déconcentrée.

— En marchant sur le bord du toit ?

Je mâche un instant sans répondre.

— Est-ce que par hasard tu n'aurais pas fait une crise de somnambulisme, ma chérie ?

— Papa… je n'ai jamais été somnambule.

— Si, une fois. Quand tu avais treize ans, tu as erré jusqu'à la cuisine et tu as mangé la moitié du gâteau d'anniversaire de Treena.

— Euh… Je n'étais peut-être pas vraiment endormie…

— Et il y a ton alcoolémie. Ils ont dit que tu avais bu… énormément.

— J'avais eu une soirée difficile au travail. J'ai bu un verre ou deux, puis je suis montée prendre l'air sur le toit. Et j'ai été distraite par une voix.

— Tu as entendu une voix ?

— J'étais debout sur le bord, je regardais la ville. Je fais ça de temps en temps. Il y a eu la voix de cette fille derrière moi qui m'a fait peur, et j'ai perdu l'équilibre.

— Une fille ?

— Je n'ai entendu que sa voix.

Papa se penche sur moi.

— Tu es sûre qu'il y avait vraiment une fille ? Tu n'as pas imaginé…

— C'est ma hanche que j'ai cassée, papa. Pas ma tête.

— Ils ont dit que c'est une fille qui a appelé l'ambulance, fait remarquer maman en posant la main sur le bras de mon père.

— Donc tu es en train de nous dire qu'il s'agissait vraiment d'un accident ? demande-t-il.

J'arrête de manger. Ils détournent les yeux d'un air coupable.

— Quoi ? Vous… vous croyez que j'ai sauté ?

— On ne croit rien du tout, proteste papa en se grattant la tête. C'est juste que… eh bien… Les choses vont si mal depuis… Et on ne t'a pas vue depuis si longtemps… Et on était un peu surpris que tu marches sur le toit d'un immeuble au beau milieu de la nuit. Avant, tu avais peur du vide.

— Avant, j'étais fiancée à un mec qui trouvait normal de calculer le nombre de calories qu'il brûlait en dormant. Bon sang ! C'est pour ça que vous êtes tellement gentils avec moi ? Vous croyez que j'ai voulu me suicider ?

— C'est juste qu'il nous a demandé tout un tas de…

— Qui a demandé quoi ?

— Ce psychiatre. Ils veulent seulement s'assurer que tu vas bien, ma chérie. On sait que c'est difficile… enfin, tu sais… depuis…

— Un psychiatre ?

— Ils t'ont inscrite sur la liste d'attente pour le consulter. Pour parler, tu comprends. On a eu une longue discussion avec les médecins. Tu vas rentrer à la maison avec nous. Le temps de te remettre. Tu ne peux pas rester seule dans cet appartement. Il est…

— Vous êtes allés chez moi ?

— Il a bien fallu récupérer tes affaires.

Un long silence s'étire. Je les imagine, debout sur le pas de la porte de mon appartement. Ma mère, la main serrée sur son sac, passe en revue les draps sales, les bouteilles de vin vides alignées sur le manteau de la cheminée, la demi-barre de céréales esseulée dans le frigo. Je les imagine secouer la tête et échanger un regard.

Tu es sûr qu'on ne s'est pas trompés de porte, Bernard ?

— Pour le moment, tu as besoin d'être avec ta famille. Jusqu'à ce que tu sois de nouveau sur pied.

Je veux répondre que je serai très bien dans mon appartement, quoi qu'ils en pensent. Je veux simplement faire mon travail, puis rentrer chez moi et ne plus réfléchir avant de repartir au boulot le lendemain. Je veux leur dire que je n'ai pas envie de revenir à Stortfold pour être de nouveau *cette fille-là. Celle qui…* Je ne veux pas avoir à sentir sur mes épaules le poids de la désapprobation soigneusement dissimulée de ma mère, je ne veux pas subir la joyeuse détermination de mon père en mode « Tout va bien, tout va très bien », comme si le répéter en boucle pouvait changer le cours des événements. Je ne veux pas passer tous les jours devant la maison de Will, penser à ce à quoi j'ai pris part.

Mais je me tais. Parce que soudain je suis fatiguée, tout me fait mal, et je ne peux plus me battre.

Papa m'emmène à Stortfold deux semaines plus tard, dans sa camionnette du travail. Comme il n'y a que deux places à l'avant, maman est restée préparer la maison. À mesure que le paysage défile par la vitre, je sens ma gorge se nouer.

Les rues joyeuses de ma ville natale me semblent maintenant étrangères. Je les regarde d'un œil distant, critique, remarquant à quel point tout semble petit, usé, chichiteux même. Je me rends compte que c'est ainsi que Will a dû les voir en revenant chez ses parents après son accident. Puis je repousse cette pensée. Quand on arrive dans notre rue, je me surprends à me tasser au fond de mon siège. Je ne veux pas échanger de politesses avec les voisins, je ne veux pas avoir à m'expliquer. Je ne veux pas qu'on me juge pour ce que j'ai fait.

—Ça va? me demande papa, comme s'il avait deviné mon malaise.

—Ça va.

—Bien, dit-il en posant sa main sur mon bras.

Quand on se gare, maman est déjà à la porte. Je la soupçonne d'avoir attendu à la fenêtre pendant une demi-heure. Papa dépose un de mes sacs sur les marches du porche, puis revient m'aider en balançant le deuxième sur son épaule.

Je pose avec précaution ma canne sur les pavés. Derrière moi, pendant que je remonte lentement l'allée, je sens les rideaux des voisins s'écarter.

Regardez qui voilà, je les entends murmurer. *Elle a fait quoi cette fois, d'après vous?*

Papa me guide vers la porte en gardant les yeux rivés sur mes pieds, comme s'ils risquaient à tout moment de s'échapper.

— Ça va ? ne cesse-t-il de demander. Pas trop vite.

Je vois grand-père qui traîne derrière maman dans le couloir, avec sa chemise à carreaux et son pull bleu. Rien n'a changé. Toujours le même papier peint. Le même tapis dans l'entrée. Les lignes dans le poil usé sont toujours visibles depuis que maman a passé l'aspirateur ce matin. J'aperçois même mon vieil anorak suspendu à la patère. Dix-huit mois. J'ai l'impression de n'être pas revenue ici depuis dix ans.

— Ne la presse pas, dit maman, les mains serrées l'une contre l'autre. Tu vas trop vite, Bernard.

— Elle ne court pas un marathon, réplique papa. Si elle ralentit encore, elle fera du *moonwalk*.

— Attention aux marches, reprend maman. Tu ne devrais pas être derrière elle, Bernard, pour monter l'escalier ? Tu sais, au cas où elle tombe en arrière ?

— Je sais où sont les marches, leur fais-je remarquer entre mes dents. J'ai seulement vécu ici pendant vingt-six ans.

— Fais attention à ce qu'elle ne se prenne pas les pieds dans ce rebord, Bernard. Tu ne voudrais pas qu'elle se recasse la hanche…

Oh, mon Dieu. Est-ce que c'était comme ça pour toi, Will ? Tous les jours ?

Puis ma sœur apparaît sur le pas de la porte et pousse ma mère pour passer.

— Oh, pour l'amour du ciel, maman ! Allez, viens ! Tu nous transformes en spectacle de foire !

Treena passe son coude sous mon bras et se retourne une seconde pour fusiller du regard les voisins, les sourcils levés, comme pour dire : « Y a rien à voir, circulez. » J'entends presque les sifflements des rideaux qu'on referme.

— Bande de commères de merde ! grommelle Treena. Bref, dépêche-toi. J'ai promis à Thomas qu'il pourrait voir tes cicatrices avant que je l'emmène à son club de foot. Bon sang, tu as perdu combien de kilos ? Tes seins doivent avoir l'air de deux gants de toilettes !

C'est dur de rire et de marcher en même temps. Thomas court vers moi pour me serrer dans ses bras, si bien que je dois m'arrêter et mettre une main sur le mur pour garder l'équilibre au moment de l'impact.

— Ils t'ont vraiment découpée et recousue après ?

Sa tête arrive au niveau de ma poitrine. Il lui manque quatre dents de devant.

— Grand-père dit qu'ils t'ont sûrement recousue de travers. Et que Dieu seul sait comment on pourra voir la différence.

— Bernard !

— Je blaguais !

— Louisa, me dit grand-père d'une voix rauque et hésitante.

Il tend les bras d'un geste mal assuré et me serre contre lui. Je lui rends son étreinte. Il recule, et il m'agrippe à nouveau de toute la force de ses vieilles mains. Il fronce les sourcils, feignant la colère.

— Je sais, papa. Je sais. Mais elle est rentrée maintenant, dit maman.

— On t'a installée dans ton ancienne chambre, déclare papa. On l'a redécorée avec un papier peint Transformers pour Thom. Un Autobot ou un Predacon par-ci par-là, ça ne te dérange pas ?

— J'ai eu des vers dans les fesses, annonce Thomas. Maman dit que je ne dois pas en parler en dehors de la maison. Ni mettre mes doigts dans mon…

— Doux Jésus ! soupire maman.

— Bienvenue à la maison, Lou ! dit papa avant de lâcher prestement mon sac sur mon pied.

Chapitre 3

Pendant les neuf premiers mois après la mort de Will, j'étais plongée dans une sorte de brouillard. Je partis tout droit à Paris, ivre de liberté, dotée des appétits que Will avait éveillés en moi. Je trouvai un travail dans un bar fréquenté par des expatriés qui se fichaient de mon horrible niveau de français, et je m'améliorai peu à peu. Je louai une petite chambre de bonne dans le XVIe arrondissement, au-dessus d'un restaurant indien, et je restais souvent couchée tout éveillée, à écouter les bruits des buveurs tardifs et des livraisons matinales. Chaque jour, j'avais l'impression de vivre la vie de quelqu'un d'autre.

Ces premiers mois, c'était comme si j'avais perdu une couche de peau : je ressentais tout plus intensément. Je me réveillais en riant ou en pleurant, je voyais le monde comme si un filtre avait été retiré. Je mangeais de nouveaux plats, marchais dans des rues inconnues, parlais à des gens dans une langue qui n'était pas la mienne. Parfois, je me sentais hantée par l'esprit de Will, comme si je voyais tout à travers ses yeux, comme si j'entendais sa voix dans mon oreille :

Alors, Clark, qu'est-ce que tu penses de ça ?

Je t'avais bien dit que ça te plairait.

Goûte ça ! Essaie ça ! Fonce !

Je me sentais perdue sans notre routine. Pendant des semaines, mes mains me semblèrent inutiles sans leur contact quotidien avec son corps : la douce chemise que je boutonnais, les paumes tièdes et inertes que je lavais, les cheveux soyeux que je croyais toujours sentir entre mes doigts. Sa voix me manquait, son rire abrupt et rare, la sensation de ses lèvres sur mon front, la façon dont ses paupières s'abaissaient quand il s'apprêtait à s'assoupir. Ma mère, toujours horrifiée par ce à quoi j'avais pris part, m'avait dit que même si elle m'aimait elle ne reconnaissait pas dans cette personne la fille qu'elle avait élevée. Alors, avec la perte de ma famille et de l'homme que j'avais aimé, plus rien ne me reliait à l'ancienne Louisa. J'avais l'impression de dériver, sans attaches, dans un univers inconnu.

Je faisais semblant de vivre une nouvelle vie. Je me liais de loin à d'autres déracinés : de jeunes étudiants anglais en année sabbatique, des Américains suivant les pas de leurs héros littéraires, persuadés qu'ils ne reviendraient jamais dans le Midwest, de jeunes banquiers fortunés, des voyageurs d'un jour... Une troupe en mouvement perpétuel qui passait sans vraiment s'arrêter. Des réfugiés d'autres vies. Je souriais, discutais et travaillais, et je me disais que je faisais ce dont j'avais envie. Qu'au moins, en cela, je pouvais trouver du réconfort.

Bientôt, l'hiver desserra son étreinte, et un beau printemps arriva. Et un jour je m'éveillai pour me rendre compte que j'étais tombée en désamour de Paris. Ou, du moins, je ne me sentais plus assez parisienne pour y rester. Les histoires des expats commençaient à me sembler toutes similaires et ennuyeuses, les Parisiens me paraissaient inamicaux, et je prenais conscience, plusieurs fois par jour, d'une myriade de raisons pour lesquelles je ne me sentirais jamais chez moi à Paris. La ville, si captivante soit-elle, me faisait l'effet d'une superbe robe de créateur que j'aurais achetée en hâte, mais qui ne m'allait pas du tout. Je donnai donc mon préavis et partis voyager en Europe.

Jamais deux mois ne m'avaient fait me sentir aussi inadaptée. J'étais seule presque tout le temps. Je détestais ne pas savoir où j'allais dormir chaque nuit, je m'inquiétais sans cesse des horaires de train et des monnaies, j'avais du mal à me faire des amis et n'avais confiance en personne. Et puis, que pouvais-je dire de moi ? Quand les gens me posaient la question, je ne pouvais leur révéler que les détails les plus superficiels. Tout ce qui était important ou intéressant à mon sujet, je ne pouvais le partager. Sans personne à qui parler, chaque vue que j'admirais – que ce soit la fontaine de Trevi ou un canal d'Amsterdam – me donnait simplement l'impression d'une case à cocher sur une liste. Je passai la dernière semaine sur une plage grecque qui me rappelait beaucoup trop une plage où j'avais été avec Will. Et enfin, après huit jours assise sur le sable à repousser les avances d'hommes bronzés qui semblaient tous s'appeler Dimitri et à essayer de me persuader que je m'amusais, je laissai tomber et repartis à Paris. Pour la première fois, je me rendais compte que je n'avais nulle part ailleurs où aller.

Pendant deux semaines, je dormis sur le canapé d'une ancienne collègue du bar et tentai de décider ce que j'allais faire ensuite. Je me souvins d'une conversation que j'avais eue avec Will au sujet de mon orientation professionnelle et écrivis à plusieurs universités pour me renseigner sur des cours de stylisme. Malheureusement, je n'avais aucun CV à leur fournir, et on me refusa poliment l'inscription. On attribua à un autre étudiant la place que j'avais décrochée après la mort de Will dans une formation en stylisme parce que je ne m'étais pas présentée. Je pouvais soumettre de nouveau ma candidature l'année suivante, m'avait dit le responsable avec le ton de celui qui savait que je n'en ferais rien.

Je cherchai du travail sur des sites de petites annonces et me rendis compte que, malgré tout ce que j'avais vécu, je n'étais toujours pas qualifiée pour le genre de poste qui pourrait m'intéresser. Puis, par hasard, juste alors que je me demandais ce que j'allais bien pouvoir faire, Me Michael Lawler m'appela pour me suggérer qu'il était temps d'utiliser l'argent que Will m'avait légué. C'était l'excuse rêvée pour partir. L'avocat m'aida à négocier le prix d'un T3 terriblement cher du côté de Square Mile, que j'achetai en grande partie parce que je me souvenais que Will m'avait un jour parlé du bar à vin situé au coin de cette rue : cela me faisait me sentir plus proche de lui. Avec l'argent qui restait, je m'achetai des meubles. Six semaines plus tard, je revins en Angleterre, trouvai un emploi de serveuse au *Shamrock and Clover*, couchai avec un dénommé Phil que je ne revis jamais et attendis de me sentir de nouveau en vie.

Neuf mois plus tard, j'attendais toujours.

Je ne sortis pas beaucoup au cours de cette première semaine à Stortfold. J'avais mal et je me fatiguais rapidement. Il était plus facile pour moi de rester au lit à somnoler, assommée par de puissants antalgiques, en me disant que la convalescence était tout ce qui comptait. Je me sentais étonnamment bien dans la petite maison familiale : c'était le premier endroit où j'arrivais à dormir plus de quatre heures d'affilée depuis mon départ, et les pièces y étaient assez étroites pour que j'aie toujours un mur à portée de main afin de me soutenir. Maman me donnait à manger, grand-père me tenait compagnie (Treena était repartie à la fac et avait emmené Thom avec elle). Je regardais beaucoup la télévision en journée, m'émerveillant de ses publicités incessantes pour des monte-escaliers et de son intérêt pour des starlettes que j'étais incapable de nommer après moins d'un an à l'étranger. Je me sentais comme dans un petit cocon qui menaçait, hélas, de se fissurer à tout moment.

On ne parlait de rien qui soit susceptible de déranger ce fragile équilibre. Je regardais telle ou telle célébrité que me balançait la télévision, puis demandais au dîner : « Alors, c'est qui exactement, cette Shayna West ? » Papa et maman s'emparaient joyeusement de ce sujet de conversation, faisant remarquer qu'une telle était une traînée ou que telle autre avait de beaux cheveux. Nous avons débattu d'*Un trésor dans votre maison* (« Je me suis toujours demandé ce que valait cette jardinière victorienne de ta mère… Tu sais, ce vieux truc moche. ») et des *Plus belles maisons de nos campagnes* (« Je ne laverais même pas un chien dans cette baignoire. »). Je ne me projetais pas au-delà de l'heure de chaque repas, au-delà de ces nouveaux défis du quotidien : m'habiller, me brosser les dents et exécuter les menues tâches ménagères que ma mère me confiait (« Tu sais, ma chérie, quand je sors, si tu pouvais trier le linge, ça me ferait gagner du temps. »).

Malheureusement, comme une marée montante, le monde extérieur menaçait de m'engloutir. J'entendais les voisins poser des questions à ma mère quand elle étendait la lessive. « Votre Lou est de retour parmi nous ? » Et la réponse inhabituellement sèche de maman : « Oui. » Je me surpris à éviter les pièces de la maison d'où je pouvais voir le château, même si je savais bien qu'il était toujours là, avec ses habitants qui me rappelaient Will. Je me demandais parfois ce qu'ils étaient devenus ; à Paris, j'avais reçu une lettre de Mme Traynor, qui me remerciait formellement de tout ce que j'avais fait pour son fils. « Je suis consciente que vous avez fait tout ce que vous avez pu. » Mais c'était tout. Cette famille, qui pendant quelques mois avait été toute ma vie, n'était plus que le souvenir fantomatique d'une époque que je voulais oublier. À présent, dans notre rue plongée dans l'ombre du château plusieurs heures tous les soirs, je sentais la présence des Traynor, pesant sur moi, comme un reproche.

J'étais revenue depuis quinze jours quand je me rendis compte que maman et papa ne se rendaient plus à leur club.

— On n'est pas mardi ? demandai-je la troisième semaine pendant le dîner. Vous ne devriez pas être sortis ?

Ils échangèrent un regard.

— Ah, non. On est mieux ici, dit papa en mâchant sa côte de porc.

— Je me débrouille très bien toute seule, protestai-je. Je vais beaucoup mieux. Et je suis très contente de regarder la télé.

J'avais secrètement envie de rester seule un moment, sans personne pour m'espionner. Depuis mon retour, on m'avait rarement laissée seule plus d'une demi-heure.

— Vraiment, insistai-je. Allez vous amuser. Ne vous en faites pas pour moi.

— On… on ne va plus vraiment au club, dit maman en coupant une pomme de terre.

— Les gens… ils n'arrêtent pas de jaser. À propos de ce qui s'est passé, ajouta papa en haussant les épaules. À la fin, c'était plus simple de ne plus s'en mêler.

Le silence qui suivit dura six bonnes minutes.

D'autres souvenirs de mon ancienne vie, plus concrets, s'imposaient également à moi. Des souvenirs vêtus de pantalons de sport moulants en matière anti-transpirante.

Le quatrième matin où je vis Patrick faire son jogging devant notre maison, je me dis qu'il ne pouvait s'agir d'une coïncidence. Le premier jour, j'avais cru entendre sa voix et j'avais claudiqué jusqu'à la fenêtre pour jeter un coup d'œil à travers les lames du store. Il était là, juste en dessous de moi, à s'étirer les ischio-jambiers en discutant d'une voix sonore avec une blonde aux cheveux noués en queue-de-cheval ; cette dernière était vêtue d'une combinaison en Lycra bleue, identique à la sienne et si moulante que je pouvais presque deviner ce qu'elle avait mangé au petit déjeuner.

Je reculai d'un pas, de peur qu'il ne lève les yeux et m'aperçoive, et une minute plus tard, ils étaient repartis, courant sur la route, le dos droit, comme deux poneys attelés à une calèche turquoise.

Deux jours plus tard, j'étais en train de m'habiller quand je les entendis. Patrick parlait d'une voix forte de ses apports glucidiques. Cette fois, la fille jeta un regard suspicieux en direction de la maison, comme si elle se demandait pourquoi ils s'étaient arrêtés deux fois à cet endroit précis.

Le troisième jour, j'étais dans le salon en compagnie de grand-père lorsqu'ils arrivèrent.

— On devrait faire des sprints ! clama Patrick. Tiens, fais donc l'aller et retour jusqu'au troisième lampadaire, je te chronomètre. Intervalles de deux minutes. Go !

Grand-père leva les yeux au ciel d'un air qui en disait long.

— Il fait ça tous les jours depuis que je suis revenue ? demandai-je.

Cette fois, grand-père leva tellement les yeux au ciel qu'on aurait cru qu'il cherchait à regarder l'intérieur de sa tête.

Je jetai un coup d'œil à travers les rideaux en dentelle. Patrick était debout, les yeux fixés sur sa montre, son meilleur profil du côté de ma fenêtre, vêtu d'une polaire noire et d'un short en Lycra sombre. Soudain, à le voir juste là, à quelques mètres à peine de l'autre côté de la vitre, je m'étonnai d'avoir cru l'aimer pendant si longtemps.

— Vas-y ! cria-t-il en levant les yeux de son chronomètre.

Comme un docile chien de course, la fille toucha le lampadaire derrière lui et repartit en trombe.

— Quarante-deux secondes trente-huit, dit-il d'un air approbateur quand elle revint, haletante. Je pense que tu pourrais t'améliorer d'un cinquième de seconde.

— Tout ça, c'est pour toi, déclara maman, qui venait d'entrer avec deux tasses fumantes.

— Je me posais justement la question.

— Sa mère m'a demandé au supermarché si tu étais revenue, et j'ai confirmé. Ne me regarde pas comme ça, je n'allais pas lui mentir ! Celle-ci s'est fait refaire les seins, poursuivit-elle avec un signe de tête en direction de la fenêtre. On en parle dans tout Stortfold. À ce qu'il paraît, on peut poser deux soucoupes dessus.

Elle resta songeuse un instant, puis ajouta :

— Tu es au courant qu'ils sont fiancés ?

J'attendis le choc, mais il fut si infime qu'il aurait aussi bien pu s'agir d'un courant d'air.

— Ils ont l'air… bien assortis, dis-je enfin.

Ma mère m'observa un moment.

—Ce n'est pas un mauvais bougre, Lou, conclut-elle. C'est toi qui as… changé.

Elle me tendit une tasse et se détourna aussitôt.

Enfin, le matin suivant, quand ils s'arrêtèrent pour faire des pompes sur le trottoir devant la maison, j'ouvris la porte et sortis. Je m'appuyai contre le mur, les bras croisés, et le regardai jusqu'à ce qu'il lève les yeux.

—À ta place, déclarai-je, je ne traînerais pas ici trop longtemps. Le chien des voisins est assez… territorial.

—Lou! s'écria-t-il comme si j'étais la dernière personne qu'il s'attendait à voir devant la porte de ma propre maison, où il m'avait rendu visite plusieurs fois par semaine pendant les sept années qu'avait duré notre relation. Eh bien… je m'étonne de te voir rentrée! Je te croyais partie conquérir le vaste monde!

Sa fiancée, qui faisait des pompes à côté de lui, leva les yeux puis les baissa aussitôt. Peut-être était-ce mon imagination, mais ses fesses semblaient serrées encore plus fermement qu'auparavant. En haut, en bas, elle s'agitait furieusement. En haut, en bas. Je me surpris à m'inquiéter distraitement pour sa nouvelle poitrine.

Enfin, Patrick se releva d'un bond.

—Voici Caroline, ma fiancée, annonça-t-il.

Il ne me quitta pas des yeux, attendant peut-être une réaction.

—On s'entraîne pour le prochain triathlon. On en a déjà fait deux ensemble.

—Comme c'est… romantique.

—Caroline et moi estimons qu'il est important de faire des activités en couple, rétorqua-t-il.

—Je vois ça, répondis-je. Et avec des combinaisons assorties!

—Oh. Oui. Le turquoise est la couleur de notre équipe.

Un bref silence s'ensuivit.

—Allez, les Turquoise! m'écriai-je en lançant le poing en l'air.

Caroline se releva à son tour et se mit à s'étirer les quadriceps en pliant sa jambe derrière elle à la façon d'un échassier. Froidement, elle m'adressa un signe de tête.

— Tu as perdu du poids, fit remarquer Patrick.

— Ouais. Un régime à la perfusion fait généralement cet effet.

— On m'a dit que tu avais eu un… accident, dit-il en inclinant la tête d'un air empreint de compassion.

— Les nouvelles vont vite, à ce que je vois.

— Enfin, je suis content que tu ailles bien. Ça a dû être difficile pour toi cette année, ajouta-t-il, le regard perdu au loin. Tu sais. Avec ce que tu as fait et tout ça.

Nous y voilà. Je m'efforçai de ne pas perdre le contrôle de ma respiration. Caroline continuait à s'étirer et refusait obstinément de me regarder.

— Bref…, marmonnai-je enfin. Félicitations pour tes fiançailles.

Il regarda fièrement sa future épouse, perdu dans l'admiration de sa jambe fine et musclée.

— Tu sais ce qu'on dit…, répondit-il enfin. On sait quand c'est la bonne.

Il m'adressa un sourire faussement désolé. Ce fut ce qui m'acheva.

— J'en suis sûre, rétorquai-je. Et j'imagine que vous avez mis beaucoup d'argent de côté pour le mariage. Ça coûte cher, il paraît.

Tous deux me dévisagèrent, les yeux ronds.

— Déjà que tu as vendu mon histoire aux journaux… Combien ils t'ont payé, Pat ? Quelques milliers de livres ? Treena n'a jamais découvert la somme exacte. Toujours est-il que la mort de Will a dû tomber à pic pour vous permettre d'acheter quelques justaucorps en Lycra assortis, non ?

À la façon dont Caroline se tourna brusquement vers lui, je devinai que c'était une partie de l'histoire dont il n'avait pas encore eu l'occasion de parler.

Il me regardait fixement. Deux points rouges s'étalaient sur ses joues.

— Je n'ai rien fait.

— Bien sûr. J'ai été ravie de te revoir, Pat. Bonne chance pour le mariage, Caroline ! Je suis sûre que vous serez la plus… ferme des mariées !

Je fis volte-face et rentrai à pas lents dans la maison. Dès que j'eus refermé la porte, je m'appuyai contre le panneau de bois, le cœur battant, jusqu'à être certaine qu'ils étaient bien repartis.

— Cul, dit grand-père quand il me vit revenir en boitant dans le salon. Cul, répéta-t-il en jetant un regard dédaigneux en direction de la fenêtre.

Et il gloussa.

Je le regardai fixement. Puis, soudain, je me rendis compte que je m'étais mise à rire. Pour la première fois depuis une éternité.

— Alors, tu as décidé de ce que tu vas faire ? Quand tu iras mieux ?

J'étais étendue sur mon lit. Treena m'appelait depuis la fac, où elle attendait Thomas à la sortie de son club de foot. Je regardais le plafond, où ce dernier avait collé toute une galaxie d'autocollants phosphorescents qu'apparemment personne ne pouvait enlever sans arracher avec eux la moitié du plâtre.

— Non, pas vraiment, répondis-je.

— Tu dois te bouger. Tu ne peux pas rester assise sur ton cul pour l'éternité.

— Je ne vais pas rester assise sur mon cul. J'ai encore mal à la hanche, le docteur a dit qu'il valait mieux que je reste couchée.

— Maman et papa se demandent ce que tu vas faire. Il n'y a pas de travail à Stortfold.

— Je sais bien.

— Mais tu pars à la dérive. Tu as l'air de ne t'intéresser à rien.

— Treen, je suis tombée du haut d'un immeuble. Je suis en convalescence.

— Et avant ça, tu voyageais. Et après, tu as bossé dans un bar. Tu vas devoir te décider, Louisa. Si tu ne reprends pas d'études, tu vas devoir décider ce que tu as envie de faire de ta vie. Enfin moi, ce que j'en dis… Bref, si tu veux rester à Stortfold, tu vas devoir mettre en location ton appartement de Londres. Papa et maman ne peuvent pas t'entretenir indéfiniment.

— Venant de la femme qui vit depuis huit ans aux crochets de la Banque parentale…

— Je fais des études à plein-temps. C'est différent. Quoi qu'il en soit, j'ai parcouru tes relevés bancaires quand tu étais à l'hôpital, et une fois tes factures payées, j'ai calculé qu'il te resterait environ mille cinq cents livres, congé maladie compris. Au fait, qu'est-ce que c'est que tous ces appels transatlantiques ? Ils t'ont coûté une fortune !

— Ça ne te regarde pas.

— J'ai dressé une liste des agents immobiliers de la région pour la location. Et je me suis dit qu'on pourrait peut-être examiner encore une fois les procédures d'inscription à la fac. Un étudiant a peut-être abandonné le cursus que tu voulais suivre.

— Treen. Tu me fatigues.

— Mais ça ne sert à rien de laisser traîner tout ça ! Tu te sentiras mieux quand tu sauras sur quoi concentrer tes efforts.

Elles avaient beau m'insupporter, les critiques constantes de ma sœur me rassuraient d'une certaine façon. Personne d'autre n'osait les formuler. On aurait dit que mes parents s'imaginaient qu'il y avait au fond de moi une bombe prête à exploser et qu'il fallait me manipuler avec des pincettes. Maman déposait toujours mon linge soigneusement plié au bout de mon lit et me préparait trois repas par jour. Et lorsque je la surprenais à me regarder, elle m'adressait un demi-sourire gêné qui trahissait tout ce qu'on ne voulait pas se dire. Papa prenait mes rendez-vous chez le kiné, s'asseyait à côté de moi sur le canapé pour regarder la télé et ne se payait même plus ma tête. Treena était la seule à me traiter normalement.

— Tu sais ce que je m'apprête à dire, n'est-ce pas ? demanda-t-elle.

Je me tournai sur le côté en grimaçant.

— Oui. Tais-toi.

— Tu sais ce que Will aurait dit. Tu as passé un marché. Tu ne peux pas te défiler.

— OK. C'est bon, Treen. Cette conversation est terminée.

— Très bien. Thom vient de sortir des vestiaires. On se voit vendredi ! dit-elle comme si on venait de parler musique, ou de la destination de ses prochaines vacances, ou de séries télé.

Et je fus de nouveau seule à contempler le plafond.

« Tu as passé un marché. »

Ouais. Mais regarde ce qui en a découlé.

Malgré tout ce que pouvait dire Treena, au cours des semaines qui s'étaient écoulées depuis mon retour à la maison, j'avais progressé. Je n'avais plus besoin de ma canne, qui m'avait donné l'impression d'avoir près de quatre-vingt-dix ans et que j'avais réussi à oublier dans presque tous les endroits où je m'étais rendue. Tous les matins, à la demande de maman, j'emmenais grand-père se promener au parc. Le docteur avait ordonné à ce dernier de faire de l'exercice quotidiennement, mais quand maman l'avait suivi un jour lors de sa promenade de santé, elle avait découvert qu'il se contentait de marcher jusqu'au bout de la rue pour s'acheter un paquet de grattons de porc, qu'il mangeait ensuite tranquillement sur le chemin du retour.

Nous marchions lentement, errant sans but dans la ville en boitillant.

Maman ne cessait de nous suggérer d'aller nous balader dans les jardins du château, « pour changer de décor », mais je n'écoutais pas son conseil. Et quand le portail se refermait derrière nous chaque matin, grand-père hochait fermement la tête en direction du parc. Ce n'était pas simplement parce que c'était plus court.

Je n'étais pas prête à y remettre les pieds. Et je ne savais pas si je le serais un jour.

À pas lents, nous fîmes deux tours de la mare aux canards avant de nous asseoir sur un banc au soleil pour regarder les bambins accompagnés de leurs parents nourrir les volatiles et les ados fumer, crier et se battre… les bagarres désespérées des premières amours. Puis nous fîmes un petit détour jusque chez le bookmaker, où grand-père perdit trois livres en pariant sur un cheval répondant au doux nom de Wag The Dog. Puis, tandis qu'il chiffonnait son reçu et le jetait à la poubelle, je déclarai que j'irais bien acheter un beignet fourré au supermarché.

— Ah gras ! s'écria grand-père au rayon pâtisserie.

Je fronçai les sourcils.

— Ah gras, répéta-t-il en désignant nos beignets avant d'éclater de rire.

— Oh. Oui. C'est ce qu'on va faire croire à maman. Que les beignets ne sont pas gras.

Maman prétendait que le nouveau médicament de grand-père le rendait joyeux. Selon moi, ce n'était pas le pire effet secondaire qui soit.

Grand-père riait toujours tout seul de sa propre blague pendant que nous faisions la queue à la caisse. Je gardais la tête baissée, fouillant mes poches à la recherche de monnaie. Je me demandais si j'allais aider papa à jardiner ce week-end. Je mis une bonne minute à comprendre ce qui se murmurait derrière mon dos.

— C'est la culpabilité. Il paraît qu'elle a voulu sauter du toit d'une barre d'immeubles.

— Ça ne m'étonne pas. À sa place, je ne supporterais plus de vivre avec moi-même.

— Moi, ce qui m'étonne, c'est qu'elle ait le culot de se montrer ici.

Je restai immobile.

— Vous savez, la pauvre Josie Clark est toujours mortifiée. Elle va à confesse toutes les semaines, et pourtant Dieu sait que cette femme est une sainte.

Grand-père montrait du doigt les beignets et articulait en silence à l'intention de la caissière :

— Ah gras.

Cette dernière sourit poliment.

— Quatre-vingt-six pence, s'il vous plaît.

— Les Traynor ne sont plus les mêmes depuis.

— Cette histoire les a détruits.

— Quatre-vingt-six pence, s'il vous plaît.

Je mis quelques secondes à comprendre que la caissière s'adressait à moi. Je sortis de ma poche une poignée de pièces. Les doigts tremblants, je m'efforçai de les trier.

— On aurait pu croire que Josie n'oserait pas la laisser s'occuper de son grand-père, vous ne croyez pas ?

— Vous ne pensez pas qu'elle pourrait…

— Comment savoir ? Elle l'a déjà fait une fois, après tout…

J'avais les joues en feu. Ma monnaie cliqueta sur le comptoir. Grand-père répétait toujours « AH GRAS AH GRAS » devant la caissière médusée, attendant qu'elle comprenne. Je tirai sur sa manche.

— Viens, grand-père. On y va.

— Ah gras, insista-t-il.

— Oui, répondit la caissière avec un gentil sourire.

— S'il te plaît, grand-père !

J'avais chaud et la tête me tournait, comme si j'allais m'évanouir. Les commères derrière moi parlaient peut-être encore, mais mes oreilles tintaient trop fort pour que je les entende.

— Au revoir, dit grand-père.

— Au revoir, répondit la caissière.

— Jolie, sourit grand-père lorsque nous émergeâmes à la lumière du jour, dans un chaud soleil de printemps. Pourquoi tu pleures ? ajouta-t-il en se tournant vers moi.

C'est le problème quand on a vécu un événement tragique et bouleversant. On pense qu'on devra seulement s'en remettre : supporter les flash-backs, les nuits sans sommeil, revoir sans cesse les mêmes images, toujours se demander si on a fait ce qu'il fallait, si on aurait pu changer le destin en prenant une seule décision autrement.

Ma mère m'avait dit qu'accompagner Will jusqu'au bout m'affecterait pour le restant de mes jours. Mais j'avais cru qu'elle voulait parler de moi, psychologiquement. J'avais cru qu'elle voulait parler de la culpabilité avec laquelle je devrais apprendre à vivre, de la peine, de l'insomnie, des éclats de colère incontrôlables, de l'incessant dialogue intérieur avec quelqu'un qui n'était plus là. Mais à présent je comprenais qu'il ne s'agissait pas que de moi : à l'ère du numérique, je serais cette personne pour toujours. Même si je parvenais à tout oublier, les gens ne cesseraient jamais de m'associer à la mort de Will. Mon nom serait lié au sien pour aussi longtemps qu'il existerait des pixels et des écrans. Les gens me jugeraient en se basant sur les informations les plus superficielles – si toutefois ils détenaient la moindre information –, et je ne pouvais rien y faire.

Je me fis une coupe au carré. Je changeai ma façon de m'habiller et rangeai dans un sac au fond de mon placard tout ce qui avait fait mon style. J'adoptai l'uniforme quotidien de Treena : un jean et un tee-shirt uni. À présent, quand je lisais des articles dans le journal local au sujet d'un banquier qui avait détourné une fortune, d'une femme qui avait tué son enfant, d'un frère qui avait disparu, je ne frissonnais plus d'horreur. Je me demandais quelle véritable histoire se cachait derrière le sensationnalisme des unes.

Je ressentais pour eux une étrange empathie. J'étais contaminée. Le monde autour de moi le savait. Pire encore, j'avais commencé à le savoir aussi.

Je fourrai sous un bonnet ce qui restait de mes cheveux bruns, enfilai des lunettes de soleil et me rendis à la bibliothèque. Je fis tout mon possible pour dissimuler mon boitillement, même si je devais me concentrer au point que ma mâchoire me faisait mal.

Je passai devant le groupe de chorale des petits dans le coin enfant, devant les passionnés de généalogie qui tentaient en silence de confirmer que, oui, ils étaient bien des descendants éloignés du roi Richard III, et m'assis dans la section consacrée à la presse. Sans peine, je dénichai le dossier concernant le mois d'août 2009. Je pris une grande inspiration, puis l'entrouvris afin de parcourir les gros titres.

Un habitant de Stortfold met fin
à ses jours dans une clinique suisse.

La famille Traynor demande un peu d'intimité
en ces temps difficiles.

Le fils de 35 ans de Steven Traynor, propriétaire du château de Stortfold, a mis fin à ses jours à Dignitas, le centre controversé pour suicide assisté.
Will Traynor était tétraplégique depuis un accident de la route en 2007. Il se serait rendu à la clinique en compagnie de sa famille et de son aide-soignante, Louisa Clark, 27 ans, également originaire de Stortfold.
La police enquête actuellement sur les circonstances de sa mort. Selon nos sources, l'éventualité d'un procès ne serait pas exclue.
Les parents de Louisa Clark, Bernard et Josephine Clark, domiciliés sur Renfrew Road, n'ont pas souhaité s'exprimer sur le sujet.
Camilla Traynor, juge de paix, aurait démissionné après le suicide de son fils. Une source locale a déclaré que

sa position, étant donné les actes de sa famille, était devenue « intenable ».

Il était là. Le visage de Will, qui me faisait face depuis la photographie floue du journal. Ce sourire légèrement sardonique, ce regard direct. L'espace d'un instant, j'en eus le souffle coupé.

La mort de M. Traynor a mis fin à sa brillante carrière dans la finance, où il s'était bâti une réputation de liquidateur d'actifs impitoyable. Hier, ses collègues se sont réunis pour rendre hommage à un homme qu'ils décrivent comme…

Je refermai le journal. Lorsque je fus certaine d'avoir repris le contrôle de moi-même, je levai les yeux. Autour de moi, la bibliothèque bourdonnait d'activité. Les enfants continuaient à chanter de leurs voix flûtées un air chaotique et décousu sous les tendres applaudissements de leurs mères. Derrière moi, la libraire discutait à voix basse avec un collègue de la meilleure manière d'accommoder un curry thaï. Mon voisin immédiat faisait glisser son doigt le long d'un ancien rouleau électoral en murmurant « Fisher, Fitzgibbon, Fitzwilliam… »

Je n'avais rien fait. En un peu plus de dix-huit mois, je n'avais rien accompli hormis vendre des boissons dans deux pays différents et m'apitoyer sur mon sort. Et à présent, après quatre semaines passées dans la maison de mon enfance, je sentais Stortfold qui tendait vers moi sa main crochue pour m'attirer en m'assurant qu'ici je serais bien. Je ne vivrais peut-être pas de grandes aventures, et les gens mettraient sans doute un moment avant de s'habituer à ma présence, mais il y avait pire dans la vie que d'être avec sa famille, et de se sentir aimée et en sécurité, non ?

Je baissai les yeux sur la pile de journaux. La une la plus récente titrait en gros caractères :

Rixe pour un emplacement réservé aux handicapés
dans le parking du bureau de poste.

Je repensai à papa, assis sur mon lit d'hôpital, qui cherchait en vain un article traitant de ma chute.

Je t'ai déçu, Will. Je t'ai déçu de toutes les manières possibles.

Lorsque enfin je rentrai à la maison, on entendait des cris jusqu'au bout de la rue. Quand j'ouvris la porte d'entrée, mes oreilles étaient déjà pleines des hurlements de Thomas. Dans un coin du salon, ma sœur le grondait en agitant un index sous son nez. Maman, quant à elle, était penchée sur grand-père, armée d'un bol d'eau de rinçage et d'un tampon à récurer.

— Qu'est-ce qui se passe ? demandai-je.

Maman s'écarta, et je vis le visage de grand-père. Celui-ci arborait une paire de sourcils noirs flambant neuve, ainsi qu'une épaisse moustache légèrement irrégulière.

— Feutre indélébile, grogna maman. Dorénavant, personne ne laissera grand-père dormir dans la même pièce que Thomas.

— Tu dois arrêter de dessiner partout ! criait Treena. Seulement sur les feuilles de papier, d'accord ? Pas les murs. Pas les visages des gens. Pas le chien de Mme Reynolds. Pas mes petites culottes.

— Mais je te faisais les jours de la semaine !

— Je n'ai pas besoin de culottes avec les jours de la semaine ! cria-t-elle. Et si c'était le cas, j'orthographierais « mercredi » correctement.

— Ne le gronde pas, Treen, intervint maman en reculant d'un pas pour voir le résultat de son travail. Ç'aurait pu être bien pire.

Dans notre petite maison, le bruit des pas de papa qui descendait l'escalier résonna comme un roulement de tonnerre. Celui-ci entra en trombe dans le salon, les épaules voûtées, les cheveux dressés d'un côté de la tête.

— Un homme ne peut donc pas faire une sieste sous son toit pendant son jour de repos ? grommela-t-il. On se croirait dans un asile de fous, ici !

Nous nous arrêtâmes net pour le regarder.

— Quoi ? demanda-t-il. Qu'est-ce que j'ai dit ?

— Bernard…

— Oh, arrête ! Notre Lou ne va quand même pas croire que je parlais d'elle…

— Doux Jésus ! s'écria maman en se plaquant la main sur la bouche.

Ma sœur avait déjà commencé à pousser Thomas hors de la pièce.

— Oh, bon sang ! siffla-t-elle. Thomas, tu ferais mieux de sortir d'ici tout de suite. Parce que je te jure que quand ton grand-père va t'attraper…

— Quoi ? répéta papa en fronçant les sourcils. Qu'est-ce qui se passe ?

Grand-père éclata de rire et leva un doigt tremblant.

Le spectacle était presque magnifique : Thomas avait colorié tout le visage de papa au marqueur bleu. Ses yeux émergeaient comme deux groseilles blanches au milieu d'une mer cobalt.

— Quoi ? répéta-t-il.

Depuis le bout du couloir, on entendit Thomas protester :

— Mais on regardait *Avatar* ! Il a dit qu'il aimerait bien leur ressembler !

Papa écarquilla les yeux et s'avança à grands pas vers le miroir de la cheminée.

Il s'ensuivit un bref silence.

— Oh, mon Dieu.

— Bernard, n'invoque pas le nom du Seigneur en vain.

— Il m'a teint en bleu, bordel, Josie ! C'est un feutre indélébile ? THOM ? C'EST UN FEUTRE INDÉLÉBILE ?

— On va l'enlever, papa, intervint ma sœur en refermant prudemment la porte du jardin.

Derrière, on apercevait Thomas qui pleurait.

— Je suis censé superviser l'installation de la nouvelle enceinte du château demain. J'ai des entrepreneurs à rencontrer. Comment diable voulez-vous qu'ils me prennent au sérieux si je suis tout bleu ?

Papa se cracha sur la main et se mit à se frotter le visage.

— Ça ne part pas. Josie, ça ne part pas, putain !

Maman se désintéressa de grand-père et s'approcha de papa en brandissant son tampon à récurer.

— Arrête de remuer, Bernard. Je fais ce que je peux.

Treena partit chercher sa sacoche d'ordinateur.

— Je vais voir sur Internet. Je suis sûre qu'il existe une astuce. Du dentifrice, du dissolvant, de l'eau de Javel ou…

— Tu ne me mettras pas de javel sur le visage ! rugit papa.

Grand-père, avec sa nouvelle moustache de pirate, restait assis à glousser dans un coin du salon.

Lentement, j'entrepris de passer devant eux afin de quitter la pièce.

Maman tenait le visage de papa de la main gauche et frottait de la droite. Elle se retourna, comme si elle venait juste de se rendre compte de ma présence.

— Lou ! Au fait, je ne t'ai pas demandé… Tu vas bien, ma chérie ? Tu as fait une jolie balade ?

Tout le monde s'arrêta brusquement pour me sourire ; une expression factice qui disait : « Tout va bien ici, Lou. Ne t'inquiète pas. » Je haïssais ce sourire.

— Très bien, répondis-je.

C'était ce qu'ils voulaient entendre. Maman se tourna vers papa :

— C'est parfait. N'est-ce pas, Bernard ?

— Oui. Formidable.

— Si tu tries le linge blanc, ma chérie, je le mettrai dans la machine à laver avec papa tout à l'heure.

— En fait, répliquai-je, ne te donne pas cette peine. J'ai réfléchi. Il est grand temps que je rentre chez moi.

Personne ne souffla mot. Maman jeta un regard à papa. Grand-père lâcha un nouveau gloussement et se plaqua la main sur la bouche.

— Très bien, répondit papa avec autant de dignité que pouvait en rassembler un homme de cinquante ans au visage couleur myrtille. Mais si tu veux retourner dans cet appartement, Louisa, c'est à une condition…

Chapitre 4

— Je m'appelle Natasha, et mon mari a été emporté par un cancer il y a trois ans.

Ce mardi soir, les membres du cercle d'accompagnement au deuil étaient assis en rond sur des chaises en plastique orange dans la salle paroissiale de l'église pentecôtiste. Ils faisaient face à leur leader, un grand moustachu dont il se dégageait une sorte d'épuisement mélancolique, et à une chaise vide.

— Je m'appelle Fred. Ma femme, Jilly, est décédée en septembre. Elle avait soixante-quatorze ans.

— Sunil. Mon frère jumeau est mort d'une leucémie il y a deux ans.

— William. Père mort, il y a six mois. Tout ça est un peu ridicule, on ne s'est jamais vraiment bien entendus de son vivant. Je n'arrête pas de me demander ce que je fais là.

Le deuil avait une odeur particulière. Il sentait les salles paroissiales humides et mal aérées et les sachets de thé bon marché. Il sentait les plats préparés en portion individuelle et les vieilles cigarettes qu'on fume penché contre le froid. Il sentait la laque et le déodorant, comme des victoires pratiques sur un bourbier de désespoir. Cette odeur seule m'indiquait que, malgré la promesse faite à mon père, je n'étais pas à ma place.

Je me sentais comme un imposteur. Ils avaient tous l'air tellement… tristes.

Je remuai, mal à l'aise, sur ma chaise. Marc surprit mon mouvement et m'adressa un sourire rassurant. *On sait*, disait son sourire. *On est tous passés par là.*

Ça m'étonnerait, répondis-je en silence.

— Désolé. Désolé, je suis en retard.

La porte s'ouvrit, laissant entrer une bouffée d'air tiède, et la chaise vide fut bientôt occupée par un adolescent à la tignasse impressionnante, qui plia ses jambes sous lui comme si elles étaient toujours trop longues pour l'espace qu'on leur accordait.

— Jake. Tu n'es pas venu la semaine dernière. Tout va bien ?

— Désolé. Papa a eu un souci au boulot et il n'a pas pu m'emmener.

— Ne t'en fais pas. C'est bien que tu aies pu venir. Tu sais où sont les boissons.

Sous sa chevelure, le garçon jeta un coup d'œil de l'autre côté de la salle. Il marqua une légère hésitation lorsque son regard passa sur ma jupe verte rehaussée de strass. Je posai mon sac sur mes genoux pour tenter de la dissimuler, et il détourna les yeux.

— Bonjour, mes chéris. Je m'appelle Daphne. Mon mari s'est donné la mort, mais je ne crois pas que ce soit à cause de mes petites taquineries !

La femme partit d'un petit rire empreint de douleur. Elle tapota ses cheveux soigneusement brossés et baissa la tête, mal à l'aise.

— Nous étions heureux, ajouta-t-elle. Vraiment.

Le jeune garçon coinça ses mains sous ses cuisses.

— Jake, se présenta-t-il. Ma mère. Il y a deux ans. Je viens ici depuis un an parce que mon père n'arrive pas à surmonter son deuil et que j'avais besoin de quelqu'un à qui parler.

— Comment va ton père cette semaine, Jake ? demanda Marc.

— Pas trop mal. Il a ramené une femme à la maison vendredi dernier, mais il ne s'est pas assis sur le canapé pour pleurer après coup. C'est un progrès.

— Le père de Jake gère son deuil à sa manière, expliqua Marc à mon intention.

— Par la baise, explicita Jake. La plupart du temps par la baise.

— Je regrette de ne pas être plus jeune, murmura Fred d'un air mélancolique.

Il portait une chemise et une cravate. C'était le genre d'homme qui se sentait tout nu sans cet accessoire.

— Je crois que ça aurait été une merveilleuse manière de faire face à la mort de Jilly, ajouta-t-il.

— Ma cousine a ramassé un homme à l'enterrement de ma tante, déclara une femme dans le coin opposé au mien.

Elle devait s'appeler Leanne, ou un prénom du même genre ; je ne me souvenais plus. Elle était petite et rondelette, et arborait une épaisse frange de cheveux châtain foncé.

— Pendant l'enterrement ?

— Elle a raconté qu'ils sont allés à l'hôtel après les toasts. C'est à cause du trop-plein d'émotions, à ce qu'il paraît, ajouta-t-elle en haussant les épaules.

Je n'étais pas au bon endroit. Je le comprenais à présent. Subrepticement, je rassemblai mes affaires en me demandant si je devais annoncer mon départ ou s'il serait plus simple de me contenter de prendre la fuite.

À cet instant, Marc se tourna vers moi.

Je le regardai d'un air vide.

Il fronça les sourcils.

— Oh. Moi ? En fait, j'allais partir. Je crois que je… enfin, je ne crois pas que je…

— Oh, tout le monde a envie de partir le premier jour, ma chère.

— Je voulais aussi partir le deuxième et le troisième, ajouta quelqu'un.

— C'est à cause des biscuits. Je n'arrête pas de répéter à Marc qu'on devrait en avoir des meilleurs.

— Contente-toi de nous raconter dans les grandes lignes, si tu veux. Ne t'inquiète pas. Nous sommes tes amis.

Ils attendaient tous. Je ne pouvais pas me dérober. Je me rassis.

— Euh... D'accord. Je m'appelle Louisa et l'homme que... que j'aimais... est mort à l'âge de trente-cinq ans.

Il y eut quelques hochements de tête compatissants.

— Trop jeune. Quand est-ce arrivé, Louisa ?

— Il y a vingt mois. Et une semaine. Et deux jours.

— Trois ans, deux semaines et deux jours, lança Natasha avec un sourire depuis l'autre bout de la pièce.

S'ensuivit un murmure de commisération. Daphne, à côté de moi, tendit une main potelée couverte de bagues pour me tapoter la jambe.

— Nous avons beaucoup discuté dans cette pièce des difficultés spécifiques rencontrées lorsqu'un proche meurt jeune, intervint Marc. Depuis combien de temps étiez-vous ensemble ?

— Euh... Nous... euh... un peu moins de six mois.

Quelques regards surpris à peine voilés furent échangés.

— C'est... peu, dit une voix.

— La peine de Louisa n'en est pas moins vive, répliqua Marc d'une voix douce. Et de quoi est-il mort, Louisa ?

— Oh. Il... euh... il s'est donné la mort.

— Ça a dû être un choc terrible.

— Non, pas vraiment. Je connaissais ses intentions.

Il s'installe un silence tout particulier quand on annonce à des gens persuadés qu'ils savent tout ce qu'il y a à savoir sur la mort d'un être cher que certaines choses leur échappent encore.

Je repris mon souffle et poursuivis :

— Je savais qu'il voulait le faire avant même de le rencontrer. J'ai essayé de le dissuader, mais j'ai échoué. Alors je l'ai soutenu, parce que je l'aimais et que ça me semblait sensé à l'époque. Mais maintenant, tout me semble avoir beaucoup moins de sens. C'est pour ça que je suis là.

— La mort n'a jamais de sens, déclara Daphne.

— À moins d'être bouddhiste, intervint Natasha. J'essaie d'entretenir une philosophie bouddhiste, mais j'ai toujours peur qu'Olaf se réincarne sous la forme d'une souris ou d'une autre bestiole que je risquerais d'empoisonner. Mais il faut bien que je mette du poison, soupira-t-elle. On a un terrible problème de rongeurs dans l'immeuble.

— Vous n'en serez jamais débarrassés, déclara Sunil. C'est comme pour une invasion de poux. À chaque souris que vous voyez, il y en a une centaine de cachées.

— Il faudrait peut-être que tu réfléchisses un peu à ce que tu fais, Natasha, ma chérie, dit Daphne. Si ça se trouve, il y a des centaines de petits Olaf qui courent partout dans ton immeuble. Mon Alan pourrait même en faire partie. Tu les as peut-être déjà empoisonnés tous les deux.

— Mais s'il est bouddhiste, demanda Fred, il reviendra simplement sous une autre apparence, non ?

— Oui, mais et si c'est une mouche et que Natasha l'écrase ?

— Je détesterais être réincarné en mouche, dit William avec un frisson. Ces horribles insectes noirs...

— Je ne suis pas une tueuse en série ! protesta Natasha. À vous entendre, on dirait que je passe mon temps à tuer les maris réincarnés de tout le monde !

— Mais c'est vrai, cette souris pourrait être le mari de quelqu'un. Même si ce n'est pas Olaf.

— Je crois qu'on devrait essayer de remettre cette séance sur les rails, intervint Marc en se frottant les tempes. Louisa, c'était très courageux de ta part de venir nous raconter ton histoire. Pourquoi ne pas nous en dire un peu plus sur la façon dont toi et... comment s'appelait-il ?... vous vous êtes rencontrés. Tu es dans un cercle de confiance. Nous avons tous juré que ce qui se disait entre ces murs restait entre ces murs.

À cet instant, je croisai le regard de Jake. L'adolescent posa les yeux sur Daphne, puis sur moi, et secoua imperceptiblement la tête.

— Je l'ai rencontré au travail, répondis-je. Il s'appelait… Bill.

Malgré ce que j'avais promis à papa, je n'avais pas prévu de me rendre au cercle. Mais mon retour au travail avait été si désastreux qu'à la fin de la journée je n'avais pas eu le courage de rentrer seule dans mon appartement vide.

— Tu es revenue ! s'était écriée Carly en posant une tasse de café sur le bar.

Elle avait pris la monnaie du client et m'avait serrée dans ses bras tout en laissant tomber les pièces dans les bonnes sections du tiroir-caisse en un seul mouvement fluide.

— Qu'est-ce qui t'est arrivé ? Tim nous a seulement dit que tu avais eu un accident. Et après ça, il est parti, donc je ne savais même pas si tu allais revenir.

— C'est une longue histoire, répondis-je. Euh…, ajoutai-je en l'examinant avec stupeur. C'est quoi, ces fringues ?

À 9 heures un lundi matin, l'aéroport était un tourbillon gris-bleu d'hommes d'affaires chargés d'ordinateurs portables, les yeux rivés sur des iPhone, en train de lire les pages financières ou de parler de leurs opérations boursières dans des oreillettes.

Carly croisa le regard de quelqu'un de l'autre côté de la caisse et répondit :

— Les choses ont changé depuis ton départ.

Je me retournai pour découvrir un homme en costume debout du mauvais côté du bar. Je le regardai d'un air surpris et posai mon sac.

— Euh… si vous voulez bien attendre là-bas, je vais vous servir…

— Vous devez être Louisa, m'interrompit-il.

Sa poignée de main était ferme et dépourvue de chaleur.

— Je suis le nouveau manager, poursuivit-il. Richard Percival.

Je détaillai ses cheveux gominés, sa chemise bleu pâle, et me demandai quel genre d'établissement il pouvait bien administrer.

— Enchantée.

— C'est bien vous qui avez pris un congé de six mois ?

— Euh… Oui. Je…

Il marcha le long du comptoir, examinant chaque bouteille.

— Je voulais juste vous informer que je ne suis pas très amateur des employés qui prennent d'interminables congés maladie.

Mon cou s'enfonça de quelques centimètres dans le col de ma chemise.

— Je ne fais que poser des jalons, Louisa. Je ne fais pas partie de ces managers qui ferment les yeux sur tout. Je sais que dans beaucoup d'entreprises les congés maladie servent à prendre un peu de repos, mais pas dans celles où je travaille.

— Croyez-moi, je n'ai pas vu les neuf dernières semaines comme un temps de repos, rétorquai-je.

Il examina le dessous d'un robinet, qu'il frotta du pouce d'un air songeur.

Je pris une profonde inspiration avant de poursuivre :

— Je suis tombée du toit d'un immeuble. Peut-être voulez-vous que je vous envoie mes radios ? Comme ça, vous pourrez être rassuré : je n'ai pas la moindre envie de recommencer.

Il me regarda attentivement.

— Inutile d'être sarcastique, répliqua-t-il enfin. Je ne prétends pas que vous avez l'intention d'avoir de nouveaux accidents. Je fais simplement remarquer que votre congé maladie a été inhabituellement long pour quelqu'un qui travaille dans cette entreprise depuis si peu de temps. C'est tout ce que je voulais signifier.

Il portait des boutons de manchette en forme de voitures de course.

— Message bien reçu, monsieur Percival, dis-je. Je ferai de mon mieux pour éviter de frôler la mort encore une fois.

— Ah, et il va vous falloir un uniforme ! Je vous laisse cinq minutes, le temps d'aller en chercher un dans la réserve. Quelle taille faites-vous ? Quarante ? Quarante-deux ?

— Trente-huit, répliquai-je.

Il haussa un sourcil. Je fis de même. Lorsqu'il s'éloigna, Carly se pencha par-dessus la machine à café et m'adressa un doux sourire :

— Quelle tête de nœud, murmura-t-elle entre ses dents.

Elle n'avait pas tort. À la minute où j'avais remis les pieds au travail, Richard Percival avait été, comme disait mon père, sur mon dos comme un mauvais costume. Il prit mes mesures, inspecta le moindre recoin du bar à la recherche de microscopiques miettes de cacahuètes, passa son temps à entrer et sortir des toilettes pour vérifier que tout était propre, et ne nous laissa pas partir avant de nous avoir regardées faire les comptes de la journée et s'être assuré que le contenu de la caisse correspondait au penny près aux encaissements.

Je n'avais plus le temps de discuter avec les clients, de consulter les heures des départs, de rendre les passeports perdus ou de contempler les avions qu'on voyait décoller à travers la vitrine. Je n'avais même pas le temps de me lasser de *Cornemuses celtiques, Vol. III.* Si des clients attendaient d'être servis pendant plus de dix secondes, Richard jaillissait comme par magie de son bureau, soupirait avec ostentation et s'excusait à plusieurs reprises d'une voix sonore de les avoir fait attendre « si longtemps ». Carly et moi, généralement occupées à servir d'autres clients, échangions de discrets regards de résignation et de mépris.

Richard passait la moitié de la journée à rencontrer des représentants, et le reste au téléphone avec le siège social, à se plaindre de la fréquentation du bar et des consommations moyennes des clients. Nous étions encouragées à proposer une montée en gamme à chaque transaction, et il nous prenait à part pour nous réprimander si par malheur nous l'oubliions.

Tout cela était déjà assez pénible. Mais en plus il y avait les uniformes.

Quand j'eus fini de me changer, Carly entra dans les toilettes des femmes et se plaça derrière moi, devant le miroir.

— On a l'air d'une bonne paire d'andouilles, dit-elle.

Insatisfait des jupes noires et des chemisiers blancs, un génie du marketing trônant sur l'un des plus hauts échelons de l'entreprise avait décidé que l'atmosphère des *Shamrock and Clover* gagnerait en authenticité avec de traditionnelles tenues irlandaises. La tenue en question avait bien entendu été conçue par une personne persuadée qu'à Dublin, en cet instant même, des femmes d'affaires et des caissières faisaient des pirouettes sur leur lieu de travail vêtues de tuniques brodées, de chaussettes montantes et de chaussures de danse à lacets, le tout coupé dans un vert émeraude scintillant. Et avec des perruques bouclées pour faire bonne mesure.

— Bon sang ! Si mon copain me voit habillée comme ça, il me largue à la seconde !

Carly alluma une cigarette et grimpa sur le lavabo afin d'éteindre l'alarme incendie fixée au plafond.

— Non, il voudrait me baiser d'abord, reprit-elle après un instant de réflexion. Ce sale pervers.

— Et les hommes ? demandai-je. Qu'est-ce qu'ils doivent porter ?

Je tirai sur ma jupe trop courte et surveillai nerveusement le briquet de Carly, me demandant à quel point j'étais inflammable.

— Regarde dehors. Il n'y a que Richard. Il doit porter cette chemise avec un logo vert. Le pauvre.

— C'est tout ? Pas de chaussures ridicules ? Pas de petit chapeau de farfadet ?

— Surprise, surprise ! Il n'y a que les filles qui doivent travailler déguisées en lutins porno.

— Je ressemble à Dolly Parton avec cette perruque…

— Prends-en une rousse. Quelle chance on a, tu imagines ? On a le choix entre trois couleurs !

Quelque part à l'extérieur, nous entendîmes Richard nous appeler. Mon estomac se nouait dès que j'entendais sa voix.

— Je m'en fous, je ne reste pas ici. Je vais me barrer façon *Riverdance* et trouver un nouveau boulot, déclara Carly. Il peut s'enfiler ses putains de trèfles dans son petit cul serré de manager.

Elle exécuta une sorte de pirouette sarcastique et sortit des toilettes. Je passai le reste de la journée à recevoir de ma tenue de petites décharges d'électricité statique.

La séance du cercle d'accompagnement se termina à 21 h 30. Je sortis dans l'air humide de ce soir d'été, épuisée par le travail et les événements qui avaient suivi. J'enlevai ma veste, bien trop chaude pour la saison. Après m'être mise à nu devant une pièce remplie d'inconnus, être vue dans un uniforme de danseuse faussement irlandaise légèrement trop petit était le cadet de mes soucis.

Je n'avais pas été capable de parler de Will, du moins pas de la façon dont ils avaient parlé de leurs proches, comme si ces derniers faisaient toujours partie de leur existence.

« Oh, oui, ma Jilly faisait ça tout le temps. »

« Je ne peux pas effacer le message du répondeur de mon frère. J'ai besoin d'écouter sa voix quand j'ai l'impression que je vais oublier à quoi elle ressemble. »

« Parfois, j'entends ses pas dans la chambre d'à côté. »

Je parvenais rarement à prononcer ne serait-ce que le prénom de Will. Et à écouter leurs récits de relations familiales, de trente ans de mariage, de maisons partagées, de vies, d'enfants, à côté de leurs histoires, la mienne faisait l'effet d'une imposture. J'avais été l'aide-soignante de quelqu'un pendant six mois. Je l'avais aimé et l'avais vu mettre fin à ses jours. Comment ces inconnus pouvaient-ils comprendre ce que Will et moi avions été l'un pour l'autre au cours de ces quelques mois ? Comment pourrais-je décrire cette complicité entre nous ? Les plaisanteries que nous partagions, les vérités crues, les secrets ? Comment pourrais-je leur expliquer que ces quelques mois avaient tout changé à la façon dont je percevais l'existence ? Que Will avait tant bouleversé mon univers que celui-ci n'avait plus aucun sens s'il n'en faisait pas partie ?

Et d'ailleurs, quel était l'intérêt de passer son temps à ressasser sa tristesse ? C'était comme gratter une blessure et l'empêcher de cicatriser. Je savais à quoi j'avais pris part. Je savais quel avait été mon rôle. Était-il vraiment utile d'en reparler indéfiniment ?

Je n'irais pas la semaine suivante. Je le savais à présent. Je trouverais une excuse pour papa.

Je traversai le parking à pas lents en fouillant dans mon sac à la recherche de mes clés. Je me disais qu'au moins je n'aurais pas passé la soirée seule devant la télé à redouter le passage des douze heures qui me séparaient d'une nouvelle journée de travail.

— Il ne s'appelait pas vraiment Bill, n'est-ce pas ?

Jake m'avait rejointe. Il cala son rythme sur le mien.

— Non.

— Daphne est une sorte de station de radio à elle toute seule. Elle est pleine de bonnes intentions, mais ton histoire sera sur toutes les bouches de son club avant que tu aies le temps de dire « réincarnation en rongeur ».

— Merci du tuyau.

Il me sourit et désigna d'un signe de tête ma jupe en Lurex.

— Jolies fringues, au fait. Super look pour une session de thérapie.

Il s'arrêta un instant pour renouer son lacet. Je m'arrêtai avec lui, hésitante, puis déclarai :

— Je suis désolée pour ta mère.

Son visage s'assombrit.

— Tu n'as pas le droit de dire ça. Ici, c'est comme en prison : tu ne peux pas demander à quelqu'un pourquoi il est là.

— Vraiment ? Oh, je suis désolée. Je ne voulais pas...

— Je déconnais. À la semaine prochaine.

Un homme appuyé sur une moto leva une main pour le saluer. Jake traversa le parking pour le rejoindre, et l'adulte le serra dans ses bras avant de l'embrasser sur la joue. Je m'immobilisai pour les regarder, en grande partie parce qu'il est rare de voir un père étreindre ainsi son fils en public après que ce dernier a passé l'âge de porter son cartable.

— Comment c'était ?

— Bien. Comme d'habitude. Oh, et ça, c'est… Louisa, ajouta-t-il en me désignant d'un geste. Elle est nouvelle.

L'homme m'examina en plissant les yeux. Il était grand et large d'épaules. Un nez qui avait dû être cassé une fois donnait à son visage l'apparence un peu froissée de celui d'un ancien boxeur.

Je lui adressai un signe de tête poli.

— Ravie de t'avoir rencontré, Jake. Au revoir.

Je levai une main et me dirigeai vers ma voiture. Mais lorsque je passai devant eux, le père continua de m'observer. Je me sentis rougir sous l'intensité de son regard.

— Vous êtes cette fille, dit-il enfin.

Oh, non, songeai-je en ralentissant le pas. *Pas encore !*

Je regardai un instant le sol, puis pris une profonde inspiration avant de me retourner pour leur faire face.

— OK. Comme je viens de l'expliquer au groupe, mon ami a pris sa propre décision. Tout ce que j'ai fait, c'est lui apporter mon soutien. Et franchement, je n'ai vraiment pas envie de parler de ça ici avec un inconnu.

Le père de Jake ne cessait de me dévisager.

— Je sais bien que tout le monde ne peut pas le comprendre, poursuivis-je. Mais c'est comme ça. Je ne pense pas avoir à me justifier. Je suis vraiment fatiguée, la journée n'a pas été facile, et je crois que je vais rentrer chez moi.

Il inclina la tête. Puis il me dit :

— Je n'ai aucune idée de ce dont vous parlez.

Je fronçai les sourcils.

— Vous boitez. Je l'ai remarqué. Vous habitez près de ce grand nouveau lotissement, c'est bien ça ? Vous êtes la fille qui est tombée du toit. En mars ou avril.

Et soudain, je le reconnus.

— Oh. Vous êtes…

— L'ambulancier. On était dans l'équipe qui vous a ramassée. Je me demandais ce qui vous était arrivé.

Je faillis m'effondrer de soulagement. Je passai en revue son visage, ses cheveux, ses bras, me rappelant alors avec une netteté pavlovienne ses manières rassurantes, le bruit de la sirène, cette légère odeur de citron. Et je poussai un soupir.

— Je vais bien. Enfin. Pas tout à fait. Ma hanche est en miettes, j'ai un nouveau chef au travail qui est un sale con et… vous savez… je vais à un club de soutien psychologique dans une salle paroissiale miteuse avec des gens vraiment, vraiment…

— Tristes, m'aida Jake.

— La hanche va guérir. Visiblement, elle ne fait pas obstacle à votre carrière de danseuse.

Mon rire jaillit comme un coup de Klaxon.

— Oh. Non. C'est… Cette tenue est en rapport avec mon sale con de chef. Ce n'est pas comme ça que je m'habille normalement. Bref. Merci. Waouh… C'est bizarre, ajoutai-je en posant une main sur ma tête. Vous m'avez sauvée.

— C'est bien de vous avoir revue. C'est rare qu'on puisse avoir des nouvelles des patients.

— Vous avez fait un super travail. C'était… Enfin, vous avez été très gentil. Je m'en souviens.

— *De nada.*

Je le regardai sans comprendre.

— *De nada*. C'est de l'espagnol. « De rien », quoi.

— Oh, d'accord. Merci pour rien alors.

Il sourit et leva une main de la taille d'une raquette de ping-pong, puis se retourna vers sa moto.

Même après coup, je ne compris pas ce qui m'avait pris :

— Eh !

Il tourna la tête.

— C'est Sam, au fait.

— Sam. Je n'ai pas sauté.

— OK.

— Non. Vraiment. Je veux dire, je sais que vous venez de me voir sortir d'un groupe de soutien psychologique et tout ça, mais c'est… enfin… je n'aurais jamais sauté.

Il me jeta un regard appuyé qui semblait suggérer qu'il avait tout vu et tout entendu.

— C'est bon à savoir.

Nous nous regardâmes un instant. Puis il leva de nouveau la main.

— Ravi de vous avoir revue, Louisa.

Il enfila son casque, et Jake se cala derrière lui sur la moto. Je ne cessai de les regarder et surpris l'adolescent en train de lever les yeux au ciel en enfilant son propre casque. À cet instant, je me souvins de ce qu'il avait raconté au cours de la séance.

Le baiseur en série.

— Idiote, me dis-je avant de partir en claudiquant vers le coin du parking où ma voiture cuisait doucement dans la chaleur du soir.

Chapitre 5

Je vivais à deux pas de la City. Au cas où j'aurais le moindre doute à ce sujet, de l'autre côté de la rue se creusait un immense cratère de la taille d'un immeuble de bureaux, entouré de panneaux d'affichage de promoteurs immobiliers où il était écrit en toutes lettres : « FARTHINGATE – À LA NAISSANCE DE LA CITY ». Nous nous trouvions au point précis où les temples de verre de la finance côtoyaient la vieille brique sale et les fenêtres à guillotine des restaurants indiens et des épiceries ouvertes toute la nuit, des clubs de striptease et des petites compagnies de taxi qui refusaient obstinément de capituler face à la crise. Mon immeuble faisait partie de ces dissidents architecturaux : c'était une bâtisse aux allures d'entrepôt, couleur plomb, qui observait l'assaut régulier du verre et de l'acier en se demandant combien de temps il pourrait résister, peut-être sauvé par un bar à jus pour hipsters ou transformé en boutique éphémère. Je ne connaissais personne dans le quartier, hormis Samir, le propriétaire de la supérette d'en bas, et la vendeuse de bagels qui me souriait toujours pour me dire bonjour, mais qui ne semblait pas parler un mot d'anglais.

La plupart du temps, cet anonymat me convenait. Après tout, je m'étais installée là pour échapper à mon histoire, au sentiment que tout le monde savait tout de moi. La ville me changeait peu à peu. Je commençais à bien connaître mon petit coin de la City et ses dangers. J'avais appris à mes dépens que si on avait le malheur de donner de l'argent au poivrot de l'arrêt de bus, il revenait s'asseoir devant votre appartement pendant les huit semaines suivantes ; que si je devais traverser le quartier de nuit, il était sage de le faire avec mes clés calées entre mes doigts ; que si je sortais acheter une bouteille de vin tard le soir, il valait mieux ne pas regarder avec insistance le groupe de jeunes rassemblés devant Kebab Korner. Je n'étais même plus dérangée par le bourdonnement perpétuel de l'hélicoptère de police.

Je pourrais survivre. Et je savais, mieux que quiconque, que des choses bien pires pouvaient arriver.

— Bonsoir.

— Bonsoir, Lou. Encore du mal à t'endormir ?

— Il est à peine 22 heures ici.

— Alors, quoi de neuf?

Nathan, l'ancien kiné de Will, avait passé les neuf derniers mois à travailler à New York pour un P.-D.G. d'une cinquantaine d'années, heureux détenteur d'une réputation de requin à Wall Street, d'un hôtel particulier de quatre étages et d'une maladie musculaire dégénérative. Lui téléphoner au petit matin, quand je n'arrivais pas à trouver le sommeil, était devenu une habitude. Il était bon de savoir que quelqu'un, quelque part, me comprenait. Même si parfois prendre de ses nouvelles me faisait l'effet d'une douche froide.

Tout le monde sauf moi a tourné la page. Tout le monde sauf moi a parcouru du chemin.

— Alors, c'est comment Big Apple ?

— Pas si mal, dit-il avec son accent qui changeait toute réponse en question.

Je m'allongeai sur le canapé et posai les pieds sur l'accoudoir.

— OK. Tu ne veux pas développer un peu ?

— D'accord. Alors j'ai eu une augmentation, ça, c'est cool. Je me suis réservé un vol pour rentrer quelques semaines en Angleterre afin de rendre visite à mes vieux. Ça va être bien. Ils sont au septième ciel parce que ma sœur va avoir un bébé. Oh, et j'ai rencontré une jolie fille dans un bar sur la Sixième Avenue. On s'est très bien entendus, alors je l'ai invitée à sortir. Malheureusement, quand je lui ai dit ce que je faisais dans la vie, elle m'a répondu qu'elle était désolée, mais qu'elle ne sortait qu'avec des hommes qui mettaient un costume pour aller travailler, conclut-il en riant.

Je me surpris à sourire.

—Alors les blouses blanches ne comptent pas ?

—Apparemment. Mais elle a quand même tenu à préciser qu'elle aurait pu changer d'avis si j'avais été médecin.

Il rit de nouveau. Nathan était la sérénité incarnée.

—Ce n'est pas plus mal, poursuivit-il. Ce genre de nana devient très exigeante si on ne l'emmène pas dans les bons restaurants et tout ça. Mieux vaut le savoir tout de suite, non ? Et toi ?

Je haussai les épaules.

—Je m'en sors. Si on veut.

—Tu dors toujours dans son tee-shirt ?

—Non. Il n'a plus son odeur. Et pour être honnête, ça avait commencé à perdre de son charme. Je l'ai lavé et rangé. Mais j'ai toujours son pull pour les mauvais jours.

—C'est bien d'avoir un plan B.

—Oh, et j'ai rejoint un groupe de soutien pour personnes en deuil.

—C'était comment ?

—Pourri. Mon chagrin avait l'air d'une imposture.

Nathan attendit.

Je déplaçai le coussin sous ma tête.

—Est-ce que j'ai tout imaginé, Nathan ? Parfois, j'ai l'impression d'avoir amplifié ce qui s'est passé entre Will et moi... Comment ai-je pu aimer quelqu'un à ce point en si peu de temps ? Et toutes ces choses auxquelles je pense... Est-ce qu'on a vraiment ressenti l'un pour l'autre tout ce dont je me souviens ? Plus le temps passe, plus ces six mois me font l'effet d'un… d'un rêve étrange.

Un bref silence s'ensuivit, puis Nathan répondit :

— Tu n'as rien imaginé.

Je me frottai les yeux.

— Est-ce que je suis la seule ? À qui il manque encore ?

Un nouveau silence, puis :

— Non. C'était un type bien.

C'était une des choses que j'aimais chez Nathan. Un long silence téléphonique ne le dérangeait pas. Je finis par me redresser et me mouchai.

— Bref, repris-je alors. Je ne crois pas que j'y retournerai. Je ne suis pas sûre que ce soit mon truc.

— Essaie quand même, Lou. Tu ne peux pas tirer de conclusions en te basant sur une seule séance.

— On croirait entendre mon père.

— Il m'a toujours fait l'effet d'un homme plein de bon sens.

Soudain, la sonnette de la porte d'entrée retentit. Je bondis. Personne ne sonnait jamais chez moi, hormis Mme Nellis de l'appartement douze, quand le facteur échangeait nos courriers. Je doutais qu'elle soit debout à cette heure. Et j'étais à peu près sûre de ne pas avoir accusé réception du dernier exemplaire de sa série d'ouvrages sur les poupées élisabéthaines.

On sonna de plus belle. Une deuxième, puis une troisième fois, plus forte et insistante.

— Je dois te laisser. Il y a quelqu'un à la porte.

— Garde le moral, ma petite Lou ! Ça va aller.

Je raccrochai et me levai prudemment. Je n'avais pas d'amis dans le quartier. Je n'avais pas encore compris comment s'en faire quand on emménageait dans une nouvelle ville et qu'on passait le plus clair de son temps au travail. Si mes parents avaient décidé d'organiser une intervention pour me ramener à Stortfold, ils l'auraient fait dans la journée, car ni mon père ni ma mère n'aimait conduire de nuit.

J'attendis, me demandant si mon visiteur allait simplement comprendre son erreur et s'en aller. Mais la sonnerie retentit de nouveau, discordante et interminable, comme si la mystérieuse personne derrière la porte s'était appuyée de tout son poids contre le bouton.

Je m'avançai.

— Qui est là ?

— Il faut que je vous parle.

Une voix féminine. Je jetai un coup d'œil dans l'œilleton. La fille regardait ses pieds, je ne pus donc que distinguer ses longs cheveux châtains et un blouson d'aviateur beaucoup trop grand. Elle oscillait légèrement et se frottait le nez. Ivre ?

— Je crois que vous vous êtes trompée d'adresse.

— Vous n'êtes pas Louisa Clark ?

Prise au dépourvu, je restai muette.

— Comment connaissez-vous mon nom ? demandai-je enfin.

— J'ai besoin de vous parler. Vous ne pourriez pas juste ouvrir la porte ?

— Il est presque 22 h 30.

— Ouais. C'est pour ça que je préfère éviter de rester plantée dans le couloir.

Je vivais à Londres depuis assez longtemps pour savoir que je ne devais pas ouvrir à des inconnus. Dans ce quartier, il n'était pas rare que des junkies sonnent aux portes au hasard, en quête d'argent facile. Mais cette fille parlait bien. Elle était jeune. Trop jeune pour faire partie de ces journalistes qui avaient fait une brève fixation sur l'histoire de l'ancien petit prodige de la finance qui avait décidé de mettre fin à ses jours. Trop jeune pour être dehors à cette heure ? J'inclinai la tête pour tenter de distinguer s'il y avait quelqu'un d'autre dans le couloir. Celui-ci semblait vide.

— Vous pouvez me dire de quoi il s'agit ?

— Non, pas comme ça, dans le couloir.

J'entrouvris la porte sans enlever la chaîne.

— Vous allez devoir me donner plus d'explications.

Elle ne devait pas avoir plus de seize ans. Ses joues portaient toujours la fraîche rondeur de la jeunesse. Ses cheveux étaient brillants. Elle avait de longues jambes minces moulées dans un jean noir, et une légère trace d'eye-liner rehaussé son joli visage.

— Donc… Tu t'appelles comment ? demandai-je.

— Lily. Lily Houghton-Miller. Écoutez, dit-elle en levant un peu le menton. Il faut que je vous parle de mon père.

— Je crois que tu t'adresses à la mauvaise personne. Je ne connais aucun homme du nom d'Houghton-Miller. Il doit exister une autre Louisa Clark avec qui tu m'as confondue.

J'esquissai un mouvement de recul pour fermer la porte, mais elle avait déjà coincé le bout de sa chaussure dans l'ouverture. Je baissai les yeux sur ce qui bloquait le battant, puis les remontai lentement jusqu'à son visage.

— Ce n'est pas son nom à lui, expliqua-t-elle d'une voix patiente, comme si j'étais stupide, le regard à la fois féroce et interrogateur. Il s'appelle Will Traynor.

Lily Houghton-Miller se tenait au milieu de mon salon et m'observait avec l'intérêt détaché d'une scientifique face à une nouvelle variété d'invertébrés apparue dans la fange.

— Waouh ! Comment vous êtes habillée ?

— Je… je travaille dans un pub irlandais.

— Pole dance ?

Ayant semble-t-il perdu toute curiosité envers ma personne, elle tourna lentement sur elle-même pour inspecter la pièce.

— C'est vraiment ici que vous vivez ? Mais où sont les meubles ?

— Je viens d'emménager.

— Un canapé, une télé, deux cartons de livres ?

Elle indiqua d'un signe de tête la chaise où je m'étais assise, le souffle court, essayant de comprendre ce qui était en train de m'arriver.

— Je vais me servir un verre, déclarai-je en me levant. Tu veux boire quelque chose ?

— Un Coca. À moins que vous ayez du vin.

— Tu as quel âge ?

— Pourquoi vous voulez savoir ça ?

— Je ne comprends pas..., dis-je en passant derrière le comptoir de la cuisine. Will n'avait pas d'enfants. Je l'aurais su.

Je fronçai les sourcils, soudain suspicieuse.

— Est-ce que c'est une mauvaise blague ? demandai-je.

— Une blague ?

— Will et moi n'avions aucun secret l'un pour l'autre. Il m'en aurait parlé.

— Ouais. Eh bien, apparemment, il ne l'a pas fait. Et j'ai besoin de parler de lui avec quelqu'un qui ne va pas complètement flipper dès que je prononce son nom, comme le reste de ma famille.

Elle s'empara de la carte de vœux de ma mère, puis la reposa.

— Je ne me vois pas inventer ça pour faire une blague, reprit-elle. Attendez... Mon vrai père, un dépressif en fauteuil roulant. Ha ! ha ! hyper marrant.

Je lui tendis un verre d'eau.

— Mais qui... qui est ta famille ? Je veux dire, qui est ta mère ?

— Vous n'auriez pas des cigarettes ?

Elle s'était mise à faire les cent pas dans la pièce, remuant des objets, examinant les quelques affaires que je possédais avant de les reposer. Lorsqu'elle me vit secouer la tête d'un air désapprobateur, elle répondit enfin :

— Ma mère s'appelle Tanya. Tanya Miller. Elle est mariée à mon beau-père, qui s'appelle Francis Connard Tête-de-Nœud Houghton.

— Joli nom.

Elle posa son verre d'eau et sortit un paquet de cigarettes de la poche de son blouson. Lorsqu'elle en alluma une, je faillis lui dire qu'elle ne pouvait pas fumer chez moi, mais j'étais trop abasourdie. Je me contentai d'aller ouvrir la fenêtre.

Je ne parvenais pas à détacher les yeux de son visage. Je commençais à distinguer une vague ressemblance avec Will. C'était dans ses iris bleus, cette couleur vaguement caramel. Dans la manière dont elle levait légèrement le menton avant de parler, dans son regard qui cillait rarement. Ou était-ce seulement ce que j'avais envie de voir ? Par la fenêtre, elle regarda un instant la rue qui s'étendait en contrebas.

— Lily, avant qu'on poursuive, il y a une chose qu'il faut que je…

— Je sais qu'il est mort, m'interrompit-elle.

Elle inhala une grande bouffée de tabac et souffla la fumée vers le centre de la pièce.

— C'est comme ça que j'ai découvert son identité, expliqua-t-elle. Il y avait un documentaire à la télé sur le suicide assisté, et dès qu'ils ont mentionné son nom, maman a complètement flippé. Elle est partie s'enfermer dans la salle de bains, et Tête-de-Nœud est allé la rejoindre. Du coup, j'ai écouté à la porte. Elle était totalement choquée parce qu'elle ne savait même pas qu'il avait fini dans un fauteuil. J'ai tout entendu. Comme si j'ignorais que Tête-de-Nœud n'est pas mon vrai père. C'est juste que ma mère m'a toujours répété que mon vrai père était un enfoiré qui ne voulait pas me connaître.

— Will n'était pas un enfoiré.

— D'après ce qu'elle m'a dit, c'est l'effet que ça faisait, répliqua-t-elle en haussant les épaules. Mais de toute façon, quand j'ai voulu lui poser des questions, elle a pété un câble. Elle a dit que je savais déjà tout ce que j'avais besoin de savoir à son sujet et que Francis Tête-de-Nœud avait été un meilleur père pour moi que Will Traynor l'aurait jamais été et que je ferais mieux de laisser tomber.

Je sirotai mon verre d'eau. Jamais je n'avais eu autant envie d'un verre de vin.

— Et alors, qu'est-ce que tu as fait ?

Elle tira de nouveau sur sa cigarette.

— J'ai tapé son nom sur Google, bien sûr. Et je vous ai trouvée.

J'avais besoin d'être seule pour digérer la nouvelle. C'était trop pour moi. Je ne savais pas quoi faire de cette jeune fille sans gêne qui parcourait tout mon salon en chargeant l'atmosphère d'énergie électrique.

— Alors il n'a rien dit du tout sur moi ?

Je regardais ses chaussures : des ballerines, très éraflées, comme si elles avaient passé trop de temps à arpenter les rues de Londres. J'avais l'impression d'avoir été ferrée comme un gros poisson.

— Quel âge as-tu, Lily ?

— Seize ans. Est-ce que je lui ressemble un peu, au moins ? J'ai vu une photo sur Google Images, mais je me disais que vous en aviez peut-être une. Toutes vos photos sont dans ces cartons ? s'enquit-elle en parcourant la pièce des yeux.

Son regard se posa sur la grosse pile de cartons rassemblée dans un coin. Je me demandai si elle irait jusqu'à tenter de les ouvrir afin de continuer à fouiner. J'étais à peu près sûre que la première boîte contenait le pull de Will. Soudain, je sentis comme une bouffée de panique m'envahir.

— Euh… Lily. Tout ça, c'est… Ça fait beaucoup à encaisser. Et si tu es bien celle que tu prétends être, alors on… on a beaucoup de choses à se dire. Mais il est près de 23 heures, et je ne suis pas sûre que ce soit le moment de commencer. Tu habites où ?

— St John's Wood.

— Bon. Euh… Tes parents doivent se demander où tu es passée. Si tu veux, donne-moi ton numéro et on…

— Je ne peux pas rentrer chez moi !

Elle se mit à la fenêtre et se débarrassa de ses cendres d'une chiquenaude experte.

— Je ne suis même pas censée être ici, reprit-elle. Je devrais être à l'école. Je suis pensionnaire. Ils doivent tous être affolés parce que j'ai disparu.

Elle sortit son téléphone, comme prise d'une pensée subite, et grimaça en voyant ce qui s'affichait sur son écran. Puis elle le remit dans sa poche.

— D'accord…, commençai-je. Je ne sais pas trop ce que je peux faire à part…

— Je me disais que je pourrais peut-être rester ici ? Juste pour la nuit ? Comme ça, vous pourrez me raconter d'autres trucs sur lui.

— Rester ici ? Non. Non. Je suis désolée, tu ne peux pas. Je ne te connais pas.

— Mais vous avez connu mon père. Vous pensez qu'il ne savait pas que j'existais ?

— Tu dois rentrer chez toi. Écoute, appelons tes parents. Ils peuvent venir te chercher. On fait ça, et je…

Elle me regarda fixement.

— Je pensais que vous alliez m'aider, dit-elle enfin.

— Je vais t'aider, Lily. Mais ce n'est pas ainsi que…

— Vous ne me croyez pas, c'est ça ?

— Je… je ne sais pas quoi…

— Vous ne voulez pas m'aider. Vous ne voulez rien faire. Qu'est-ce que vous m'avez appris sur mon père ? Rien. Qu'est-ce que vous avez fait pour m'aider ? Rien. Merci beaucoup.

— Une minute ! Ce n'est pas juste. On vient seulement de…

La jeune fille tapota le bout de sa cigarette afin de faire tomber les cendres par la fenêtre, puis se retourna pour sortir de la pièce.

— Quoi ? Tu vas où ?

— Qu'est-ce que ça peut vous foutre ?

Avant que je puisse réagir, la porte d'entrée avait claqué et Lily était partie.

Pendant près d'une heure, je restai assise, immobile, sur mon canapé, tentant de digérer ce qui venait de se passer. La voix de Lily résonnait encore à mes oreilles. L'avais-je bien entendue ? Je repassai dans ma tête tout ce qu'elle m'avait dit, essayant de m'en souvenir malgré le bourdonnement qui m'emplissait les tympans.

« Mon père s'appelle Will Traynor. »

Apparemment, la mère de Lily avait prétendu que Will avait refusé de la reconnaître. Mais en ce cas il m'en aurait certainement parlé. Nous n'avions aucun secret l'un pour l'autre. Lui et moi, on se disait tout. Un instant, j'hésitai : peut-être Will n'avait-il pas été aussi honnête envers moi que je l'avais cru ?

Mes pensées se confondaient les unes les autres en un tourbillon infernal. Je saisis mon ordinateur portable, m'assis en tailleur sur le canapé et tapai « Lily Hawton Miller » dans un moteur de recherche. Sans résultat. Je retentai en variant les orthographes. Enfin, « Lily Houghton-Miller » me dirigea vers un certain nombre de comptes rendus de matchs de hockey, postés par une école du nom d'Upton Tilton, dans le Shropshire. J'ouvris quelques images et zoomai. Elle était là, la seule jeune fille qui ne souriait pas au milieu d'une équipe de joyeuses hockeyeuses.

Lily Houghton-Miller a joué une défense courageuse bien qu'infructueuse.

L'article était daté de deux ans auparavant. Un internat. Elle avait dit être pensionnaire. Mais rien de tout cela n'impliquait qu'elle soit liée à Will, ni que sa mère n'avait pas menti au sujet de son père biologique.

Je modifiai ma recherche pour chercher simplement « Houghton-Miller », et tombai sur une entrée d'agenda : Francis et Tanya Houghton-Miller devaient se rendre à un dîner de bienfaisance au *Savoy*. Je dénichai également une demande de devis datant de l'année précédente, pour l'installation d'une cave à vin sous une maison de St John's Wood.

Je me calai au fond de mon siège et réfléchis un instant, puis cherchai « Tanya Miller » et « William Traynor ». Rien. Je retentai avec « Will Traynor », et échouai soudain sur la page Facebook des anciens de l'université de Durhan, où plusieurs femmes, dont les prénoms semblaient tous se finir en « -ella » – Estella, Fenella, Arabella –, commentaient la mort de Will.

« Je n'arrivais pas à le croire quand j'ai entendu la nouvelle. Lui, entre tous ! RIP, Will. »
« Personne ne traverse la vie sans y laisser des plumes. Vous étiez au courant que Rory Appleton était mort aux îles Turks et Caicos dans un accident de hors-bord ? »
« Il était en géographie ? Un roux ? »
« Non, économie. »
« Je suis à peu près sûre d'avoir embrassé Rory à la soirée d'intégration. Une langue énorme. »
« Je vais faire ma rabat-joie, Fenella, mais c'est de mauvais goût. Ce pauvre homme est mort. »
« Will Traynor, ce n'est pas celui qui est sorti avec Tanya Miller pendant toute notre troisième année ? »
« Je ne vois pas en quoi c'est de mauvais goût de dire que j'ai peut-être embrassé quelqu'un simplement parce qu'il est mort. »
« Je ne dis pas que tu dois réécrire l'histoire. C'est juste que sa femme risque de lire ça, et qu'elle n'a peut-être pas envie d'apprendre sur Facebook que son mari a fourré sa langue dans la bouche d'une autre. »
« Elle doit bien le savoir, qu'il avait une langue énorme. Elle s'est mariée avec lui. »
« Rory Appleton s'est marié ? »

« Tanya s'est mariée avec un banquier. Voilà un lien. J'ai toujours cru qu'elle et Will se marieraient à la fac. Ils étaient tellement beaux tous les deux. »

Je cliquai sur le lien et découvris la photo d'une femme blonde, mince comme un roseau, au chignon artistement travaillé, qui souriait au pied des marches d'un bureau de l'état civil au bras d'un homme brun, plus âgé qu'elle. À quelques pas de là, en retrait, une petite fille dans une robe en tulle blanc les regardait d'un air renfrogné. Elle ressemblait à la Lily Houghton-Miller que je venais de rencontrer. Mais le cliché datait de plusieurs années et, à vrai dire, aurait pu représenter n'importe quelle autre jeune demoiselle d'honneur grincheuse aux longs cheveux châtains.

Je relus la discussion, puis fermai mon ordinateur. Que devais-je faire ? Si Lily était bien la fille de Will, devais-je appeler son école ? J'étais à peu près sûre qu'il existait une procédure au sujet des inconnus qui tentent de contacter des adolescents.

Et si tout cela n'était en fait qu'un coup monté ? Will était mort très riche. Il n'était pas impossible que quelqu'un ait fomenté une machination complexe visant à extorquer une partie de la fortune familiale. Lorsque Chalky, un ami de mon père, était décédé d'une crise cardiaque, dix-sept personnes s'étaient manifestées pour apprendre à sa femme qu'il leur devait de l'argent à la suite de paris.

Non, j'allais garder mes distances. Si je faisais erreur, le risque d'en souffrir était bien trop grand.

Mais lorsque je me mis au lit, ce fut la voix de Lily que j'entendis résonner dans l'appartement silencieux.

« Mon père s'appelle Will Traynor. »

Chapitre 6

— Désolée, mon réveil n'a pas sonné.

Je passai devant Richard et suspendis ma veste à la patère en tirant sur ma jupe pour la remettre en place.

— Trois quarts d'heure de retard. Ceci est inacceptable.

Il était 8 h 30. Nous étions les seules personnes présentes dans le bar.

Carly était partie : elle n'avait même pas pris la peine de le dire à Richard en face. Elle s'était contentée de lui envoyer un SMS pour lui annoncer qu'elle rapporterait cette saloperie d'uniforme à la fin de la semaine et que, comme on lui devait deux putains de semaines de congés payés, elle déposait son putain de préavis à la place.

« Si elle avait pris la peine de lire le règlement, avait-il fulminé, elle aurait su que déposer un préavis au lieu de prendre un congé est absolument inacceptable. C'est écrit là, paragraphe trois, noir sur blanc ! Et ce langage grossier n'était vraiment pas nécessaire ! »

Il s'occupait à présent du processus de recrutement pour trouver un remplaçant. Ce qui signifiait que tant que la procédure ne serait pas achevée, il n'y aurait que moi. Et Richard.

— Je suis désolée. Il s'est passé… un imprévu chez moi.

Je m'étais réveillée en sursaut à 7 h 30, incapable pendant plusieurs minutes de me souvenir dans quel pays je me trouvais, et même comment je m'appelais. J'étais restée couchée là, paralysée, en repassant dans ma tête les événements de la veille.

— Un bon employé n'apporte pas au travail les soucis de sa vie personnelle, entonna Richard en passant devant moi armé de son bloc-notes.

Je le regardai s'éloigner et me demandai s'il avait une vie privée. Il semblait passer tout son temps au bar.

— Ouais. Mais un bon employeur ne fait pas porter à son employée un uniforme ridicule dont Stringfellow lui-même n'aurait pas voulu tellement il est kitsch, murmurai-je en tapant mon code afin de déverrouiller le tiroir-caisse, tout en tirant de ma main libre sur ma jupe en Lurex.

Soudain, Richard se tourna vers moi et traversa le bar dans ma direction à grandes enjambées.

— Qu'avez-vous dit ?

— Rien.

— Si, j'ai entendu.

— J'ai juste dit que je m'en souviendrais pour la prochaine fois, mentis-je avec un aimable sourire. Merci beaucoup de m'avoir rappelée à l'ordre.

Il me dévisagea pendant quelques secondes, nous mettant tous les deux mal à l'aise. Puis il déclara :

— La femme de ménage est encore malade. Vous allez devoir nettoyer les toilettes avant de commencer au bar.

Il me regardait fixement, me défiant de répliquer. Exaspérée, je dus me répéter plusieurs fois que je ne pouvais pas me permettre de perdre ce travail. J'avalai la salive qui s'était accumulée dans ma bouche.

— Très bien.

— Oh, et quelqu'un a été malade dans la troisième cabine.

— Super.

Il fit volte-face et disparut dans son bureau. Dans son dos, je décochai mentalement quelques flèches vaudoues.

— Le thème de la réunion de cette semaine sera la culpabilité. La culpabilité du survivant, celle de ne pas avoir fait tout ce qu'il fallait… C'est souvent ce qui nous empêche d'aller de l'avant.

Marc attendit que nous ayons fini de nous passer la boîte à biscuits, puis se pencha en avant sur sa chaise en plastique, les mains serrées sur ses genoux. Il ignora le sourd grondement de mécontentement causé par la pénurie de biscuits à la crème de whisky.

— Je m'énervais souvent contre Jilly, soupira Fred dans le silence qui s'ensuivit. Quand elle commençait à perdre la tête. Elle remettait des assiettes sales dans le placard de la cuisine, et je les découvrais des jours après et… J'ai honte de dire que je lui ai parfois crié dessus. C'était une vraie fée du logis autrefois, poursuivit-il en essuyant une larme. C'est ça le pire.

— Vous avez vécu avec la maladie d'Alzheimer de Jilly pendant des années, Fred. Il aurait fallu une patience surhumaine pour ne pas craquer de temps en temps.

— Des assiettes sales m'auraient rendue dingue, ajouta Daphne. Je crois que je l'aurais traitée de tous les noms.

— Mais ce n'était pas sa faute, protesta Fred en se redressant sur sa chaise. Je pense beaucoup à ces assiettes. Je souhaite parfois revenir en arrière. Je les aurais lavées sans dire un mot et je lui aurais fait un câlin.

— Je me surprends souvent à fantasmer sur des hommes dans le métro, avoua Natasha. Parfois, quand je monte un escalator, je croise le regard d'un inconnu qui descend. Et avant même d'avoir atteint le quai, j'ai imaginé toute une relation avec lui. Il aurait remonté l'escalator en courant parce qu'il se serait produit une étincelle entre nous, et on serait restés là, à se regarder dans les yeux, au milieu de la foule des usagers de la ligne de Piccadilly. Ensuite, on serait allés boire un verre, et…

— Ça ressemble à un film de Richard Curtis, l'interrompit William.

— J'aime beaucoup ce réalisateur, déclara Sunil. Surtout cette comédie qui parle de cette actrice…

— *Shepherd's Bush*, lança Daphne.

Il s'ensuivit un bref silence.

— Je crois que c'est *Coup de foudre à Notting Hill*, Daphne, corrigea Marc.

— Je préfère la version de Daphne, répliqua William. Quoi ? On a bien le droit de rire, non ?

— Donc, dans ma tête, on se marie, poursuivit Natasha. Et une fois arrivée devant l'autel, je me dis : « Mais qu'est-ce que je fais là ? Olaf n'est mort que depuis trois ans, et je fantasme déjà sur d'autres hommes. »

Marc se cala au fond de sa chaise.

— Tu ne trouves pas ça normal, après trois ans toute seule, de fantasmer sur d'autres relations ? lui demanda-t-il.

— Mais si j'ai vraiment aimé Olaf, je ne devrais pas penser à quelqu'un d'autre.

— On ne vit plus à l'époque victorienne, intervint William. Tu n'as pas à porter le deuil toute ta vie.

— Si c'était moi qui étais morte, je détesterais l'idée qu'Olaf tombe amoureux d'une autre.

— Tu n'en saurais rien, répliqua William. Tu serais morte.

— Et toi, Louisa ? m'interpella Marc, qui avait remarqué mon silence. Souffres-tu d'un sentiment de culpabilité ?

— Est-ce que… est-ce qu'on peut passer à quelqu'un d'autre ?

— Je suis catholique, déclara Daphne. Je me sens coupable de tout. C'est à cause des bonnes sœurs, vous comprenez.

— Pourquoi trouves-tu le sujet difficile, Louisa ?

Je bus une gorgée de café. Je sentais tous les yeux posés sur moi. *Allez*, m'encourageai-je.

Je déglutis.

— Je n'ai pas pu l'en empêcher, expliquai-je enfin. Parfois, je me dis que si j'avais été plus intelligente, ou… si j'avais agi autrement… ou si j'avais simplement été plus… je ne sais pas… Plus tout…

— Tu te sens coupable de la mort de Bill parce que tu as l'impression que tu aurais pu l'en empêcher ?

Je tirai sur un fil de mon gilet. Lorsqu'il s'arracha, j'eus l'impression que la tension se relâchait dans mon esprit.

— Oui, et je me sens aussi coupable de vivre une vie bien moins intéressante que celle que je lui ai promise. Et je culpabilise du fait qu'il m'a payé mon appartement alors que ma sœur ne sera probablement jamais en mesure de s'en acheter un. Surtout que je n'apprécie même pas vraiment d'y vivre, parce que je ne m'y sens pas chez moi et que je panique à l'idée de le décorer parce que je l'associe à la mort de W… de Bill, et ça me donnerait l'impression d'en profiter.

Un bref silence s'installa.

— Tu ne devrais pas te sentir coupable de posséder cet appartement, déclara Daphne.

— J'aimerais beaucoup que quelqu'un me lègue un appart, ajouta Sunil.

— Mais ce n'est qu'une fin de conte de fées, pas vrai ? Un homme meurt, et chacun en tire un enseignement, va de l'avant et crée quelque chose de merveilleux à partir de sa mort, repris-je sans même réfléchir à ce que je disais. Je n'ai rien fait de tel. J'ai échoué à tout ce que j'ai entrepris.

— Depuis la mort de ma mère, mon père pleure chaque fois qu'il se tape une nana, lâcha Jake en se tordant les mains, le regard fixe sous sa frange trop longue. Il séduit des femmes pour qu'elles couchent avec lui, puis se complaît dans sa tristesse. On dirait que tant qu'il se sent coupable, il considère que tout va bien.

— Tu penses qu'il se sert de sa culpabilité comme d'une béquille ?

— Je pense seulement que soit on s'envoie en l'air et on en est heureux, soit…

—Je ne me sentirais pas coupable de m'envoyer en l'air, l'interrompit Fred.

—… soit on traite les femmes avec respect et on fait en sorte de n'avoir pas matière à se sentir coupable. Ou alors on ne couche avec personne et on chérit la mémoire de l'être aimé tant qu'on n'est pas vraiment prêt à tourner la page.

Sa voix se brisa sur le verbe « chérir », et il serra la mâchoire. Nous étions habitués à voir des visages se fermer brusquement, et une règle de courtoisie tacite nous incitait à détourner les yeux jusqu'au reflux des larmes potentielles.

—As-tu expliqué à ton père ce que tu ressens, Jake ? demanda Marc avec sollicitude.

—On ne parle jamais de maman. Papa va bien tant qu'on ne parle pas d'elle.

—C'est un lourd fardeau à porter seul.

—Ouais. Ben… c'est pour ça que je suis là, non ?

Un silence s'installa.

—Prends donc un petit gâteau, Jake chéri, dit Daphne.

Nous nous repassâmes la boîte en fer blanc, vaguement rassurés, sans vraiment savoir pourquoi, lorsque ce dernier s'empara d'un biscuit.

Je n'arrêtais pas de penser à Lily. J'écoutai à peine l'histoire de Sunil, qui pleurait dans le rayon boulangerie du supermarché, et parvins tout juste à arborer un air compatissant lorsque Fred raconta qu'il fêtait seul l'anniversaire de Jilly avec un bouquet de ballons de baudruche. Le souvenir de ma rencontre avec Lily avait pris l'apparence d'un rêve, à la fois vivace et irréel.

Comment Will aurait-il pu avoir une fille ?

—Vous semblez de bonne humeur…

Dans le parking de la salle paroissiale, le père de Jake était une fois encore appuyé contre sa moto.

Je m'arrêtai à sa hauteur et répondis :

— C'est une séance de soutien aux personnes en deuil. Il y a peu de chances que j'en sorte en faisant des claquettes.

— Pas faux.

— Mais ce n'est pas ce que vous pensez. Ce n'est pas moi. C'est… j'ai des soucis avec une adolescente.

Il pencha la tête en arrière pour observer Jake qui arrivait derrière moi.

— Oh. D'accord. En ce cas, je vous comprends. Mais vous faites très jeune pour avoir une ado, sans vouloir vous offenser.

— Oh. Non. Ce n'est pas ma fille ! C'est… compliqué.

— J'aimerais beaucoup vous conseiller, mais je n'ai pas la moindre idée de ce que peut être votre problème.

Il s'avança pour serrer Jake contre lui, ce que le garçon toléra à contrecœur.

— Tout va bien, fiston ?

— Très bien.

— « Très bien », répéta Sam en me jetant un regard complice. Nous y voilà. Réponse universelle des ados à tout. Guerre, famine, gains au loto, gloire mondiale. Tout est toujours très bien.

— Tu n'avais pas besoin de venir me chercher. Je vais chez Jools.

— Tu veux que je t'emmène ?

— Elle habite juste ici. Dans cet immeuble, répliqua Jake en le désignant du doigt. Je pense que je pourrai me débrouiller.

L'expression de Sam resta neutre.

— Et tu pourras m'envoyer un message la prochaine fois ? Histoire de m'éviter de venir t'attendre pour rien ?

Jake haussa les sourcils et s'éloigna en balançant son sac à dos sur son épaule. Nous le regardâmes partir en silence.

— On se voit tout à l'heure, Jake ?

Il leva une main sans même se retourner.

— OK, dis-je. Maintenant, je me sens un petit peu moins seule.

Sam secoua la tête d'un mouvement presque imperceptible et regarda son fils s'en aller. On aurait dit qu'il ne pouvait supporter l'idée de le quitter.

— Certains jours, il le vit plus mal que d'autres, murmura-t-il avant de pivoter vers moi. Vous voulez aller boire un café, Louisa ? Juste pour que je n'aie pas l'impression d'être le plus gros loser au monde ? C'est bien Louisa votre prénom ?

Je songeai à ce que Jake avait raconté pendant la séance du soir.

« Vendredi, papa est rentré avec cette blonde tarée, Mags, qui est obsédée par lui. Quand il était dans la douche, elle n'a pas arrêté de me demander s'il parlait d'elle lorsqu'elle n'était pas là. »

Le baiseur en série. Mais il était bel homme et m'avait soignée dans l'ambulance. Surtout, l'alternative était une nouvelle soirée en solitaire à me demander ce qui se passait dans la tête de Lily Houghton-Miller.

— À condition de parler de tout sauf d'adolescents, répondis-je.

— Est-ce qu'on peut parler de votre tenue ?

Je baissai les yeux sur ma jupe en Lurex vert et mes chaussures de danse irlandaise.

— Jamais de la vie.

— Ça valait le coup d'essayer, répliqua-t-il avant de grimper sur sa moto.

Nous étions en terrasse d'un bar presque vide, non loin de mon appartement. Sam buvait un café noir, et moi un jus de fruits.

À présent que je n'étais plus occupée à esquiver des voitures dans un parking ou à souffrir le martyre attachée sur une civière, j'avais le temps de le regarder subrepticement. Son nez était un peu tordu, et ses yeux se plissaient d'une manière suggérant qu'il avait déjà pu observer – peut-être avec un léger amusement – la plupart des comportements humains. Il était grand et large d'épaules, avec des traits plus rudes que ceux de Will, mais il se mouvait avec une étrange grâce, que j'aurais crue incompatible avec sa taille. De toute évidence, il était plus à l'aise pour écouter que pour parler ; ou peut-être était-ce simplement que je jacassais trop, gênée à l'idée de me retrouver seule avec un homme après tout ce temps. Je lui parlai de mon travail au bar, je le fis rire par ma description de Richard Percival et de mon horrible uniforme, et je lui racontai à quel point ces quelques semaines chez mes parents avaient été bizarres à vivre. Je lui parlai des mauvaises blagues de mon père, de grand-père et de ses beignets, et de l'usage peu orthodoxe qu'avait fait mon neveu du marqueur bleu. Mais tout en parlant, comme souvent ces derniers temps, j'avais conscience de ce dont je ne parlais pas : de moi, de Will, de ma rencontre surréaliste de la veille au soir. Avec Will, je n'avais jamais eu à réfléchir à ce que je disais : lui parler était aussi naturel que de respirer. À présent, j'avais l'impression d'avoir développé un don pour ne jamais vraiment parler de moi.

Sam hochait la tête, regardait le flot des voitures et sirotait son café, comme s'il lui semblait parfaitement normal de passer un moment en compagnie d'une inconnue bavarde en minijupe verte.

— Et comment va ta hanche ? s'enquit-il lorsque enfin je m'interrompis.

— Pas mal. Même si j'en ai marre de boiter.

— Tu y arriveras si tu n'abandonnes pas les séances de kiné.

L'espace d'un instant, je crus entendre cette voix à l'arrière de l'ambulance. Calme, impassible, rassurante.

— Et les autres blessures ? demanda-t-il.

Je baissai les yeux sur mon corps, comme si je pouvais voir à travers mes vêtements.

— En dehors du fait que j'ai l'impression que quelqu'un s'est amusé à me colorier par endroits avec un stylo rouge vif ? Pas si mal.

Sam hocha la tête.

— Tu as eu du bol. C'était une sacrée chute.

À ces mots, je la ressentis de nouveau. Cette secousse nauséeuse au fond de mon ventre. Le vide sous mes pieds.

« On ne sait jamais ce qui peut se passer quand on tombe de si haut. »

— Je n'essayais pas de…

— Oui, tu me l'as déjà dit.

— Mais j'ai l'impression que personne ne veut me croire.

Nous échangeâmes un sourire gêné. Pendant une minute, je me demandai si lui non plus ne me croyait pas.

— Et donc… ça t'arrive souvent de ramasser des gens qui tombent du haut d'un immeuble ?

Il secoua la tête, et son regard se perdit de l'autre côté de la rue.

— Je ramasse seulement les morceaux. Dans ton cas, les morceaux tenaient encore ensemble, c'est une chance.

Nous restâmes assis en silence encore un moment. Je ne cessais de penser à ce que je devrais lui dire, mais j'avais tant perdu l'habitude d'être en tête-à-tête avec un homme – et sobre – que je ne cessais de perdre mes moyens. Ma bouche s'ouvrait et se fermait comme celle d'un poisson rouge.

— Et donc, tu as envie de me parler de cette ado ? demanda Sam.

Ce fut un soulagement d'expliquer la situation à quelqu'un. Je lui racontai la visite nocturne de Lily, notre étrange entrevue, ce que j'avais découvert sur Facebook, et sa fuite avant que j'aie eu le temps de réfléchir à l'attitude à adopter.

— Waouh ! s'exclama-t-il lorsque j'eus terminé. C'est… Tu crois qu'elle est vraiment sa fille ?

— C'est vrai qu'elle lui ressemble un peu. Mais honnêtement je ne sais pas. Est-ce que j'ai cherché ces ressemblances ? Est-ce que j'ai vu ce que j'avais envie de voir ? C'est possible. J'ai passé la moitié de mon temps à penser à quel point ce serait formidable qu'il reste sur terre quelque chose de lui, et l'autre à me demander si je n'avais pas tout imaginé. Et puis, il y a toutes ces questions sans réponse…

Du genre, si c'est vraiment sa fille, comment se fait-il qu'il n'ait jamais voulu la rencontrer ? Et comment ses parents à lui sont-ils censés réagir ? Et si la connaître avait pu le faire changer d'avis ? Et si ça avait pu suffire à le convaincre de ne pas…

Ma voix mourut dans ma gorge.

Sam s'appuya sur le dossier de sa chaise, les sourcils froncés.

— Et donc, cet homme est la raison pour laquelle tu viens aux réunions du cercle.

— Oui.

Je le sentais qui m'étudiait. Peut-être réévaluait-il ce que Will avait été pour moi.

— Je ne sais pas quoi faire, soupirai-je. Je ne sais pas si je dois partir à sa recherche ou tout oublier.

Il resta un instant songeur, puis me demanda :

— Et ce Will, qu'est-ce qu'il aurait fait à ta place ?

À ces mots, je chancelai. Je levai les yeux vers cet homme grand au regard direct, avec sa barbe de deux jours et ses douces mains si agiles. Et toutes mes pensées s'évaporèrent.

— Ça va ?

Je pris une longue gorgée de jus de fruits, tentant tant bien que mal de dissimuler ce que je savais écrit en grosses lettres rouges sur mon visage. Soudain, pour une raison que j'ignorais, j'eus envie de pleurer. C'était trop. Cette étrange soirée. Le fait que Will apparaisse de nouveau dans ma vie, soit au centre de toutes les conversations. Je voyais son visage, son sourcil haussé d'un air moqueur, comme pour me dire : « Et maintenant, Clark ? Qu'est-ce que tu vas bien pouvoir faire ? »

— C'est juste que… la journée a été longue. D'ailleurs, ça te dérange si je…

Sam se leva et repoussa sa chaise.

— Non, non, vas-y. Je suis désolé. Je n'ai pas pensé…

— J'ai passé un très bon moment. C'est seulement…

— Aucun problème. Tu as eu une rude journée. Je comprends. Non, non. Pas la peine, dit-il lorsque je voulus sortir mon porte-monnaie. Vraiment. Je peux t'offrir un jus d'orange.

Je crois que je courus jusqu'à ma voiture, en dépit de ma jambe boiteuse. Sur tout le chemin du retour, je sentis ses yeux posés sur moi.

Je me garai dans le parking et repris mon souffle, que j'avais retenu durant tout le trajet depuis le bar. Je jetai un coup d'œil à la boutique au coin de la rue, puis me tournai vers mon appartement. Je n'avais pas envie d'être raisonnable. J'avais envie de vin. De plusieurs grands verres. Je voulais boire jusqu'à être capable de me persuader d'arrêter de ressasser le passé. Ou peut-être d'arrêter de penser tout court.

Je descendis de voiture. Ma hanche me faisait mal. Depuis l'arrivée de Richard, j'avais tout le temps mal ; le kiné de l'hôpital m'avait dit de ne pas rester trop longtemps debout, mais j'étais prise d'angoisse à la seule idée d'en parler à mon manager.

Je vois. Donc vous travaillez dans un bar, mais vous voulez avoir le privilège de rester assise toute la journée, c'est bien ça ?

Ce visage de cadre supérieur bien nourri. Cette coupe de cheveux soigneusement anonyme. Cette expression de supériorité nonchalante alors qu'il avait à peine deux ans de plus que moi. Je fermai les yeux et m'efforçai de faire disparaître la boule d'anxiété qui pesait sur mon estomac.

— Je vais seulement prendre ça, s'il vous plaît, dis-je en posant une bouteille de sauvignon sur le comptoir.

— On fait la fête ?

— Pardon ?

— Votre tenue. Vous êtes déguisée en… Ne dites rien. Blanche-Neige ?

— Exactement.

— Faites attention avec ça. Beaucoup de calories là-dedans. Vous devriez vous mettre à la vodka. Ça, c'est un alcool propre.

Avec quelques gouttes de citron. C'est ce que j'ai dit à Ginny, de l'autre côté de la rue. Vous savez qu'elle est stripteaseuse ? Elle doit surveiller sa ligne.

— Conseil diététique. Sympa.

— C'est comme tous ces trucs sur le sucre. Il faut faire attention au sucre. Pas la peine d'acheter des produits allégés en matières grasses s'ils sont bourrés de sucre, vous comprenez ? Elles sont là, les calories. Juste là. Et les sucres raffinés sont les pires. Ils collent à l'estomac.

Il encaissa ma bouteille et me tendit la monnaie.

— Qu'est-ce que vous mangez, Samir ?

— Nouilles instantanées au bacon fumé. C'est délicieux.

J'étais perdue dans mes pensées – quelque part dans la sombre crevasse entre ma hanche endolorie, mon désespoir professionnel et une étrange envie de nouilles instantanées au bacon fumé – lorsque je l'aperçus. Elle se tenait à l'entrée de mon immeuble, assise par terre, les mains autour des genoux. Je pris ma monnaie et me hâtai de traverser la rue.

— Lily ?

Elle leva lentement la tête.

Sa voix était indistincte, ses yeux injectés de sang, comme si elle avait pleuré :

— Personne ne m'a laissée entrer. J'ai sonné à tous les interphones, mais personne ne m'a ouvert.

Je glissai à grand-peine ma clé dans la serrure et calai la porte avec mon sac avant de m'accroupir à côté d'elle.

— Qu'est-ce qui s'est passé ?

— Je veux juste aller dormir, dit-elle en se frottant les paupières. Je suis tellement fatiguée. Je voulais prendre un taxi pour rentrer chez moi, mais je n'ai plus d'argent.

Penchée sur elle, je sentis me monter aux narines une bouffée d'alcool.

— Est-ce que tu as bu ? demandai-je.

— Je ne sais pas.

Elle me regarda en cillant, la tête inclinée sur le côté. Je me demandai alors si elle avait seulement consommé de l'alcool.

— Si je ne suis pas bourrée, c'est vous qui êtes devenue un farfadet, marmonna-t-elle avant de tapoter ses poches. Oh, regardez ! Regardez ce que j'ai trouvé !

Elle leva une cigarette roulée à moitié fumée. À l'odeur, il ne s'agissait pas que de tabac.

— On tire une taffe, Lily ? dit-elle Oh, non. Toi, c'est Louisa. C'est moi, Lily.

Elle gloussa et sortit un briquet de sa poche. D'un geste mal assuré, elle tenta aussitôt d'allumer sa clope par le mauvais côté.

— D'accord… Il est temps de rentrer.

Je lui pris sa cigarette et, ignorant ses vagues protestations, l'écrasai rageusement sous mon talon.

— Je t'appelle un taxi.

— Mais je ne…

— Lily !

Je me retournai. Un jeune homme se tenait de l'autre côté de la rue, les mains dans les poches de son jean. Il nous regardait fixement. Lily posa les yeux sur lui, puis les détourna.

— C'est qui ? demandai-je.

Elle regardait ses pieds.

— Lily ! Viens ici.

Il y avait dans son intonation quelque chose de possessif. Il se tenait les jambes légèrement écartées, comme si, même à cette distance, il s'attendait à ce qu'elle lui obéisse. Instinctivement, je me mis sur mes gardes.

Personne ne bougea.

— C'est ton copain ? Tu veux lui parler ? chuchotai-je.

Lorsqu'elle me répondit, je ne pus saisir ce qu'elle disait. Je dus me pencher sur elle et lui demander de répéter.

— Fais-le partir.

Elle ferma les yeux et se tourna vers la porte de l'immeuble.

— S'il te plaît.

Le jeune homme commençait à traverser la rue. Je me levai et tentai d'adopter une voix aussi autoritaire que possible :

— Tu peux partir maintenant, merci ! Lily va rentrer avec moi.

Il s'arrêta au milieu de la chaussée. Je soutins son regard.

— Tu pourras lui parler une autre fois, ajoutai-je. D'accord ?

La main posée sur un bouton de l'interphone, je murmurai à mon petit ami imaginaire, musclé et colérique :

— Ouais. Tu veux bien descendre me donner un coup de main, Dave ? Merci.

L'expression du jeune homme suggérait qu'il n'en avait pas terminé. Cependant, il finit par faire volte-face, sortit son téléphone de sa poche et se mit à parler à voix basse et d'un ton pressé tout en s'éloignant. Il ignora le taxi klaxonnant qui dut faire un écart pour l'éviter et nous jeta un ultime regard menaçant avant de disparaître dans la nuit.

Je poussai un soupir de soulagement, glissai les mains sous les bras de Lily et, sans grande élégance mais avec force jurons étouffés, parvins à la traîner dans l'entrée de l'immeuble.

Cette nuit-là, elle dormit dans mon appartement. Je ne savais pas quoi faire d'autre. Elle vomit deux fois dans la salle de bains et me repoussa quand je voulus lui tenir les cheveux. Elle refusa de me donner le numéro de ses parents – ou peut-être était-elle incapable de s'en souvenir –, et son portable était bloqué par un code.

Je l'aidai à se laver et à enfiler un de mes pantalons de jogging et un tee-shirt, puis la menai dans le salon.

— Tu as rangé ! s'écria-t-elle, comme si je l'avais fait à son intention.

Je l'aidai à boire un verre d'eau et l'installai sur le canapé en position latérale de sécurité, même si j'étais à peu près sûre qu'elle n'avait plus rien à vomir.

Lorsque je lui levai la tête pour la poser sur l'oreiller, elle ouvrit les yeux comme si elle me reconnaissait véritablement pour la première fois.

— Désolée, dit-elle.

Elle avait parlé d'une voix si basse que je ne fus pas entièrement sûre de ce que j'avais entendu. Puis je vis ses yeux s'emplir de larmes.

Je posai sur elle une couverture et la regardai s'endormir : son teint pâle, les légers cernes bleus, ses sourcils qui suivaient un tracé identique à ceux de Will, les mêmes taches de rousseur délicatement saupoudrées sur les joues…

Puis je songeai à verrouiller la porte de l'appartement et pris les clés avec moi dans ma chambre, sous mon oreiller, pour l'empêcher de me voler ou simplement de s'en aller. Je ne savais pas vraiment. Longtemps, je restai allongée tout éveillée. Dans mon esprit se bousculaient des sirènes d'ambulances, des bruits d'aéroport, les visages des membres du cercle d'accompagnement qui se mêlaient à ceux de Lily et de ce jeune homme au regard dur. Et pendant tout ce temps, une voix ne cessait de répéter : *Mais qu'est-ce que tu fous ?*

Mais que pouvais-je faire d'autre ?

Enfin, peu après que les oiseaux eurent commencé à chanter et que la camionnette de la boulangerie eut déchargé sa livraison matinale, mes pensées ralentirent leur course et je m'endormis.

Chapitre 7

L'ARÔME DU CAFÉ ME RÉVEILLA. JE MIS QUELQUES SECONDES À comprendre comment une telle odeur pouvait filtrer dans mon appartement, mais lorsque la réponse s'imposa à mon esprit embrumé, je sautai aussitôt du lit et sortis de ma chambre en enfilant mon sweat à capuche.

Lily fumait, assise en tailleur sur le canapé, se servant de ma seule bonne tasse comme d'un cendrier. La télé était allumée, et deux gobelets en carton étaient posés sur le manteau de la cheminée.

— Oh, tu es réveillée ! Celui de droite, c'est le tien, me dit-elle en me gratifiant d'un bref regard avant de se retourner vers l'écran de télévision. J'ignorais ce que tu aimais, donc je t'ai pris un allongé.

Je clignai des yeux et grimaçai, incommodée par la fumée. Je traversai la pièce et ouvris une fenêtre. Je jetai un coup d'œil à l'horloge.

— Elle est à l'heure ?

— Ouais. Le café est peut-être un peu froid. Je ne savais pas si je devais te réveiller.

— C'est mon jour de congé, répondis-je en prenant mon café.

Il était encore tiède. J'en bus une gorgée, reconnaissante. Puis je posai les yeux sur le gobelet.

— Une minute, dis-je. Comment tu as eu ça ? J'ai fermé à clé la porte d'entrée.

— Je suis descendue par l'escalier de secours. Je n'avais pas d'argent, donc j'ai donné au mec de la boulangerie le numéro de ton appartement, et il a dit que tu pourrais venir payer plus tard. Oh, et tu devras aussi régler deux bagels au saumon fumé et au fromage.

— Ah bon ?

J'avais envie de me mettre en colère, mais j'étais soudain trop affamée pour cela.

Elle suivit mon regard.

— Oh. Je les ai mangés, dit-elle en soufflant une volute de fumée au centre de la pièce. Il n'y avait rien dans ton frigo. Il faut vraiment que tu fasses quelque chose pour cet appart…

La Lily de ce matin était si différente de la fille que j'avais ramassée dans la rue la veille au soir que je peinais à croire qu'il s'agissait de la même personne. Je retournai dans ma chambre pour m'habiller et l'entendis passer dans la cuisine pour se servir un verre d'eau.

— Eh, machine… Louisa. Tu peux me prêter un peu de monnaie ? demanda-t-elle depuis le salon.

— Si c'est encore pour te bourrer la gueule, non.

Soudain, elle ouvrit la porte de ma chambre sans frapper. Je serrai mon sweat contre ma poitrine.

— Et est-ce que je peux rester cette nuit ?

— Il faut que je parle à ta mère, Lily.

— Pourquoi ?

— Il faut que j'en sache un peu plus sur ce qui se passe ici.

Elle resta sur le seuil.

— Alors tu ne me crois pas.

Je lui fis signe de se retourner afin de pouvoir finir d'accrocher mon soutien-gorge.

— Je te crois. Mais c'est le deal : tu veux obtenir quelque chose de moi, j'ai besoin d'en savoir un peu plus sur toi.

Juste au moment où j'enfilais mon tee-shirt, elle pivota vers moi.

— Comme tu veux, dit-elle. De toute façon, il faut que j'aille chercher des fringues propres.

— Pourquoi ? Tu étais où ?

Elle s'éloigna de quelques pas, comme si elle ne m'avait pas entendue, et se renifla l'aisselle.

— Je peux me servir de ta douche ? Je pue, c'est une infection.

Une heure plus tard, nous roulions en direction de St John's Wood. J'étais épuisée, à la fois par les événements de la nuit et par l'étrange énergie que dégageait Lily à côté de moi. Elle s'agitait en permanence, fumait cigarette sur cigarette, puis restait assise dans un silence si pesant que je sentais presque sur mes épaules le poids de ses pensées.

— Au fait, c'était qui ? demandai-je. Ce mec, hier soir ?

Je regardais toujours la route, arborant une expression parfaitement neutre.

— Quelqu'un.

— Tu m'as dit que c'était ton copain.

— Alors c'est mon copain.

Sa voix s'était durcie, son visage s'était fermé. Alors qu'on approchait de la maison de ses parents, elle croisa les bras et remonta ses genoux sous son menton, le regard froid et défiant, comme si elle menait déjà une bataille silencieuse. Je m'étais demandé si elle me disait la vérité au sujet de St John's Wood, mais elle me montra d'un geste une large rue bordée d'arbres et me dit de m'arrêter devant la troisième maison à gauche. Nous étions dans le genre de quartier où vivaient des diplomates ou des banquiers américains expatriés, le genre de rue dont on ne voyait jamais personne entrer ni sortir. Je me garai le long du trottoir, admirant d'un œil ébahi les fenêtres des hautes bâtisses blanches, les haies d'ifs taillées avec soin et les jardinières immaculées.

— Tu habites vraiment ici ?

Elle claqua sa portière si fort que ma petite voiture tangua.

— Je n'habite pas ici, rétorqua-t-elle. Ils habitent ici.

Elle pénétra dans la maison, où je la suivis timidement. Je me sentais comme une intruse. Nous nous trouvions dans une entrée spacieuse et haute de plafond, avec un sol en parquet et un imposant miroir doré suspendu au mur ; coincées dans le cadre, une multitude d'invitations blanches semblaient se bousculer. Une superbe composition florale trônait dans un vase sur un guéridon ancien, imprégnant l'atmosphère d'un doux parfum.

De l'étage résonnait un vacarme étouffé. Je crus deviner des voix d'enfants.

— Mes demi-frères, déclara Lily d'un air dédaigneux.

Elle se dirigea vers la cuisine, s'attendant visiblement à ce que je l'imite. La pièce était immense, meublée d'éléments gris modernes, avec un gigantesque plan de travail taupe en béton ciré. Tout respirait le luxe, depuis le grille-pain jusqu'à la cafetière, assez grande et complexe pour figurer dans un café à Milan. Lily ouvrit aussitôt le frigo, dont elle parcourut le contenu avant d'en sortir une boîte de tranches d'ananas fraîches, qu'elle se mit à manger avec les doigts.

— Lily ?

Une voix de femme s'éleva depuis l'étage, inquiète.

— Lily, c'est toi ?

Des bruits de pas retentirent dans l'escalier. Lily leva les yeux au ciel.

Une blonde apparut sur le pas de la porte. Son regard se posa d'abord sur moi, puis sur Lily, occupée à laisser tomber un morceau de fruit dans sa bouche d'un air alangui. La femme s'approcha d'elle et lui arracha l'emballage des mains.

— Où est-ce que tu étais passée ? cria-t-elle. Ils t'ont cherchée partout au lycée ! Papa a fait le tour du quartier pendant des heures ! On pensait que tu t'étais fait assassiner ! Où étais-tu ?

— Ce n'est pas mon père.

— Ne joue pas à la maligne avec moi, jeune fille ! Tu ne peux pas revenir comme ça, comme si de rien n'était ! Est-ce que tu as seulement idée des ennuis que tu as causés ? J'étais debout avec ton frère la moitié de la nuit, et après ça je n'ai pas pu trouver le sommeil, car je m'inquiétais pour toi. J'ai dû annuler notre visite chez grand-mère Houghton parce qu'on ne savait pas où tu étais !

Lily la considérait froidement.

— Je ne vois vraiment pas pourquoi tu t'es autant inquiétée, rétorqua-t-elle. D'habitude, tu te fous de savoir où je suis.

La femme se raidit de rage. Elle était vraiment très mince, le genre de silhouette qu'on obtient grâce à un régime draconien et à des heures d'exercice intensif. Elle se faisait visiblement couper et colorer les cheveux chez un coiffeur hors de prix, et portait ce que je devinai être un jean de créateur. Cependant, son visage la trahissait : elle était épuisée.

Soudain, elle fit volte-face pour me regarder.

— C'est chez vous qu'elle était ?

— Euh... oui, mais...

Elle m'inspecta de la tête aux pieds et sembla parvenir à la conclusion qu'elle n'aimait pas ce qu'elle voyait.

— Avez-vous idée des problèmes que vous avez causés ? Avez-vous idée de son âge ? Et d'ailleurs, que faisiez-vous avec une si jeune fille ? Vous avez, quoi, trente ans ?

— En fait, je...

— Est-ce que c'est ça ? demanda-t-elle à Lily. Est-ce que tu as eu une aventure avec cette femme ?

— Oh, maman, la ferme !

Lily avait repris sa boîte d'ananas, qu'elle continuait à vider consciencieusement.

— Ce n'est pas ce que tu crois, reprit-elle. Ce n'est pas sa faute.

Elle avala le dernier morceau de fruit et marqua une pause le temps de mâcher, peut-être afin de ménager un effet dramatique, avant de poursuivre :

— C'est la femme qui s'occupait de mon père. Mon vrai père.

Tanya Houghton-Miller s'assit au milieu des innombrables coussins de son canapé couleur crème et se mit à remuer son café. J'étais perchée tout au bord du canapé qui lui faisait face, hypnotisée par les bougies parfumées géantes et les magazines de décoration soigneusement disposés. Je craignais de renverser mon café si je m'appuyais sur les coussins comme elle le faisait.

— D'où connaissez-vous ma fille ? demanda-t-elle d'une voix faible.

Elle portait à l'annulaire deux des plus gros diamants que j'avais jamais vus.

— Je ne la connaissais pas. Elle est venue sonner à ma porte. Je n'avais aucune idée de son identité.

Il lui fallut environ une minute pour digérer l'information.

— Et donc, vous étiez l'aide-soignante de Will Traynor.

— Oui. Jusqu'à sa mort.

S'installa un bref silence au cours duquel nous observâmes toutes deux le plafond ; un objet venait de s'écraser bruyamment au-dessus de nos têtes.

— Mes fils, soupira-t-elle. Ils ont quelques problèmes comportementaux.

— Sont-ils issus de votre…

— Ils ne sont pas de Will, si c'est ce que vous voulez savoir.

Nous restâmes un moment assises en silence… un silence relatif étant donné les hurlements qui résonnaient à l'étage. Un nouveau choc sourd retentit, suivi d'un calme inquiétant.

— Madame Houghton-Miller, repris-je. Est-ce vrai ? Lily est-elle la fille de Will ?

— Oui, acquiesça-t-elle.

Je me sentis soudain fébrile. Je posai mon café sur la table basse.

— Je ne comprends pas. Je ne comprends pas comment…

— C'est très simple. Will et moi étions ensemble pendant notre dernière année à l'université. J'étais très amoureuse de lui, bien sûr.

Tout le monde l'était. Même si, dans mon cas, il ne s'agissait pas d'une affaire à sens unique… vous comprenez ?

Elle lâcha un petit sourire et marqua une pause, comme si elle s'attendait à ce que je réagisse. Je ne pouvais pas. Comment Will avait-il pu me cacher qu'il avait une fille ? Après tout ce que nous avions vécu ?

Face à mon mutisme, Tanya reprit la parole d'une voix traînante :

— Bref. Nous étions le couple en vogue de notre groupe. Des bals, du sport, des week-ends à l'étranger… Vous voyez. Will et moi… eh bien, nous étions partout.

Elle racontait l'histoire comme si elle datait d'hier, comme si elle avait revécu sans cesse les mêmes événements, depuis des années.

— Et puis, à notre bal de promo, j'ai dû partir aider mon amie Liza, qui s'était mise dans je ne sais plus quel pétrin… Et à mon retour Will avait disparu. Je n'avais aucune idée d'où il pouvait se trouver. Je l'ai attendu pendant des heures. La soirée se terminait, tout le monde repartait, mais il n'arrivait pas. Finalement, une fille que je connaissais à peine est venue m'apprendre que Will était parti avec une certaine Stéphanie Loudon. Vous l'ignorez, mais elle lui tournait autour depuis toujours. Au début, je n'ai pas voulu le croire, mais j'ai fini par me rendre chez elle. Je suis restée un moment devant sa maison, dans ma voiture. À 5 heures du matin, il est sorti et ils se sont embrassés sur le pas de la porte, comme s'ils se fichaient d'être vus ensemble. Quand je suis descendue du véhicule pour lui parler, il n'a même pas eu la décence d'avoir honte de lui. Il m'a simplement dit qu'il était inutile de nous impliquer émotionnellement puisque, de toute façon, notre relation n'aurait jamais tenu après la fac.

» Après ça, l'année s'est terminée. Ce fut pour moi un soulagement, car franchement, qui a envie d'être la fille qui s'est fait larguer par Will Traynor ? Mais j'ai eu beaucoup de mal à faire mon deuil. Notre relation s'est achevée de manière si abrupte… Après qu'on a quitté la fac et qu'il a commencé à travailler à la City, je lui ai écrit pour lui demander si on pouvait au moins aller boire un verre pour qu'il puisse m'expliquer son attitude. Parce que, de mon point de vue, on était très heureux ensemble, vous comprenez ? Mais il s'est contenté de prier sa secrétaire de m'envoyer ça : cette carte, qui disait qu'elle était désolée, que l'agenda de Will était complet et qu'il n'avait pas de temps à me consacrer pour le moment, mais qu'il me souhaitait une bonne continuation. « Une bonne continuation », répéta-t-elle avec une grimace.

À mon tour, je grimaçai intérieurement. J'avais très envie de mettre en doute son histoire, mais celle-ci avait toutes les apparences d'une horrible vérité. Will lui-même avait eu un regard parfaitement clair sur ses jeunes années. Il m'avait avoué à quel point il avait maltraité les femmes à cette époque de sa vie. (Ses mots exacts avaient été : « J'étais un véritable salaud. »)

Tanya parlait toujours :

— Et alors, environ deux mois plus tard, j'ai découvert que j'étais enceinte. La grossesse était déjà bien avancée, parce que mes règles avaient toujours été irrégulières et que je ne m'étais pas rendu compte de mon retard. J'ai donc pris la décision de garder le bébé. Mais…

Elle leva de nouveau le menton, comme prête à se défendre, et poursuivit :

— … mais je ne voyais pas l'intérêt d'en parler à Will. Pas après tout ce qu'il avait dit et fait.

Mon café était froid.

— Pas l'intérêt d'en parler à Will ?

— Il m'avait bien signifié qu'il ne voulait plus me revoir. Il aurait réagi comme si je l'avais fait délibérément, pour le piéger.

Je m'aperçus que ma bouche était grande ouverte et la fermai.

— Mais vous… vous ne pensez pas qu'il avait le droit de savoir ? Vous ne pensez pas qu'il aurait pu avoir envie de rencontrer son enfant ? Malgré tout ce qui s'était passé entre vous ?

Elle reposa sa tasse.

— Elle a seize ans, poursuivis-je. Elle devait en avoir quatorze, quinze, quand il est mort. C'est terriblement long…

— Mais à ce moment-là elle avait Francis. C'était lui, son père. Il a été très bon pour elle. Nous étions une famille. Nous sommes une famille.

— Je ne comprends pas…

— Will ne méritait pas de la connaître !

Ses mots planèrent un instant entre nous, lourds et menaçants.

— C'était un salaud, d'accord ? Will Traynor était un salaud égoïste, répéta-t-elle en repoussant une mèche de cheveux qui lui tombait sur le visage. Et je n'étais pas au courant de ce qui lui était arrivé. Ça a été un choc pour moi de l'apprendre. Mais, honnêtement, je ne suis pas certaine que ça aurait changé quelque chose.

Je mis un moment à retrouver la parole.

— Ça aurait changé quelque chose. Pour lui.

Elle me jeta un regard incisif, mais resta silencieuse.

— Will s'est suicidé, repris-je d'une voix brisée. Il a mis fin à ses jours parce qu'il ne voyait plus aucune raison de continuer à vivre. S'il avait su qu'il était père…

Elle se leva.

— Oh, non ! s'écria-t-elle. Ne me mettez pas ça sur le dos, mademoiselle Je-ne-sais-qui ! Je ne vous laisserai pas me rendre responsable du suicide de cet homme. Vous croyez peut-être que ma vie n'est pas assez compliquée ? Comment osez-vous venir me juger sous mon toit ? Si vous aviez eu à endurer la moitié de ce que j'endure avec… Non. Will Traynor était un enfoiré.

— Will Traynor est l'homme le plus gentil que j'ai pu connaître !

Elle m'examina de la tête aux pieds.

— Oui, dit-elle enfin. C'est fort possible.

Jamais je n'avais été emplie d'une telle aversion pour quiconque.

Je me levai, prête à partir, mais une voix brisa soudain le silence :

— Alors mon père ne savait pas que j'existais.

Lily se tenait immobile sur le pas de la porte. Tanya Houghton-Miller pâlit, puis se ressaisit.

— C'était pour te protéger, Lily. Je connaissais très bien Will, et je n'allais pas exposer l'une de nous deux à l'humiliation d'essayer de le convaincre de faire partie d'une relation qu'il n'avait pas désirée. Et tu dois vraiment perdre cette fâcheuse manie d'écouter aux portes, ajouta-t-elle en se passant la main dans les cheveux. Ça finira par te jouer des tours.

Je ne pus en écouter davantage. Je me dirigeai vers la sortie. À l'étage, de nouveaux hurlements se firent entendre. Un camion en plastique dévala l'escalier et s'écrasa en bas des marches.

— Tu vas où ?

— Je suis désolée, Lily. On… on pourra peut-être discuter une autre fois.

— Mais tu ne m'as presque rien raconté sur mon père.

— Ce n'était pas ton père, intervint Tanya Houghton-Miller. Francis en a fait plus pour toi que Will n'en aurait jamais fait.

— Francis n'est pas mon père ! rugit Lily.

Un nouveau bruit de chute retentit à l'étage, suivi de la voix d'une femme qui hurlait dans une langue étrangère. Les déflagrations métalliques d'une fausse mitraillette résonnèrent. Tanya se posa les mains sur la tête.

— Je ne peux plus supporter ça. Je ne le supporte pas.

Lily me rattrapa à la porte.

— Est-ce que je peux rester avec toi ?

— Quoi ?

— Chez toi ? Je ne peux pas rester ici ?

— Lily, je ne crois pas…

— Rien que pour ce soir. S'il te plaît.

— Oh, allez-y ! dit Tanya en agitant la main d'un air négligent. Prenez-la chez vous un jour ou deux. C'est une compagnie délicieuse. Polie, serviable, adorable. Un vrai petit ange ! On verra comment ça va marcher, ajouta-t-elle, le regard dur. Vous savez qu'elle boit et fume dans la maison ? Et qu'elle s'est fait renvoyer de son lycée ? Elle vous a raconté tout ça, pas vrai ?

Lily semblait presque s'ennuyer, comme si elle avait déjà entendu cette tirade un million de fois.

— Elle n'a même pas daigné se présenter à ses examens. On a tout fait pour elle. Des psychologues, les meilleures écoles, des professeurs particuliers… Francis l'a traitée comme sa fille. Elle est d'une ingratitude sans bornes ! Mon mari est très préoccupé par son travail en ce moment, les garçons ont leurs problèmes, et celle-ci ne nous laisse pas un instant de répit. Comme toujours.

— Comment tu pourrais même le savoir, d'abord ? J'ai été élevée par des nounous la moitié de ma vie. Et à la naissance des garçons, tu m'as mise à l'internat.

— Je ne pouvais pas m'occuper de vous tous ! J'ai fait ce que j'ai pu !

— Tu as fait ce que tu as voulu, c'est-à-dire refonder une parfaite petite famille, sans moi.

Sur ces mots, Lily se retourna vers moi.

— S'il te plaît…, me supplia-t-elle. Juste pour une nuit. Je ne t'embêterai pas, c'est promis.

J'aurais dû dire non. Je le savais. Mais j'étais si en colère contre cette femme… Et puis, j'avais le sentiment de devoir prendre la défense de Will, de devoir entreprendre ce qu'il n'avait pas eu l'occasion d'accomplir.

Une gigantesque construction en Lego s'écrasa à mes pieds, se brisant en centaines de petites pièces multicolores.

— Très bien, répondis-je alors. Prends tes affaires. Je t'attends dehors.

Le reste de la journée passa à la vitesse de l'éclair. Nous vidâmes la deuxième pièce remplie de cartons, que j'empilai dans ma chambre, et aménageâmes les lieux pour que Lily puisse s'y installer. J'arrangeai le store que je n'avais jamais pris le temps de réparer et apportai une lampe, ainsi qu'une de mes tables de chevet. Je partis acheter un lit de camp, que Lily m'aida à porter dans l'escalier, ainsi qu'une tringle où suspendre ses quelques vêtements, une nouvelle couette et des taies d'oreiller. Lily semblait heureuse d'avoir un objectif et paraissait absolument indifférente à la perspective d'emménager chez une inconnue. Je la regardai ranger ses affaires dans sa chambre ce soir-là et me sentis soudain étrangement triste. Cette jeune fille devait vraiment être malheureuse pour préférer au luxe et au confort de la maison de ses parents un cagibi meublé d'un lit de camp et d'une tringle à vêtements branlante.

Je préparai des pâtes, troublée à l'idée d'avoir une invitée, et nous regardâmes ensemble la télévision. À 20 h 30, son téléphone sonna, et elle me demanda un bout de papier et un crayon.

— Voilà, dit-elle en griffonnant quelque chose. C'est le numéro de portable de ma mère. Elle veut le tien, ainsi que ton adresse. En cas d'urgence.

Je me demandai combien de temps Tanya pensait que sa fille resterait chez moi.

À 22 heures, épuisée, j'annonçai à Lily que j'allais me coucher. Assise en tailleur sur le canapé, elle regardait toujours la télé tout en envoyant des messages à quelqu'un sur son téléphone portable.

— Ne te couche pas trop tard, d'accord ?

La recommandation sonnait faux venant de moi. Je me sentais comme une enfant qui veut jouer les adultes. Lily avait toujours les yeux rivés sur l'écran de télévision.

— Lily ?

Elle leva la tête, comme si elle venait à peine de remarquer ma présence.

— Oh, oui. Au fait, je voulais te dire. J'étais là.

— Où ?

— Sur le toit. Quand tu es tombée. C'est moi qui ai appelé l'ambulance.

Je revis soudain ce visage, ces grands yeux, cette peau blanche dans la pénombre.

— Mais qu'est-ce que tu fabriquais là-haut ?

— J'avais trouvé ton adresse. Comme tout le monde à la maison pétait un câble, j'ai voulu savoir qui tu étais avant d'essayer de t'approcher. J'ai vu que je pouvais monter par l'escalier de secours, et ta lumière était allumée. J'étais juste en train d'attendre. Mais après tu es arrivée et tu as commencé à marcher sur le bord, et j'ai pensé que si je te parlais, je risquais de te faire peur.

— Ce que tu as fait.

— Ouais. Je ne voulais pas. J'ai vraiment cru que je t'avais tuée, ajouta-t-elle avec un petit rire nerveux.

Nous restâmes là en silence pendant une minute.

— Tout le monde croit que j'ai sauté.

Elle me dévisagea.

— Ah bon ?

— Ouais.

Elle y réfléchit un instant.

— À cause de ce qui est arrivé à mon père ?

— Oui.

— Il te manque ?

— Tous les jours.

Elle se tut un moment avant de demander :

— C'est quand, ton prochain jour de congé ?

— Dimanche. Pourquoi ?

— Est-ce qu'on pourrait aller dans ta ville ?

— Tu veux aller à Stortfold ?

— Je veux voir où il a vécu.

Chapitre 8

Je n'avais pas prévenu papa de notre arrivée. Je ne savais pas vraiment comment aborder le sujet. Je me garai devant la maison et restai assise une minute derrière le volant. Tandis que Lily regardait par la fenêtre, je ne pouvais m'empêcher de remarquer l'aspect vieillot de la maison de mes parents par rapport à la sienne. Lorsque je lui avais expliqué que ma mère tiendrait sans doute à nous inviter à partager leur déjeuner, elle avait eu l'idée de lui offrir des fleurs et s'était offusquée de me voir envisager d'acheter un bouquet d'œillets dans une station-service.

Je m'étais donc rendue jusqu'au supermarché de l'autre côté de Stortfold, où elle avait choisi un immense bouquet de freesias, pivoines et renoncules… que j'avais payé.

— Reste ici une minute, lui dis-je quand elle voulut descendre du véhicule. Avant que tu viennes, je voudrais tout leur raconter.

— Mais…

— Crois-moi, répliquai-je. Il va leur falloir un peu de temps.

Je remontai l'allée du petit jardin et frappai à la porte. J'entendais la télévision du salon et imaginai grand-père en train de regarder les courses, faisant cliqueter son dentier en rythme avec l'allure des chevaux. Les petits bruits de la maison. Je songeai aux longs mois où j'avais pris mes distances, ignorant comment je serais reçue si jamais je revenais, refusant de penser à ce que cela me ferait de remonter cette allée, de sentir l'odeur d'adoucissant de l'étreinte de ma mère, d'entendre l'éclat de rire lointain de mon père…

Papa ouvrit la porte et haussa les sourcils.

— Lou ! On ne s'attendait pas à te voir ! Euh… On ne s'attendait pas à te voir, hein ?

Il esquissa un pas en avant pour me serrer contre lui, et je me rendis compte à quel point j'étais heureuse d'avoir retrouvé ma famille.

— Bonjour, papa.

Il attendit un instant sur le perron, le bras tendu. Un délicieux fumet de poulet rôti flottait dans le couloir.

— Est-ce que tu rentres, demanda-t-il enfin, ou est-ce qu'on se fait un pique-nique sur le seuil ?

— Il faut d'abord que je vous annonce quelque chose.

— Tu as perdu ton travail.

— Non, je n'ai pas…

— Tu t'es fait faire un nouveau tatouage.

— Tu savais pour mon tatouage ?

— Je suis ton père. Je suis au courant de toutes les conneries que tu as faites avec ta sœur depuis tes trois ans. Ta mère n'a jamais voulu que je m'en fasse un, ajouta-t-il sur le ton de la confidence.

— Non, papa, ce n'est pas ça. Je… j'ai la fille de Will avec moi.

À ces mots, papa se figea. Maman apparut derrière lui, revêtue de son tablier.

— Lou ! s'écria-t-elle avant d'apercevoir l'expression horrifiée de son mari. Quoi ? Qu'est-ce qui se passe ?

— Elle dit qu'elle est avec la fille de Will.

— La quoi de Will ? glapit maman.

Papa était pâle comme un linge. Il posa la main sur le radiateur derrière lui afin de s'y soutenir.

— Quoi ? demandai-je, inquiète. Qu'est-ce qui se passe ?

— Tu… tu ne vas pas me dire que tu as conservé ses… tu sais… ses petits ?

Je grimaçai.

— Mais non, elle est dans la voiture. Elle a seize ans.

— Oh, Dieu merci ! Oh, Josie, Dieu merci. En ce moment, tu es tellement… Je ne sais jamais à quoi m'attendre. La fille de Will, dis-tu ? Tu n'as jamais dit qu'il…

— Je n'en savais rien. Personne n'était au courant.

Maman jeta un coup d'œil discret en direction de mon véhicule, où Lily feignait d'ignorer que nous étions en train de parler d'elle.

— Bon, alors fais-la entrer, dit maman. J'ai préparé un gros poulet, il devrait suffire si j'ajoute quelques pommes de terre. La fille de Will, répéta-t-elle, ahurie. Bonté divine, Lou ! Tu ne cesseras jamais de nous surprendre.

Elle adressa un signe à Lily, qui lui répondit timidement.

— Viens donc, ma chérie ! cria maman.

Papa leva la main pour la saluer, puis murmura d'une voix à peine audible :

— Est-ce que M. Traynor est au courant ?

— Pas encore.

Papa se frotta la poitrine.

— Est-ce qu'il y a autre chose ? demanda-t-il.

— Comme quoi ?

— N'importe quoi d'autre qu'il faudrait que tu me dises. Tu sais, à part sauter des toits et ramener à la maison des enfants perdus. Tu ne vas pas rejoindre un cirque, ou adopter un orphelin du Kazakhstan, ou un truc du genre ?

— Je te promets, rien de tel. Du moins pas encore.

— Bon, c'est déjà ça. Quelle heure est-il ? J'ai besoin d'un verre.

— Alors, Lily, tu vas à quelle école ?

— Un petit internat dans le Shropshire. Personne ne connaît. C'est surtout fréquenté par des rejetons attardés de la noblesse et des membres éloignés de la famille royale de Moldavie.

Nous nous étions entassés tous les sept à la table de la salle à manger, genoux contre genoux, et six d'entre nous priaient pour que personne n'ait besoin d'aller aux toilettes, ce qui nécessiterait que tout le monde se lève et déplace le meuble de quinze centimètres en direction du canapé.

— L'internat, hein ? Boutiques de friandises et banquets de minuit, tout ça ? Vous devez bien rigoler.

— Non, pas vraiment. Ils ont fermé la boutique l'an dernier parce que la moitié des filles sont boulimiques et se faisaient vomir après s'être gavées de Snickers.

— Sa mère habite à St John's Wood, ajoutai-je. Lily va rester chez moi quelques jours pendant qu'elle… qu'elle en apprend un peu plus sur l'autre côté de sa famille.

— Les Traynor vivent ici depuis des générations, dit maman.

— Vraiment ? Vous les connaissez ?

Maman se figea.

— Non, pas personnellement…

— À quoi ressemble leur maison ?

Le visage de maman se ferma.

— Tu ferais mieux de poser ces questions à Lou. C'est elle qui passait… tout son temps là-bas.

Lily attendit.

— Je travaille avec M. Traynor, intervint papa, qui est responsable de la gestion du domaine.

— Grand-père ! s'écria grand-père avant d'éclater de rire.

Lily le regarda un instant, puis reposa les yeux sur moi. Je lui souris, même si la mention du nom de M. Traynor m'avait fait un effet étrange.

— C'est ça, papa, dit maman. Il sera le grand-père de Lily. Tout comme toi. Bon, qui veut encore des patates ?

— Grand-père, répéta Lily à voix basse, visiblement heureuse.

— On va les appeler et… leur annoncer la nouvelle, déclarai-je. Et si tu veux, on pourra passer en voiture devant leur maison en partant. Pour que tu puisses jeter un coup d'œil.

Durant la discussion, ma sœur était restée silencieuse. Lily avait été placée à côté de Thom, probablement dans l'espoir qu'il surveille sa conduite, même s'il risquait toujours de lancer une conversation liée aux parasites intestinaux. Treena observait Lily. Elle était plus suspicieuse que mes parents, qui s'étaient contentés d'accepter tout ce que je leur avais dit. Elle m'avait traînée à l'étage pendant que papa montrait le jardin à Lily pour me poser toutes les questions qui avaient volé follement dans ma tête comme un pigeon piégé dans une pièce close.

Comment pouvais-je être sûre qu'elle était bien celle qu'elle prétendait être ? Que voulait-elle ? Et, enfin : *Pourquoi diable sa propre mère voulait-elle la voir partir vivre avec moi ?*

— Et donc, elle reste combien de temps ? demanda-t-elle à table pendant que papa parlait à Lily de son travail sur le chêne vert.

— On n'en a pas vraiment discuté.

Elle esquissa le genre de grimace qui me disait à la fois que j'étais une idiote et que, de ma part, plus rien ne la surprenait.

— Elle a dormi chez moi deux nuits, Treen. Et elle est jeune.

— Exactement ! Depuis quand tu sais t'occuper des enfants ?

— Ce n'est plus une enfant.

— Elle est pire qu'un enfant ! En gros, les ados sont des nourrissons bourrés d'hormones : assez vieux pour avoir envie de faire des tas de choses, mais trop jeunes pour être capables d'y réfléchir. Elle pourrait s'attirer toutes sortes d'ennuis. Je n'arrive pas à croire que tu te sois embarquée là-dedans.

Je lui tendis la saucière.

— Bonjour, Lou, raillai-je. Bien joué, tu as réussi à ne pas perdre ton travail dans un milieu pourtant difficile. Félicitations pour t'être remise de ton terrible accident. Ça me fait vraiment plaisir de te voir.

Elle me passa le sel et murmura sous cape :

— Tu ne seras pas capable de t'en occuper, pas avec ta…

— Avec ma quoi ?

— Ta dépression.

— Je ne suis pas dépressive, sifflai-je. Treena, je ne suis pas déprimée. Bordel, je ne me suis pas jetée du toit de mon immeuble !

— Ça fait des mois que tu n'es plus toi-même. Depuis l'histoire avec Will.

— Qu'est-ce que je vais devoir faire pour te convaincre ? Je garde un travail. Je vois mon kiné pour rééduquer ma hanche, et je fréquente un putain de cercle de soutien pour personnes en deuil. Je trouve que je m'en sors plutôt bien, OK ?

À présent, toute la tablée m'écoutait.

— En fait, poursuivis-je, voilà le truc. Oh, oui. Lily était là. Elle m'a vue tomber. C'est elle qui a appelé l'ambulance.

Tous les membres de ma famille me dévisagèrent.

— C'est vrai, repris-je. Elle m'a vue tomber. Je n'ai pas sauté. Lily, j'étais en train d'en parler avec ma sœur. Tu étais bien là quand je suis tombée ? Vous voyez ? Je vous avais dit que j'avais entendu une voix féminine. Je n'étais pas folle. Elle a tout vu. J'ai glissé, hein ?

Lily leva les yeux de son assiette, la bouche pleine. Elle mangeait presque en continu depuis qu'elle avait pris place à table.

— Ouais. Elle n'était carrément pas en train d'essayer de se tuer.

Maman et papa échangèrent un regard. Ma mère poussa un soupir, se signa en douce et sourit. Ma sœur haussa les sourcils ; c'était ce qui, chez elle, se rapprochait le plus d'une excuse. L'espace d'un instant, je fus sur un petit nuage.

— Ouais, ajouta Lily en levant sa fourchette. Elle était juste en train de crier dans la nuit. Genre vachement énervée.

Un bref silence s'ensuivit.

— Oh, s'exclama papa. Euh, c'est…

— C'est… très bien, dit maman.

— Ce poulet est succulent, déclara Lily. Je peux en avoir encore ?

Nous restâmes jusqu'en fin d'après-midi, en partie parce que chaque fois que je me levais pour partir maman nous apportait encore de la nourriture, et en partie parce que voir d'autres personnes que moi discuter avec Lily rendait la situation plus normale, moins intense. Papa et moi nous installâmes au fond du jardin, sur les deux transats qui, par miracle, avaient réussi à ne pas pourrir pendant l'hiver (même s'il était judicieux de rester aussi immobile que possible une fois assis dedans, au cas où).

— Tu sais que ta sœur est en train de lire *La Femme eunuque* ? Et puis un vieux bouquin qui s'appelle *La Chambre des femmes*, ou un titre comme ça. Elle affirme que ta mère est un exemple classique de femme opprimée, et que le fait qu'elle ne soit pas d'accord avec ça montre à quel point elle est oppressée. Elle essaie de lui dire que je devrais faire la cuisine et le ménage, et me fait passer pour une espèce d'homme des cavernes. Mais si j'ai le malheur de vouloir me défendre, elle n'arrête pas de me répéter de « compter mes privilèges ». Compter mes privilèges ! Je lui ai répondu que je serais ravi de les compter, si seulement je savais où ta mère les a rangés.

— Je trouve que maman a l'air très heureuse, déclarai-je.

Je bus une gorgée de thé et ressentis soudain une pointe de culpabilité, car les bruits que j'entendais provenir de la maison étaient ceux de maman en train de faire la vaisselle.

Papa me jeta un regard en coin.

— Elle ne s'est pas rasé les jambes depuis trois semaines. Trois semaines, Lou ! Je te jure, ça me fiche des frissons quand elles me frôlent. Ça fait deux nuits que je dors sur le canapé. Je ne sais pas, Lou. Pourquoi les gens ne se contentent-ils plus de laisser les choses suivre leur cours ? Ta mère était heureuse, je suis heureux. On a des rôles bien définis. C'est moi qui ai du poil aux pattes. C'est elle qui met des gants en caoutchouc. C'est simple.

Plus loin dans le jardin, Lily apprenait à Thom à imiter les cris d'oiseau à l'aide d'un épais brin d'herbe. Le garçonnet tenait celui-ci entre ses pouces, mais ses quatre dents manquantes empêchaient certainement la production de son, car seule une framboise accompagnée d'un filet de salive sortit de sa bouche.

Nous restâmes assis là dans un silence complice pendant un moment, à écouter le chant des oiseaux, les sifflements de grand-père et le chien des voisins qui aboyait pour qu'on le laisse entrer. Je me sentais chez moi.

— Alors, comment va M. Traynor ? demandai-je.

— Pour le mieux. Tu sais qu'il va encore être papa ?

Avec mille précautions, je me tournai sur mon transat.

— Vraiment ?

— Pas avec Mme Traynor. Elle est partie juste après… tu sais quoi. C'est avec cette rouquine, j'ai oublié son nom.

— Della, me souvins-je soudain.

— C'est ça. Apparemment, ils se connaissent depuis un moment, mais je crois que cette histoire de bébé a été une surprise pour tous les deux, déclara papa en s'ouvrant une autre bière. Il a l'air assez content. J'imagine que ça le rend heureux d'avoir un nouvel enfant en route. Ça lui donne un élément sur lequel se concentrer.

Une partie de moi avait envie de le juger. Mais je n'imaginais que trop bien ce besoin de créer quelque chose de bon à partir de ce qui s'était passé. Ce désir de remonter la pente à tout prix.

« Ils sont toujours ensemble à cause de moi, c'est tout », m'avait dit Will plus d'une fois.

— Qu'est-ce qu'il fera de Lily d'après toi ? demandai-je.

— Je n'en sais rien, ma chérie. Je pense qu'il sera ravi de la connaître, ajouta-t-il après un instant de réflexion. Ce sera un peu comme s'il retrouvait une partie de son fils, non ?

— Et Mme Traynor, qu'est-ce qu'elle va en penser ?

— Aucune idée. Je ne sais même pas où elle vit, maintenant.

— Lily n'est pas… pas simple à gérer.

— Tu peux parler ! s'esclaffa papa. Treena et toi, vous nous avez rendus dingues pendant des années, ta mère et moi, avec vos sorties tardives, vos petits copains et vos peines de cœur. Il est temps que quelqu'un te rende la monnaie de ta pièce !

Il but une gorgée de sa bière et rit de plus belle.

— Ce sont de bonnes nouvelles, ma chérie, conclut-il. Je suis content que tu ne sois plus seule dans ton appartement vide.

Le brin d'herbe de Thom émit un bruit strident. Le visage du garçon s'éclaira, et il lança son épée vers le ciel. Nous levâmes le pouce en signe de respect.

— Papa.

Il se tourna vers moi.

— Je vais bien, tu le sais ?

— Bien sûr, ma chérie, répondit-il en me donnant un petit coup d'épaule. Mais c'est mon job de m'inquiéter. Je m'inquiéterai jusqu'à être trop vieux pour me lever de ma chaise. D'ailleurs, ça pourrait m'arriver plus tôt que je ne le souhaiterais, ajouta-t-il en jetant un regard méfiant à son transat.

Nous repartîmes peu avant 17 heures. Dans le rétroviseur, Treena était la seule à ne pas nous faire signe. Elle se tenait debout toute droite, les bras croisés, secouant lentement la tête en nous regardant nous éloigner.

Une fois chez moi, Lily disparut sur le toit. Je n'y étais plus montée depuis mon accident. Je m'étais dit qu'avec les ondées printanières ce serait inutile d'essayer, que l'escalier de secours serait rendu glissant par la pluie et que la vue de toutes ces plantes mortes dans les jardinières me culpabiliserait. Mais en fait j'avais peur. Rien qu'à l'idée de remonter là-haut, mon cœur battait la chamade ; en un éclair, je me souvenais de la chute et de cette sensation du monde qui se dérobait sous moi, comme un tapis qu'on tirerait brutalement sous mes pieds.

Je regardai Lily sortir par la fenêtre et lui criai qu'elle devrait être redescendue dans vingt minutes. Au bout de vingt-cinq minutes, je commençai à m'inquiéter. Je l'appelai par l'ouverture, mais seul le ronronnement de la circulation me répondit. À trente-cinq minutes, je me surpris, en grommelant des jurons, à enjamber le rebord de la fenêtre pour poser le talon sur l'escalier de secours.

C'était une tiède soirée d'été, et l'asphalte du toit irradiait la chaleur emmagasinée pendant la journée. En dessous de nous, les bruits de la ville évoquaient un dimanche alangui, avec son trafic ralenti, ses fenêtres ouvertes, ses musiques beuglantes et ses jeunes qui traînaient aux coins des rues, le tout mêlé aux odeurs lointaines des barbecues en cours sur d'autres toits-terrasses.

Lily était assise sur un pot de fleurs retourné, le regard perdu vers la City. Je me plaçai dos au réservoir d'eau, essayant d'ignorer la panique qui m'étreignait dès que je la voyais se pencher vers le vide.

J'avais commis une erreur en montant là-haut. Je sentais l'asphalte qui glissait doucement sous mes pieds, comme le pont d'un bateau. Je m'avançai d'un pas mal assuré jusqu'au siège en fer rouillé et m'y assis. Mon corps savait exactement ce que l'on ressentait lorsqu'on se tenait sur ce rebord : la barrière infime qui séparait la vie du fatal faux pas se mesurait dans les unités les plus minuscules. En grammes, en millimètres, en degrés. Je sentis les poils de mes bras se hérisser. Une sueur froide me glaça la nuque.

— Tu peux descendre, Lily ?

— Toutes tes plantes sont mortes.

Elle était en train de ramasser les feuilles rabougries d'un buisson desséché.

— Oui. Ça fait des mois que je ne suis pas montée.

— Tu ne devrais pas les laisser mourir. C'est cruel.

Je lui jetai un regard incisif, pour m'assurer qu'elle ne plaisantait pas, mais elle semblait très sérieuse. Elle se pencha et cassa en deux une brindille, dont elle examina l'extrémité.

— Comment tu as rencontré mon père ?

Je m'accrochai au coin du réservoir d'eau. Si seulement mes genoux voulaient bien cesser de jouer des castagnettes…

—J'ai seulement postulé pour un emploi d'aide-soignante. Et j'ai été prise.

—Alors que tu n'avais aucune formation.

—Oui.

Elle y réfléchit un instant, jeta la brindille et se leva. Elle marcha jusqu'au bout de la terrasse et s'arrêta, les mains sur les hanches, les jambes écartées. Une véritable Amazone maigrichonne.

—Il était beau, pas vrai ?

Le toit oscillait sous moi. Il fallait que je redescende.

—Je ne peux pas en parler ici Lily.

—Tu as vraiment très peur ?

—Je préférerais seulement qu'on redescende. S'il te plaît.

Elle inclina la tête pour m'observer, semblant se demander si elle devait ou non m'obéir. Elle esquissa un pas en direction du muret et leva le pied d'un air songeur, comme pour sauter sur le rebord. Elle resta ainsi juste assez longtemps pour que je me retrouve couverte de sueur. Puis elle se tourna vers moi, un grand sourire aux lèvres, coinça sa cigarette entre ses dents et revint vers l'escalier de secours.

—Tu ne vas pas retomber, idiote. Ce ne serait pas possible d'être aussi malchanceux.

—Ouais. Peut-être, mais pour le moment je n'ai pas vraiment envie de tester les probabilités.

Quelques minutes plus tard, lorsque mes jambes se décidèrent enfin à obéir aux injonctions de mon cerveau, nous descendîmes les deux volées de marches. Nous nous arrêtâmes devant ma fenêtre, quand je me rendis compte que je tremblais trop pour enjamber le rebord. Je m'assis sur une marche.

Lily leva les yeux au ciel et m'attendit. Puis, quand elle comprit que je ne pouvais pas bouger, elle s'assit à côté de moi. Nous n'étions peut-être que trois mètres plus bas qu'auparavant, mais avec le couloir de mon appartement visible à travers la fenêtre et une rampe de chaque côté, je pus enfin reprendre une respiration normale.

— Tu sais ce qu'il te faut, dit-elle en brandissant une cigarette roulée.

— Tu es sérieusement en train de me conseiller de fumer un pétard ? À quatre étages du sol ? Tu sais que je viens à peine de tomber d'un toit ?

— Ça t'aidera à te détendre.

Je ne bougeai pas.

— Oh, allez ! Quoi, tu es vraiment la nana la plus coincée de tout Londres ?

— Je ne suis pas de Londres.

Après coup, j'eus du mal à croire que je m'étais laissée manipuler par une gamine de seize ans. Mais Lily était un peu la fille cool de la classe, celle qu'on essaie d'impressionner. Sans lui laisser le temps d'ajouter quoi que ce soit, je lui pris sa cigarette et tirai une bouffée maladroite, m'efforçant de ne pas tousser lorsque la fumée atteignit le fond de ma gorge.

— Et en plus, tu es mineure, murmurai-je. Tu ne devrais pas te droguer. Et où est-ce qu'une fille comme toi se fournit ?

Lily regardait par-dessus la rambarde.

— Est-ce qu'il te plaisait ? demanda-t-elle soudain.

— Qui ça ? Ton père ? Pas au début.

— Parce qu'il était en fauteuil roulant.

Parce qu'il m'a fait penser à Daniel Day-Lewis dans My Left Foot *et que ça m'a foutu les jetons*, voulus-je lui répondre, mais cela aurait été trop long à expliquer.

— Non. Le fauteuil, ce n'est pas ce qui frappait le plus chez lui quand on le rencontrait. Il ne me plaisait pas parce que… il était très en colère. Et un peu intimidant. Deux éléments qui le rendaient assez difficile à apprécier.

— Est-ce que je lui ressemble ? J'ai cherché sa photo sur Google, mais je n'arrive pas à bien voir.

— Un peu. Tes cheveux ont la même couleur que les siens. Et peut-être tes yeux.

— Ma mère m'a raconté qu'il était vraiment très beau et que c'était pour ça qu'il était aussi méchant. Entre autres choses. Maintenant, dès qu'elle s'énerve après moi, elle me dit que je suis comme lui. « Oh, bon sang, tu me fais penser à Will Traynor ! » Elle l'appelle toujours Will Traynor. Jamais « ton père ». Elle a décidé de faire comme si Tête-de-Nœud était mon vrai père, même si c'est juste évident qu'il ne l'est pas. On dirait qu'elle s'imagine pouvoir se fabriquer une gentille petite famille rien qu'en répétant qu'on en est une.

J'aspirai une nouvelle bouffée. Je me sentais devenir vaseuse. En dehors d'un soir lors d'une fête à Paris, cela faisait des années que je n'avais pas fumé un joint.

— Tu sais, déclarai-je, je crois que j'en profiterais mieux s'il n'y avait pas l'infime possibilité que je tombe de cet escalier.

— Bordel, Louisa ! Il faut que tu apprennes à t'amuser !

Elle me prit le joint et tira longuement dessus avant de renverser la tête en arrière.

— Il t'a dit ce qu'il ressentait ? Pour de vrai ?

Elle aspira à son tour une nouvelle bouffée et me rendit la cigarette. Elle ne semblait absolument pas affectée.

— Oui, répondis-je.

— Vous vous êtes disputés ?

— Souvent. Mais on a aussi beaucoup ri.

— Tu lui plaisais ?

— Si je lui plaisais ? Je ne sais pas si le terme est bien choisi…

Ma bouche forma en silence des mots qui m'échappaient. Comment pouvais-je lui expliquer ce que Will et moi avions été l'un pour l'autre ? Cette impression que personne au monde ne m'avait jamais comprise comme il me comprenait ? Comment lui révéler que le perdre m'avait fait l'effet d'un gros trou au milieu de la poitrine, comme un souvenir douloureux et permanent, une absence que je ne pourrais jamais combler ?

Elle me regardait fixement.

— Mais oui ! s'écria-t-elle soudain. Tu plaisais à mon père !

Elle se mit à glousser. Et je trouvai l'expression tellement ridicule, tellement insignifiante face à l'énormité de ce que Will et moi avions partagé que, malgré moi, je me mis à rire à mon tour.

— Mon père en pinçait pour toi ! Ce n'est pas dingue, ça ? Oh, bon sang ! s'écria-t-elle. Dans un monde parallèle, tu aurais pu être ma belle-mère !

Nous nous regardâmes d'un air faussement horrifié, et cette idée enfla entre nous jusqu'à former comme une bulle de joie qui se logea dans ma poitrine. Je me remis à rire, le genre de rire qui frôle l'hystérie, qui vous fait mal au ventre et qui redémarre aussitôt si vous avez le malheur de croiser le regard de quelqu'un.

— Vous avez couché ensemble ?

La question me fit l'effet d'une douche froide.

— OK. Cette conversation est officiellement devenue bizarre.

— Toute votre relation est bizarre, rétorqua Lily avec une grimace.

— Non, pas du tout. C'était… c'était…

Soudain, c'en fut trop : le toit, les questions, le joint, les souvenirs de Will. J'avais l'impression que nous étions en train de l'invoquer : son sourire, sa peau, la sensation de son visage contre le mien… Et je n'étais pas certaine d'en avoir envie. Je laissai doucement tomber ma tête entre mes genoux.

Respire, m'intimai-je.

— Louisa ?

— Quoi ?

— Il avait dès le début l'intention d'aller là-bas ? À Dignitas ?

Je fis un signe d'acquiescement. Je me répétai le mot, essayant d'apaiser la panique que je sentais monter en moi. Inspirer. Expirer.

Respire.

— Tu as essayé de lui faire changer d'avis ?

— Will était… obstiné.

— Vous vous êtes disputés ?

Je déglutis avec peine.

— Jusqu'au dernier jour, répondis-je.

Le dernier jour.

Pourquoi avais-je prononcé ces mots ? Je fermai les yeux.

Lorsque enfin je les rouvris, Lily m'observait.

— Tu étais avec lui quand il est mort ?

Elle plongea son regard dans le mien.

Les jeunes sont terrifiants, songeai-je. *Ils n'ont pas de limites. Ils n'ont peur de rien.*

Je voyais déjà la question suivante se former sur ses lèvres, je la lisais dans ses pupilles. Mais peut-être n'était-elle pas aussi courageuse que je l'avais cru.

Elle finit par baisser les yeux.

— Quand est-ce que tu vas parler de moi à ses parents ?

Mon cœur fit une embardée.

— Cette semaine. Je les appellerai cette semaine.

Elle hocha la tête et détourna le visage, si bien que je ne pus déchiffrer son expression. Je la regardai tirer une nouvelle bouffée de sa cigarette roulée. Puis, soudain, elle la laissa tomber entre les marches, se leva et rentra par la fenêtre sans même se retourner. J'attendis que mes jambes veuillent bien me porter et la suivis à l'intérieur.

Chapitre 9

Je passai le fameux coup de fil un mardi midi, alors qu'une grève des contrôleurs aériens français et allemands avait laissé le bar quasiment vide. J'attendis que Richard disparaisse pour se rendre chez notre fournisseur, puis sortis dans le hall de l'aéroport et cherchai dans mon portable le numéro que je n'avais jamais pu me résoudre à supprimer.

Le téléphone sonna, trois, quatre fois. Je fus soudain prise d'une furieuse envie de presser le bouton de fin d'appel, mais quelqu'un décrocha à cet instant précis.

— Allô ! dit une voix familière.

— Monsieur Traynor ? C'est… c'est Lou.

— Lou ?

— Louisa Clark.

Un bref silence. J'entendais presque le bruissement des souvenirs qui s'abattaient sur lui, invoqués par la simple mention de mon prénom, et me sentis étrangement coupable. La dernière fois que je l'avais vu, nous nous trouvions sur la tombe de Will. M. Traynor était un homme vieilli prématurément, qui redressait constamment avec peine des épaules alourdies par le poids du chagrin.

— Louisa. Eh bien… Bonté divine. C'est… Comment allez-vous ?

Je me poussai pour laisser passer Violette avec son chariot. Elle m'adressa un sourire complice et rajusta son turban violet de sa main libre. J'aperçus de petits stickers représentant le drapeau anglais collés avec soin sur ses ongles.

— Très bien, merci. Et vous-même ?

— Oh… vous savez… En fait, je vais très bien moi aussi. Les circonstances ont un peu évolué depuis notre dernière entrevue, mais c'est… vous voyez…

Cette disparition momentanée de sa bonhomie habituelle faillit me faire renoncer. Je pris une grande inspiration et me lançai :

— Monsieur Traynor, je vous appelle car j'ai vraiment besoin de vous parler d'une chose.

— Je croyais que Michael Lawler s'était occupé de tous les aspects financiers, dit-il d'un ton légèrement altéré.

— Il ne s'agit pas d'argent. Monsieur Traynor, repris-je en fermant les yeux, j'ai reçu récemment la visite d'une adolescente. Une jeune personne que, selon moi, vous devriez rencontrer.

Une femme me cogna les jambes avec sa valise à roulettes et m'adressa un geste d'excuse.

— Bon, poursuivis-je. Je ne vois pas de manière simple de vous annoncer la nouvelle, alors je vais aller à l'essentiel : Will a une fille, qui a atterri sur le pas de ma porte il y a quelques jours. Elle veut à tout prix vous connaître.

Cette fois, le silence à l'autre bout de la ligne me parut interminable.

— Monsieur Traynor ?

— Je suis désolé. Pouvez-vous répéter ce que vous venez de dire ?

— Will a eu une fille. Il n'était pas au courant de son existence. La mère est une ancienne petite amie de l'université, qui a fait le choix de ne pas lui en parler. La fille m'a retrouvée et a vraiment envie de vous rencontrer. Elle a seize ans. Elle se prénomme Lily.

— Lily ?

— Oui. J'ai parlé à sa mère, et son histoire me semble cohérente. Elle s'appelle Miller. Tanya Miller.

— Je… je ne me souviens pas d'elle, mais Will multipliait les conquêtes.

Nouveau silence. Lorsqu'il reprit la parole, il avait des larmes dans la voix.

— Will a eu… une fille ?

— Oui. Vous êtes grand-père.

— Vous… vous pensez vraiment qu'il s'agit de son enfant ?

— J'ai rencontré la mère et écouté sa version des faits, donc oui, je pense que Lily est bien votre petite-fille.

— Oh. Oh, mon Dieu.

Soudain, j'entendis une personne derrière lui : « Steven ? Steven ? Tout va bien ? »

Puis plus rien.

— Monsieur Traynor ?

— Je suis désolé. Je suis juste… juste un peu…

Je posai ma main libre sur ma tête.

— C'est un choc, je sais. Je suis désolée. Je ne suis pas douée pour ce genre d'annonces. Je ne voulais pas débarquer chez vous à l'improviste…

— Non. Non, ne vous excusez pas. C'est une bonne nouvelle. Une excellente nouvelle même. Une petite-fille !

« Qu'est-ce qui se passe ? Pourquoi tu t'assieds comme ça ? » demanda la voix en arrière-plan, inquiète.

J'entendis une paume se poser sur le combiné, puis :

— Ça va, chérie. Ça va très bien. Je… je t'expliquerai tout dans une minute.

Une conversation étouffée se poursuivit. Puis il revint vers moi, l'intonation soudain hésitante :

— Louisa ?

— Oui ?

— Vous en êtes absolument certaine ? Je veux dire, c'est tellement…

— Sûre et certaine, monsieur Traynor. Je serais heureuse de vous en dire plus, mais elle a seize ans, elle est pleine de vie et elle… eh bien, elle a très envie d'en apprendre davantage sur la nouvelle famille qu'elle vient de se découvrir.

— Oh, bonté divine. Oh… Louisa ?

— Je suis toujours là.

Lorsqu'il reprit la parole, je me rendis compte que mes yeux s'étaient emplis de larmes.

— Quand puis-je la voir ? Comment arranger la rencontre avec… Lily ?

Nous prîmes la route le samedi suivant. Lily craignait d'y aller seule, mais jamais elle ne l'aurait avoué. Elle se contenta de me dire qu'il valait mieux que je sois là pour tout expliquer à M. Traynor, parce que « les vieux se comprennent mieux entre eux ».

Nous roulâmes en silence. J'étais presque malade d'anxiété à l'idée de pénétrer de nouveau dans la demeure des Traynor, même si je ne pouvais l'expliquer à ma passagère. Lily, quant à elle, se taisait.

« Est-ce qu'il t'a crue ? »

« Oui, lui avais-je répondu. Oui, je crois. » Mais peut-être serait-il judicieux d'effectuer un test ADN afin de rassurer tout le monde.

« Est-ce qu'il a vraiment demandé à me rencontrer, ou bien est-ce que c'est toi qui as lancé l'idée ? »

Je ne m'en souvenais plus. Rien que de lui parler, mon cerveau avait été comme parcouru d'électricité statique.

« Et si je ne suis pas celle qu'il imagine ? »

Je ne pensais pas qu'il s'attende à quoi que ce soit. Il venait tout juste de découvrir l'existence de sa petite-fille.

Lily avait débarqué chez moi le vendredi soir. Je ne l'attendais pas avant le samedi matin, mais elle m'expliqua qu'elle avait eu une grosse altercation avec sa mère, et que Francis Tête-de-Nœud lui avait dit de grandir un peu.

— Venant d'un homme qui trouve normal de consacrer une pièce entière à un petit train…, grommela-t-elle, dépitée.

Je lui avais dit qu'elle serait toujours la bienvenue chez moi, tant que (a) j'avais confirmation que sa mère était au courant, (b) elle ne buvait pas et (c) elle ne fumait pas dans l'appartement. Au téléphone, Tanya Houghton-Miller insista pendant près de vingt minutes sur l'impossibilité de notre arrangement, me répéta à quatre reprises que je lui renverrais Lily en moins de quarante-huit heures, et ne se résolut à raccrocher que lorsqu'un enfant se mit à crier derrière elle. Ce soir-là, j'écoutai Lily s'activer dans ma petite cuisine tandis qu'une musique tonitruante faisait vibrer les rares meubles de mon salon.

D'accord, Will, lui dis-je en silence. *Si tu avais dans l'idée de me propulser dans une toute nouvelle vie, tu as réussi ton coup.*

Le lendemain matin, j'entrai dans la chambre d'amis pour réveiller Lily et la trouvai déjà parfaitement éveillée, un bras autour des jambes, en train de fumer par la fenêtre ouverte. Elle avait jeté sur le lit tout un tas de vêtements, comme si elle avait essayé une dizaine de tenues sans en trouver une seule à son goût.

Elle me fusilla du regard, comme pour me défier de formuler la moindre remarque. Soudain, je revis Will, qui se détournait de la fenêtre dans son fauteuil roulant, l'air peiné et furieux. Ma gorge se serra.

— Décollage dans une demi-heure, déclarai-je.

Nous atteignîmes l'extérieur de la ville peu avant 11 heures. L'été avait apporté son lot de touristes dans les rues étroites de Stortfold, comme des volées de moineaux multicolores prêts à atterrir, armés de guides et de glaces, errant sans but entre les cafés et les boutiques de souvenirs pleines de dessous-de-verre et de calendriers représentant le château, qui seraient achetés en masse avant d'être oubliés au fond d'un tiroir. Je roulai au pas devant le château dans la longue file des visiteurs, m'interrogeant sur les K-way, les anoraks et les bobs qui semblaient rester les mêmes chaque saison. Cette année, c'était le cinq-centième anniversaire du château, et partout où je posais les yeux, je voyais des affiches annonçant des événements festifs : spectacle de danse traditionnelle, cochon grillé, kermesse…

Je m'arrêtai devant la maison, soulagée de ne pas être en vue de l'annexe où j'avais passé tant de temps en compagnie de Will. Nous restâmes assises un moment dans la voiture, à écouter le moteur refroidir. Lily, remarquai-je, s'était rongé presque tous les ongles.

— Ça va ? lui demandai-je.

Elle haussa les épaules.

— Est-ce qu'on y va ? insistai-je.

— Et s'il ne m'aime pas ? murmura-t-elle sans quitter ses chaussures des yeux.

— Pourquoi il ne t'aimerait pas ?

— Personne ne m'aime.

— Bien sûr que si.

— À l'école, personne ne m'apprécie. Et mes parents n'attendent qu'une chose, c'est d'être débarrassés de moi.

Elle mordit férocement dans l'ongle de son pouce encore intact.

— Quel genre de mère laisse sa fille vivre dans l'appart moisi d'une inconnue ? reprit-elle.

Je pris une profonde inspiration.

— M. Traynor est très gentil. Et je ne t'aurais jamais emmenée ici si je pensais que ça risquait de mal se passer.

— S'il ne m'aime pas, est-ce qu'on pourra juste partir ? Genre, très très vite ?

— Bien sûr.

— Je le saurai. Rien qu'à la façon dont il me regardera.

— On s'enfuira en dérapage sur deux roues s'il le faut.

Elle sourit à contrecœur.

— Bon, dis-je en essayant de masquer ma nervosité. Allons-y.

Je gravis les marches du perron, en regardant Lily pour ne pas trop penser à l'endroit où je me trouvais. La porte s'ouvrit lentement. Il était là, vêtu de la même chemise couleur bleuet qu'il portait deux étés auparavant. Il avait les cheveux plus courts qu'autrefois, peut-être une vaine tentative pour combattre l'inévitable vieillissement que provoque un deuil difficile. Il ouvrit la bouche, comme s'il voulait me dire quelque chose mais qu'il avait oublié de quoi il s'agissait. Puis il posa le regard sur Lily.

—Lily ?

Elle acquiesça.

Il la dévisagea intensément. Personne ne bougeait. Puis il serra les lèvres et s'avança vers elle, les larmes aux yeux, pour la prendre dans ses bras.

—Oh, mon Dieu. Oh, bon sang. Je suis si heureux de te rencontrer. Oh, bonté divine.

Il baissa sa tête grisonnante pour la poser contre la sienne. Je me demandai, un instant, si elle allait le repousser : Lily était du genre à éviter tout contact physique. C'est pourquoi je fus stupéfaite lorsque je la vis tendre les mains pour les passer dans le dos de son grand-père et serrer dans ses poings le tissu de sa chemise, les jointures blanchies, les yeux fermés. Leur étreinte dura ce qui me sembla une éternité. Le vieil homme et sa petite-fille, debout sur le perron.

Lorsque enfin il recula, je vis des larmes ruisseler sur ses joues.

—Laisse-moi t'admirer, dit-il. Je veux te voir.

Elle me jeta un bref regard, à la fois gênée et heureuse.

—Oui. Oui, je le vois. Regarde-toi ! Regarde-toi ! Elle lui ressemble, pas vrai ? s'écria-t-il en se tournant vers moi.

Je hochai la tête.

Elle aussi le regardait fixement, cherchant peut-être en lui des traces de son père. Lorsqu'elle baissa les yeux, ils se tenaient toujours les deux mains.

Jusqu'à ce moment précis, je n'avais pas remarqué que je pleurais. L'expression du plus pur soulagement se lisait sur le visage tanné de M. Traynor ; la joie de retrouver, au moins en partie, un être qu'il avait cru perdu ; le bonheur mêlé d'étonnement que tous deux éprouvaient à l'idée de s'être enfin trouvés. Et quand elle lui rendit son sourire – un sourire sincère, empli de tendresse filiale –, ma nervosité et mes doutes se dissipèrent.

Moins de deux ans s'étaient écoulés depuis mon dernier passage, mais *Granta House* avait beaucoup changé. Disparus, les meubles anciens et massifs, les boîtes à bijoux trônant sur des guéridons en acajou verni, les lourdes draperies... Ce ne fut qu'en apercevant la silhouette de Della Layton que je compris ce qui s'était passé. Bien sûr, il restait toujours quelques éléments de mobilier ancien, mais tout le reste était blanc ou de couleur vive : de nouveaux rideaux jaune soleil aux motifs floraux, des tapis clairs pour agrémenter le vieux parquet, des gravures modernes dans des cadres au design épuré... Della Layton s'avançait en dandinant vers nous. Son sourire était légèrement figé, comme un accessoire qu'elle se serait obligée à porter. Je me surpris à esquisser un mouvement de recul en la voyant approcher. Je ressentais un étrange malaise à voir une femme aussi visiblement enceinte : le volume qu'elle occupait, la courbe presque obscène de son ventre.

— Bonjour, vous devez être Louisa. Ravie de vous rencontrer.

Sa crinière d'un roux éclatant était maintenue en place par une barrette, et sa tunique en lin bleu pâle aux manches roulées dévoilait des poignets un peu gonflés par la grossesse. Je ne pus m'empêcher de remarquer l'énorme alliance sertie de diamants qui lui boudinait l'annulaire, et me demandai avec un petit pincement au cœur comment Mme Traynor avait vécu ces derniers mois.

— Félicitations, lui dis-je en désignant son ventre d'un signe de tête.

J'aurais voulu ajouter quelques banalités de circonstance, mais je n'étais jamais parvenue à déterminer s'il valait mieux dire à une future maman qu'elle était « ronde », « mince », « rayonnante », ou n'importe quel autre euphémisme dont les gens se servent pour déguiser leur véritable pensée, qui se résume généralement à : « Oh, la vache ! »

— Merci. Ça a été une vraie surprise, mais une heureuse surprise.

Son regard se détacha de moi. Elle guettait du coin de l'œil M. Traynor et Lily. Il lui tenait toujours une main, qu'il tapotait pour appuyer son propos en lui parlant de la maison, qui se transmettait dans la famille depuis des générations.

— Tout le monde veut du thé ? demanda Della. Steven ? Du thé ?

— Ce serait parfait, chérie. Merci. Lily, bois-tu du thé ?

— Est-ce que je pourrais plutôt avoir un jus de fruits, s'il vous plaît ? Ou un verre d'eau ?

— Je vais vous aider, dis-je à Della.

M. Traynor s'était mis en tête de présenter à Lily ses ancêtres, dont les portraits s'alignaient dans le couloir ; la main posée sur son coude, il soulignait la ressemblance de son nez avec celui-ci ou comparait la couleur de ses cheveux avec celui-là.

Della les observa un instant, et je crus voir passer sur son visage une expression de désarroi. Elle surprit mon regard et m'adressa un bref sourire, comme gênée de s'être montrée si transparente.

— C'est très aimable, me répondit-elle. Merci.

Nous nous activâmes dans la cuisine, rassemblant le lait, le sucre et une théière, et échangeant des questions polies à propos des biscuits. Je m'accroupis pour prendre les tasses dans le placard du bas afin de lui épargner un mouvement difficile dans son état, et les posai sur le plan de travail.

De nouvelles tasses, remarquai-je.

Un design moderne, géométrique, pour remplacer la vieille porcelaine qu'affectionnait la mère de Will, délicatement ornée de plantes sauvages et de fleurs aux noms latins. Toute trace de la présence de Mme Traynor semblait avoir été impitoyablement gommée.

— La maison est… belle. C'est différent, dis-je.

— Oui. Steven a perdu une bonne partie de ses meubles lors du divorce, nous avons décidé d'en profiter pour changer un peu la décoration, expliqua-t-elle en s'emparant de la boîte à thé. Il a dû laisser à sa femme des pièces qui se transmettent dans sa famille depuis des générations. Elle a pris tout ce qu'elle a pu.

Elle me jeta un regard furtif, comme pour déterminer si elle pouvait ou non me considérer comme une alliée.

— Je n'ai pas reparlé à Mme… à Camilla depuis que Will…, commençai-je, me sentant étrangement déloyale.

— Donc. Steven m'a dit que cette fille a débarqué comme ça, devant chez vous, m'interrompit-elle, un petit sourire figé aux lèvres.

— Oui. Sacrée surprise. Mais j'ai rencontré la mère de Lily, et elle… Eh bien, elle a de toute évidence été proche de Will pendant un moment.

Della posa une main sur ses reins, puis se tourna vers la bouilloire. D'après maman, elle avait ouvert un petit cabinet d'avocats dans la ville voisine.

« Je me méfie d'une femme qui n'est pas encore mariée à trente ans, avait-elle déclaré d'un air dédaigneux avant d'ajouter, après un bref coup d'œil dans ma direction : quarante ans. Je voulais dire quarante ans. »

— Qu'est-ce qu'elle veut, selon vous ?

— Pardon ?

— Selon vous, qu'est-ce qu'elle veut, cette fille ?

J'entendais la voix de Lily résonner dans le couloir. L'adolescente posait des questions à son grand-père avec un intérêt quasi enfantin, et je me sentis soudain submergée par un élan protecteur à son égard.

— Je ne crois pas qu'elle veuille quoi que ce soit. Elle vient tout juste de découvrir qu'elle avait un père, et elle a envie de connaître sa famille.

Della fit chauffer la bouilloire et vida la théière avant de doser les feuilles de thé (elle l'achetait en vrac, tout comme

Mme Traynor). Elle versa avec précaution l'eau bouillante, veillant à ne pas se brûler.

— J'aime Steven depuis très longtemps, déclara-t-elle sans me regarder. Il… il… il a beaucoup souffert l'an dernier. Ce serait… ce serait excessivement difficile pour lui si cette Lily devait lui compliquer la vie en ce moment.

— Je ne crois pas que Lily ait l'intention de compliquer la vie de qui que ce soit, répliquai-je en choisissant mes mots. On ne peut pas l'empêcher de faire connaissance avec son grand-père.

— Bien sûr, répondit-elle d'une voix douce sans se départir de son sourire figé.

Je me rendis compte, à cet instant, que je venais d'échouer à un test. Et que cela m'était complètement égal.

Della vérifia une dernière fois le contenu du plateau et le souleva. Elle accepta mon offre de m'occuper du gâteau et de la théière, et nous apportâmes le tout au salon.

— Et vous, Louisa, comment allez-vous ?

M. Traynor était confortablement installé dans son fauteuil, un grand sourire éclairait son visage fatigué. Il avait parlé à Lily sans interruption pendant le thé, lui avait demandé qui était sa mère, où elle vivait, ce qu'elle étudiait (Lily se garda bien d'évoquer ses problèmes au lycée), si elle préférait les gâteaux aux fruits, au chocolat (« Au chocolat ? Moi aussi ! ») ou au gingembre (« Non, pas mon truc… »), si elle aimait le cricket (« Pas vraiment. » — « Bon, il faudra faire quelque chose pour y remédier ! »). Il semblait rassuré par ses réponses, par ses similitudes avec son fils. Il n'aurait probablement même pas sourcillé si elle lui avait annoncé que sa mère était une stripteaseuse brésilienne.

Je le surpris à observer Lily à la dérobée pendant qu'elle parlait, à étudier son profil, comme s'il continuait à chercher des traces de Will en elle. Parfois, je décelais un éclair de mélancolie sur son visage.

Je le soupçonnais de partager ma tristesse à l'idée que son fils ne la connaîtrait jamais. Puis, presque imperceptiblement, il se reprenait et s'obligeait à se redresser et à sourire aimablement.

Il lui avait fait visiter les jardins pendant une demi-heure, s'écriant à leur retour que Lily était parvenue à sortir du labyrinthe « du premier coup ! Ce doit être génétique ». La jeune fille souriait jusqu'aux oreilles, comme si elle venait de remporter un prix.

— Alors, Louisa, comment allez-vous ? Quoi de neuf dans votre vie ?

— Je vais bien, merci.

— Travaillez-vous toujours en tant que… qu'aide-soignante ?

— Non. Je… j'ai un peu voyagé, et maintenant je travaille dans un aéroport.

— Oh ! Très bien ! Pour la compagnie British Airways, j'espère ?

Je me sentis rougir.

— Vous êtes dans le management, je présume ?

— Je suis serveuse dans un bar. À l'aéroport.

Il hésita une fraction de seconde, puis hocha fermement la tête.

— Les gens ont besoin de bars. Surtout dans les aéroports. Je m'offre toujours un double whisky avant de prendre l'avion, pas vrai, chérie ?

— En effet, répondit Della.

— Et je suppose que ce doit être très intéressant de voir tous ces voyageurs s'envoler chaque jour. Passionnant.

— J'ai tout de même d'autres projets.

— Évidemment. C'est bien. C'est très bien…

Un bref silence passa.

— Pour quand est prévue la naissance du bébé ? demandai-je, espérant détourner l'attention de ma personne.

— Le mois prochain, répondit Della, les mains posées sur son ventre rond. C'est une fille.

— Charmant. Comment allez-vous l'appeler ?

Ils échangèrent ce regard qu'échangent tous les futurs parents qui ont déjà choisi un prénom, mais qui ne souhaitent le dire à personne.

— Oh… on ne sait pas encore.

— C'est un sentiment étrange, avoua M. Traynor. Être de nouveau père à mon âge. J'ai du mal à l'imaginer. Vous savez, changer des couches, ce genre de choses.

Il se tourna vers Della, puis ajouta pour la rassurer :

— Mais c'est merveilleux. Je suis un homme comblé. Nous avons tous les deux une chance incroyable, n'est-ce pas, Della ?

Elle lui sourit.

— J'en suis certaine, répondis-je. Au fait, comment va Georgina ?

Je fus peut-être la seule à remarquer l'infime changement d'expression de M. Traynor.

— Oh, elle va bien. Toujours en Australie.

— D'accord.

— Elle est rentrée il y a quelques mois, mais elle a passé le plus clair de son temps chez sa mère. Elle était très occupée.

— Bien sûr.

— Je crois qu'elle a un petit ami. Je suis à peu près certain que quelqu'un m'en a parlé. Donc c'est… c'est très bien pour elle.

Della posa une main sur la sienne.

— C'est qui, Georgina ? demanda Lily, qui grignotait un biscuit.

— La petite sœur de Will, répondit M. Traynor en se tournant vers elle. Ta tante ! Oui ! D'ailleurs, elle te ressemblait un peu quand elle avait ton âge.

— Est-ce que je peux voir une photo d'elle ?

— Je t'en trouverai une, promit M. Traynor d'un air songeur. J'essaie de me rappeler où on a mis cette photo de sa remise de diplômes…

— Dans ton bureau, dit Della. Ne bouge pas, chéri. J'y vais. J'ai besoin de me dégourdir les jambes.

Elle se leva à grand-peine et sortit du salon d'un pas lourd. Lily insista pour l'accompagner.

— Je veux voir les autres photos. Je veux voir à qui je ressemble.

M. Traynor les regarda s'éloigner, toujours souriant. Nous sirotâmes notre thé en silence. Puis il se tourna vers moi.

— Lui avez-vous déjà parlé ? À Camilla ? s'enquit-il à voix basse.

— Je n'ai pas son adresse. J'avais l'intention de vous la demander. Lily veut la rencontrer, elle aussi.

— Elle ne va pas très bien en ce moment. C'est du moins ce que prétend George. Nous ne nous sommes pas vraiment parlé. C'est un peu compliqué à cause de…

Il s'interrompit et désigna la porte d'un signe de tête avec un soupir presque imperceptible.

— Voulez-vous lui annoncer la nouvelle vous-même ? Au sujet de Lily ?

— Oh, non. Oh… Non. Je… je ne pense pas qu'elle ait envie… Non, il vaut sans doute mieux que vous vous en chargiez, conclut-il en se passant une main sur le front.

Il recopia l'adresse et le numéro de téléphone de son ex-épouse sur un morceau de papier, qu'il me tendit.

— Ce n'est pas la porte à côté, me prévint-il avec un sourire navré. Je crois qu'elle avait besoin de changer de décor. Transmettez-lui mes salutations, vous voulez bien ? C'est étrange de devenir grand-père dans ces circonstances. Bizarrement, ajouta-t-il à voix basse, Camilla est la seule personne qui pourrait vraiment comprendre ce que je ressens en ce moment.

Si cela avait été n'importe qui d'autre, je l'aurais serré dans mes bras. Mais nous étions anglais, et il avait autrefois été mon employeur. Nous nous contentâmes donc de nous sourire d'un air gêné. En regrettant probablement d'être là.

M. Traynor se redressa dans son fauteuil.

— Tout de même. J'ai beaucoup de chance, déclara-t-il. Un nouveau départ, à mon âge. Je ne suis pas sûr de le mériter.

— Je ne pense pas que le bonheur soit une question de mérite.

— Et vous ? Je sais que vous aimiez beaucoup Will…

— Peu d'hommes lui arrivent à la cheville, dis-je, une boule dans la gorge.

Je me tus un instant. Lorsque je relevai les yeux, M. Traynor me regardait toujours.

— Mon fils aimait se sentir vivre, Louisa. Je ne vous apprends rien.

— Mais c'est ça le truc, n'est-ce pas ?

Il attendit.

— Il était juste plus doué pour ça que la plupart des gens, ajoutai-je.

— Vous y arriverez, Louisa. On y arrive tous. Chacun à sa façon.

Il posa la main sur mon épaule, le regard apaisant.

À cet instant, Della revint dans la pièce et se mit à débarrasser la table, empilant les tasses sur le plateau d'une manière si ostentatoire que je ne pus que l'interpréter comme un signal.

— On ferait bien d'y aller, dis-je à Lily, qui surgissait à son tour en brandissant une photographie encadrée.

— C'est vrai qu'elle me ressemble, vous ne trouvez pas ? On dirait que nos yeux sont presque identiques… Vous pensez qu'elle voudra me parler ? Elle a une adresse mail ?

— J'en suis certain, répondit M. Traynor. Mais si ça ne t'embête pas, Lily, je lui parlerai d'abord. C'est une grande nouvelle pour nous, il vaut mieux lui laisser quelques jours pour l'intégrer.

— D'accord. Quand est-ce que je pourrai m'installer ici ?

À ma droite, Della faillit faire tomber une tasse. Elle se pencha légèrement afin de la redresser sur le plateau.

— T'installer ?

M. Traynor se pencha en avant, comme pour s'assurer qu'il avait bien entendu.

— Eh bien, oui. Vous êtes mon grand-père. Je me disais que je pourrais peut-être emménager ici pour le reste de l'été ? Apprendre à vous connaître. On a tellement de temps à rattraper ! s'écria-t-elle, rayonnante.

M. Traynor se tourna vers Della, dont l'expression le réduisit aussitôt au silence.

— Nous adorerions t'avoir ici dans quelques mois, déclara Della, mais nous avons d'autres préoccupations en ce moment.

— C'est le premier enfant de Della, tu comprends. Je crois qu'elle aimerait…

— J'ai besoin de passer un peu de temps seule avec Steven. Et le bébé.

— Je pourrais vous aider. Je suis très douée avec les bébés, prétendit Lily. Je m'occupais beaucoup de mes frères quand ils étaient petits. Et ils étaient horribles. Vraiment horribles. Ils criaient tout le temps.

M. Traynor regarda Della.

— Je suis sûr que tu es une excellente baby-sitter, Lily chérie, répondit-il. Hélas, le moment est mal choisi.

— Mais vous avez des tas de chambres ! Je peux m'installer dans une pièce à l'écart. Vous ne saurez même pas que je suis là. Je pourrais vraiment vous aider avec les couches et tout le reste, et je pourrais même m'en occuper pendant vos sorties. Je pourrais…

Elle se tut et les regarda tous deux alternativement, pleine d'espoir.

— Lily…, l'appelai-je, très mal à l'aise, debout devant la porte.

— Vous ne voulez pas de moi ici.

M. Traynor esquissa un pas en avant, la main tendue pour la poser sur son épaule.

— Lily chérie. Ce n'est pas…

Elle se baissa pour l'esquiver.

— Vous aimez l'idée d'avoir une petite-fille, mais vous ne voulez pas vraiment de moi dans votre vie. Vous voulez juste… vous voulez juste quelqu'un qui vous rendrait visite une fois de temps en temps.

— Ce n'est juste pas le bon moment, Lily, dit Della d'une voix calme. C'est… Comment dire… J'ai attendu Steven… ton grand-père… pendant des années, et ce temps passé ensemble avec notre bébé nous est précieux.

— Mais pas moi.

— Ce n'est pas du tout ça, protesta M. Traynor, qui tenta une nouvelle fois de s'approcher d'elle.

L'adolescente le repoussa.

— Oh, merde, vous êtes tous les mêmes ! s'écria-t-elle. Vous et vos parfaites petites familles bien verrouillées. Personne n'a de place pour moi.

— Oh, ça suffit. Pas besoin d'en faire un drame…, commença Della.

— Allez vous faire foutre ! cracha Lily.

Et elle partit en trombe, laissant une Della secouée et un M. Traynor choqué. Je dus les abandonner à mon tour dans le salon silencieux pour lui courir après.

Chapitre 10

J'ENVOYAI UN MAIL À NATHAN. LA RÉPONSE ARRIVA SANS TARDER :
Lou, tu es sous médocs ou quoi ? C'est quoi, ce bordel ?

Je rédigeai un nouveau message, plus détaillé, et son flegme habituel sembla refaire surface :
Eh bien, le vieux a encore de quoi nous surprendre, on dirait.

Pendant deux jours, je restai sans nouvelles de Lily. Une partie de moi était inquiète, l'autre un peu soulagée du répit. Je me demandais si, une fois libérée de ses fantasmes de contes de fées sur la famille de Will, elle serait plus encline à renouer avec la sienne. Puis je me demandai si M. Traynor l'appellerait pour calmer le jeu. Et je me demandai aussi où était Lily, et si son absence avait un rapport avec le jeune homme qui avait voulu l'approcher en bas de chez moi. Il y avait quelque chose en lui – ainsi que dans les propos évasifs de Lily à son sujet – qui me déplaisait.

J'avais beaucoup pensé à Sam, regretté mon départ précipité. A posteriori, ma réaction me semblait un peu exagérée. J'avais littéralement pris la fuite. J'avais agi exactement comme la personne que je prétendais ne pas être. Je résolus de me conduire le plus calmement possible la prochaine fois que je le croiserais après une session du cercle. Peut-être lui dirais-je bonsoir avec un sourire à la fois joyeux et énigmatique.

Au travail, le temps semblait passer au ralenti. Une nouvelle était arrivée : Vera, une Lituanienne à l'air sévère qui effectuait toutes ses tâches avec le demi-sourire typique des gens qui se congratulent d'avoir posé une bombe à proximité. Elle appelait tous les hommes « des bêtes dégoûtantes » lorsque Richard n'était pas à portée de voix.

Ce dernier s'était mis en tête de nous adresser un petit discours de « motivation » tous les matins, après lequel nous devions sauter en l'air et crier « OUAIS ! », ce qui dérangeait toujours ma perruque bouclée. Il me regardait alors en fronçant les sourcils, comme s'il s'agissait d'un échec inhérent à ma personnalité, et non pas d'un hasard lié au fait que je portais un modèle en Nylon trop grand pour moi. Celle de Vera, en revanche, restait toujours bien fixée sur son crâne. Peut-être avait-elle simplement trop peur de sa propriétaire pour oser bouger.

Un soir, en rentrant chez moi, je fis une recherche Internet sur les problèmes des ados, essayant de déterminer si je pouvais agir pour réparer les dégâts du week-end précédent. Je trouvai beaucoup d'informations sur les crises hormonales, mais rien sur la conduite à suivre quand on a présenté une jeune fille de seize ans qu'on vient à peine de rencontrer à la famille de son père tétraplégique décédé. À 22 h 30, j'abandonnai et parcourus des yeux ma chambre à coucher, où la moitié de mes affaires se trouvaient encore dans des cartons. Je me promis de les déballer dans la semaine. Puis, m'étant persuadée de ma propre motivation, je m'endormis.

Je fus éveillée en sursaut à 2 h 30 du matin par le bruit de quelqu'un qui tentait de forcer ma porte d'entrée. Je me levai en trébuchant, m'emparai d'un manche à balai et jetai un coup d'œil dans le judas, le cœur battant.

— J'appelle la police ! criai-je. Qu'est-ce que vous voulez ?

— C'est Lily…

Elle me tomba dessus lorsque j'ouvris la porte, riant à moitié, puant le tabac, son mascara étalé tout autour de ses yeux.

Je serrai la ceinture de ma robe de chambre et refermai derrière elle.

— Bordel, Lily ! Tu as vu l'heure qu'il est ?

— Tu veux aller en boîte ? Je me disais qu'on pourrait aller danser. J'adore danser. En fait, non, ce n'est pas tout à fait vrai. J'aime bien danser, mais ce n'est pas pour ça que je suis ici. Maman n'a pas voulu me laisser rentrer. Ils ont changé les serrures. Tu y crois, toi ?

Je fus tentée de répondre qu'avec mon réveil programmé pour 6 heures du matin, étrangement, je n'avais aucun mal à y croire.

Lily se cogna violemment contre le mur.

— Elle n'a même pas daigné ouvrir cette foutue porte. Elle m'a crié dessus à travers la fente de la boîte aux lettres. Comme si j'étais une espèce de… SDF. Alors… je me suis dit que j'allais venir chez toi. Ou alors on pourrait aller en boîte…

Elle passa devant moi en titubant et s'arrêta devant ma chaîne hi-fi, qu'elle alluma à un volume assourdissant. Je me précipitai pour l'éteindre, mais elle m'en empêcha.

— Allez, Louisa, on danse ! Tu dois te bouger un peu ! Tu es tellement triste tout le temps ! Lâche du lest ! Allez !

Je dégageai ma main et tournai le bouton au minimum, juste à temps pour entendre les premiers coups au plafond du voisin du dessous. Lorsque je me retournai, Lily avait disparu dans la chambre d'amis, où elle tituba pour enfin s'effondrer, tête la première, sur le lit de camp.

— Oh, mon Dieu ! Ce lit est troooooop pourri.

— Lily ? Tu ne peux pas venir ici comme ça et… Oh, bordel.

— Je n'en ai que pour une minute, répondit-elle d'une voix étouffée. Je ne fais que passer. Après, j'irai danser. On va aller en boîte toutes les deux.

— Lily. Je travaille demain matin.

— Je t'aime, Louisa. Je te l'ai déjà dit ? Je t'aime vraiment beaucoup. Tu es la seule qui…

— Tu ne peux pas débarquer ici comme…

— Mmmm… sieste disco…

Elle ne bougea plus.

Je posai la main sur son épaule.

— Lily… Lily ?

Elle émit un petit ronflement.

Je soupirai, attendis encore quelques minutes, puis lui enlevai doucement ses chaussures usées ainsi que le contenu de ses poches (cigarettes, portable et un billet de cinq livres tout froissé), et emportai le tout dans ma chambre. Je la fis rouler sur le côté au cas où elle vomirait et, enfin, parfaitement réveillée à 3 heures du matin, sachant que je n'allais probablement pas dormir de peur qu'elle ne s'étouffe pendant son sommeil, je m'assis sur une chaise pour veiller sur elle.

Son visage était apaisé. Sa moue méfiante et son sourire trop éclatant pour être vrai avaient laissé place à une expression angélique, et ses cheveux s'étalaient en éventail sur l'oreiller. Elle avait beau être insupportable, j'étais incapable de lui en vouloir. Je ne cessai de me rappeler la douleur que j'avais lue dans ses yeux ce dimanche. Lily était tout l'inverse de moi. Elle ne contenait pas sa peine, elle ne l'entretenait pas. Elle laissait sa colère se déchaîner, se soûlait, faisait Dieu savait quoi pour oublier. Elle ressemblait plus à son père que je ne l'aurais cru.

Qu'est-ce que tu aurais fait à ma place, Will? lui demandai-je en silence.

J'avais eu toutes les peines du monde à l'aider lui, et je ne savais toujours pas quoi faire pour elle. Je ne savais pas comment la soulager.

Les mots de ma sœur me résonnaient aux oreilles : « Tu ne seras pas capable de t'en occuper. » Et pendant un bref instant, je la détestai d'avoir eu raison.

Nous développâmes une sorte de routine, où Lily passait me voir tous les deux ou trois jours. Je ne savais jamais vraiment quelle Lily frapperait à ma porte : la Lily joyeuse et hyperactive qui exigeait que nous sortions manger dans tel restaurant, qui m'entraînait dehors pour me montrer ce chat magnifique installé sur un mur ou qui dansait dans mon salon au son d'un groupe qu'elle venait tout juste de découvrir ; ou la Lily abattue, épuisée, qui me saluait d'un signe de tête en entrant avant de s'effondrer sur mon canapé pour regarder la télévision. Parfois, elle me posait des questions inattendues au sujet de Will. Quelles émissions aimait-il ? (Il regardait rarement la télévision ; il préférait les films.) Avait-il un fruit préféré ? (Les raisins sans pépins. Les noirs.) Quand l'avais-je vu rire pour la dernière fois ? (Il riait peu. Mais son sourire… Je le revoyais à présent, un éclair de dents blanches et régulières, ses yeux plissés…) Je ne savais jamais si mes réponses la satisfaisaient.

Puis, tous les dix jours environ, surgissait la Lily ivre morte, ou pire (je ne savais jamais vraiment), qui cognait à ma porte à l'aube, ignorait mes protestations sur l'heure ou le manque de sommeil, entrait en titubant, les joues couvertes de mascara, et perdait connaissance sur le petit lit de camp, refusant de se réveiller lorsque je partais travailler.

Elle ne semblait pas avoir d'activité particulière, ni d'amis. Elle pouvait parler à n'importe qui dans la rue, demandant des services avec la spontanéité insouciante d'une enfant sauvage. Mais elle ne répondait pas au téléphone et paraissait résignée à ce que toute personne qui la rencontrait pour la première fois la déteste.

Étant donné que la plupart des écoles privées étaient fermées pour l'été, je lui demandai où elle allait quand elle ne dormait ni chez moi ni chez sa mère, et après une brève hésitation, elle me répondit « chez Martin ». Lorsque je lui demandai s'il s'agissait de son petit ami, elle esquissa cette grimace universelle de l'adolescent dégoûté par la remarque particulièrement stupide et écœurante d'un adulte.

Parfois, elle était en colère, et parfois elle était grossière. Mais je ne pouvais jamais la rejeter. Aussi imprévisible que soit son attitude, j'avais l'impression que mon appartement était pour elle un refuge. Je me surpris à chercher des indices : j'examinais son téléphone (bloqué par un code pin) à la recherche de messages, ses poches à la recherche de drogues (aucune, à part un joint occasionnel). Un jour, dix minutes après que Lily fut arrivée, ivre et trempée de larmes, une voiture en bas de chez moi se mit à klaxonner par intermittence pendant trois bons quarts d'heure. Finalement, un voisin descendit et frappa tellement fort sur le pare-brise que le conducteur prit la fuite.

— Tu sais, je ne te juge pas, mais ce n'est pas une bonne idée de boire au point de ne plus savoir ce que tu fais, Lily, lui dis-je un matin en préparant le café.

Lily passait tellement de temps chez moi à présent que j'avais ajusté mon rythme de vie en conséquence : je cuisinais pour deux, je rangeais des affaires qui n'étaient pas les miennes, je faisais les boissons chaudes en double et j'avais acquis le réflexe de verrouiller la porte de la salle de bains pour éviter les cris d'horreur.

— Tu es complètement en train de me juger au contraire. C'est ça que ça veut dire, « ce n'est pas une bonne idée ».

— Je suis sérieuse.

— Est-ce que moi je te dis comment tu devrais vivre ? Est-ce que je te dis que cet appart est déprimant, que tu t'habilles comme une dépressive, à part quand tu te déguises en lutin porno boiteux ? Hein ? Hein ? Non. Je la ferme. Alors fous-moi la paix.

Je voulais lui raconter. Lui raconter ce qui m'était arrivé neuf ans auparavant, un soir, quand j'avais trop bu. La fois où ma sœur m'avait ramenée à la maison au petit matin, sans chaussures et pleurant en silence. Mais Lily aurait sans doute réagi par ce mépris puéril avec lequel elle accueillait la plupart de mes révélations, et c'était une conversation que je n'étais parvenue à avoir qu'avec une seule personne. Une personne qui n'était plus là.

— Et ce n'est pas juste de me réveiller en plein milieu de la nuit, répliquai-je simplement. Je dois me lever tôt pour aller travailler.

—Alors donne-moi une clé. Je ne te réveillerai plus.

Elle me décocha un de ses grands sourires vainqueurs, si rares et si semblables à ceux de Will que je finis par céder. Alors même que je lui tendais un trousseau, je savais ce que ma sœur aurait dit.

Au cours de cette période, je parlai deux fois à M. Traynor. Il désirait savoir si Lily allait bien et avait commencé à s'inquiéter de ses projets d'avenir.

—C'est une jeune fille brillante, ça se voit, m'expliqua-t-il. Elle ne devrait pas abandonner l'école à seize ans. Ses parents n'ont donc pas leur mot à dire ?

—Ils n'ont pas l'air de beaucoup communiquer entre eux.

—Pensez-vous que je devrais les appeler ? A-t-elle besoin d'un financement pour s'inscrire à l'université ? Nous n'avons plus le même train de vie depuis le divorce, mais Will nous a laissé une belle somme. Je me disais que ce serait une façon de faire bon usage de cet argent. Cependant, ajouta-t-il à voix basse, je préférerais qu'on n'en parle pas à Della pour le moment. Je ne veux pas qu'elle l'interprète mal.

Je résistai à l'envie de lui demander quelle était la bonne interprétation.

—Louisa, croyez-vous que vous pourriez persuader Lily de revenir ? Je n'arrête pas de penser à elle. J'aimerais nous donner une seconde chance. Je sais que Della serait ravie d'apprendre à la connaître.

Je me souvins de l'expression de Della dans la cuisine et me demandai si M. Traynor était volontairement aveugle ou juste un éternel optimiste.

—J'essaierai, promis-je.

Il est une variété de silence toute particulière quand on est seul dans son appartement en ville par un chaud week-end d'été. Je partais tôt au travail, finissais à 16 heures, arrivais chez moi à 17 heures, épuisée, et me réjouissais secrètement d'avoir, l'espace de quelques heures, l'appartement pour moi toute seule. Je me douchais, me préparais une tartine, faisais un tour sur Internet pour chercher des emplois mieux payés que le SMIC, puis m'asseyais dans le salon, toutes fenêtres ouvertes afin de créer un courant d'air, et écoutais les bruits de la ville qui filtraient dans l'air tiède du soir.

La plupart du temps, j'étais raisonnablement satisfaite de ma vie. J'avais participé à suffisamment de séances de groupe pour savoir qu'il était important d'apprécier à leur juste valeur les petits plaisirs du quotidien. J'étais en bonne santé. J'avais retrouvé ma famille. J'avais un emploi. Et si je n'avais pas encore totalement accepté la mort de Will, j'avais au moins l'impression de commencer à sortir de son ombre.

Et pourtant.

Ces soirs-là, lorsque les rues sous mes fenêtres étaient pleines de couples en balade et de gens hilares assis aux terrasses des bars, prévoyant déjà d'aller au restaurant et en boîte, je sentais un pincement tout au fond de moi ; un instinct primal me disait que je n'étais pas au bon endroit, que je ratais quelque chose.

Dans ces moments, je me sentais abandonnée de tous.

Je rangeai un peu, lavai mon uniforme, et juste au moment où je me sentais glisser dans une sorte de tranquille mélancolie, mon interphone se mit à sonner. Je me levai et décrochai avec lassitude. Je m'attendais à un livreur de colis cherchant son chemin ou à une pizza hawaïenne mal acheminée, mais j'entendis la voix d'un homme.

— Louisa ?

— Qui est-ce ? demandai-je, même si j'avais aussitôt deviné de qui il s'agissait.

— Sam. Sam, de l'ambulance. Je passais dans le coin en rentrant du travail, et je me suis dit… Tu es partie si vite l'autre soir, je voulais m'assurer que tu allais bien.

— Quinze jours plus tard ? J'aurais pu m'être fait depuis longtemps dévorer par mes chats.

—Apparemment non.

—Je n'ai pas de chat. Mais je vais bien, Sam l'Ambulancier. Merci.

—Tant mieux… Ça me fait plaisir de te l'entendre dire.

Je reculai pour le voir sur le minuscule écran pixelisé en noir et blanc. Il portait une veste de moto et avait une main posée sur le mur, qu'il retira aussitôt avant de se retourner pour regarder la rue. Je le vis pousser un soupir, et ce petit geste m'incita à parler :

—Et donc… qu'est-ce que tu fais ?

—Pas grand-chose. En ce moment, j'essaie surtout de discuter avec quelqu'un par l'intermédiaire d'un interphone, mais ce n'est pas une franche réussite.

Mon rire fut trop rapide. Trop sonore.

—Ça fait longtemps que j'ai arrêté, répliquai-je. Ce n'est pas évident d'offrir un verre à quelqu'un dans ces circonstances.

Je le vis s'esclaffer. Je parcourus des yeux mon appartement silencieux et lançai, avant même d'avoir pu réfléchir :

—Une minute. Je descends.

Je m'apprêtais à aller chercher ma voiture, mais lorsqu'il me tendit son deuxième casque, je me dis que j'aurais l'air snob à exiger de prendre mon véhicule. Je fourrai mes clés dans ma poche et attendis ses instructions.

—Tu es ambulancier. Et tu conduis une moto.

—Je sais. Mais c'est à peu près le seul vice qu'il me reste.

Il m'adressa un sourire carnassier et, contre toute attente, je sentis mon cœur chavirer.

—Tu ne te sens pas en sécurité avec moi ? s'enquit-il.

Il n'existait pas de réponse appropriée à sa question. Je soutins son regard et grimpai à l'arrière. S'il conduisait avec imprudence, il savait aussi comment me soigner.

—Alors, qu'est-ce que je fais ? demandai-je en enfilant mon casque. Je ne suis jamais montée sur ce genre d'engin.

— Tiens-toi à ces poignées sur le siège, et suis les mouvements de la moto. Ne t'accroche pas à moi. Si ça ne va pas, tu tapes sur mon épaule et je m'arrête.

— Où est-ce qu'on va ?

— Tu es bonne en décoration d'intérieur ?

— Une nullité. Pourquoi ?

Il mit le contact.

— Parce que je me disais que je pourrais te montrer ma nouvelle maison.

Et nous nous retrouvâmes au milieu du trafic, slalomant entre les voitures et les camions, suivant les flèches indiquant l'autoroute. Je dus fermer les yeux, me serrer contre son dos et prier pour qu'il ne m'entende pas crier.

Nous roulâmes jusqu'à l'extrême banlieue, là où les jardins s'agrandissaient avant de se changer en prairies et où les maisons portaient des noms au lieu des numéros. Nous traversâmes un village qui se confondait presque avec le suivant, et Sam ralentit devant l'entrée d'un grand terrain avant de couper le moteur et de me faire signe de mettre pied à terre. J'enlevai mon casque, le sang battant à mes oreilles, et tentai de décoller de mon crâne mes cheveux trempés de sueur, les doigts toujours raides d'avoir agrippé les poignées du siège arrière.

Sam ouvrit le portail et me fit entrer. La moitié du terrain était couverte d'herbe, l'autre de blocs de ciment et de parpaings. Derrière la zone de chantier, à l'abri d'une haute haie, se trouvait un wagon ferroviaire. À côté, on avait installé un enclos où plusieurs volailles s'étaient arrêtées net dans leurs activités pour nous observer.

— Ma maison.

— C'est joli ! Mais… euh… où est-ce qu'elle est ?

Sam se remit à marcher.

— Ici. Ce sont les fondations. Ça m'a pris trois bons mois pour les mettre en place.

— Tu vis ici ?

— Ouais.

Je contemplai un instant les dalles de béton. Lorsque je relevai les yeux vers lui, son expression me fit ravaler mes sarcasmes. Je me frottai la tête.

— Et donc… tu vas rester planté là toute la soirée ? Ou est-ce que tu vas me faire visiter ? demandai-je.

Baignés dans le soleil du soir et enivrés par l'odeur de l'herbe et de la lavande, dans le bourdonnement paresseux des abeilles, nous marchâmes lentement d'un bloc de béton à un autre. Sam me montrait où les fenêtres et les portes allaient se trouver.

— Ça, c'est la salle de bains.

— Un peu exposée aux courants d'air.

— Ouais. Il faut que je réfléchisse à une solution. Attention. Ça, ce n'est pas une porte. Tu viens d'entrer dans la douche.

Il grimpa sur une pile de parpaings puis sur une grande dalle de béton, et me tendit la main pour m'aider à le rejoindre.

— Ici, c'est le salon. Et si tu regardes par cette fenêtre, là, tu as vue sur la campagne.

Je regardai le paysage chatoyant qui s'étendait en contrebas. J'avais l'impression de me trouver à mille lieues de la ville, certainement pas à une quinzaine de kilomètres. Je pris une profonde inspiration. J'appréciais la spontanéité de ce moment.

— C'est joli, mais je pense que ton canapé n'est pas au bon endroit, déclarai-je. Il t'en faut deux. Un ici, et peut-être un là. Et j'imagine qu'il y aura une fenêtre là ?

— Oh, oui. Pour la symétrie.

— Mmmm. Oh, et il faut vraiment que tu changes les stores.

Le plus fou, c'était qu'après quelques minutes de visite je voyais réellement la maison. Je suivais les indications de Sam, qui me montrait des cheminées invisibles, faisait apparaître des escaliers et dessinait des traits sur des plafonds absents. Je visualisais ses immenses baies vitrées, et la rampe d'escalier qu'un de ses amis devait lui tailler dans une vieille branche de chêne.

— Ça va être magnifique, dis-je une fois la visite du chantier terminée.

— Dans environ dix ans. Mais oui, j'espère.

Je parcourus le champ du regard, admirant la pelouse, le poulailler, le chant des oiseaux.

— Je dois te dire, ce n'est pas ce à quoi je m'attendais. Tu n'es pas tenté d'embaucher des ouvriers ?

— Je le ferai probablement à la fin. Mais j'aime la maçonnerie. C'est bon pour l'âme, de construire une maison.

Il haussa les épaules, puis reprit :

— Quand on passe la journée à soigner des blessures par arme blanche, des cyclistes trop confiants, des femmes que leurs maris ont prises pour des punching-balls et des enfants qui font des crises d'asthme chroniques à cause de l'humidité…

— … sans parler de ces imbéciles qui tombent du toit des immeubles…

— Oui, aussi. Et donc, ajouta-t-il en désignant d'un geste la bétonnière et les piles de parpaings, je fais ça pour me vider la tête après le boulot. Je t'offre une bière ?

Il grimpa dans le wagon et me fit signe de le rejoindre.

L'intérieur ne rappelait en rien un wagon, même si on devinait encore une vague odeur de cire d'abeille et les fantômes de passagers en costume de tweed. Sam m'entraîna dans un petit coin-cuisine parfaitement agencé, délimité par une table et une banquette en forme de L.

— Je n'aime pas les mobil-homes, déclara-t-il en guise d'explication. Assieds-toi.

Il sortit une bouteille de bière bien fraîche du réfrigérateur, l'ouvrit et me la tendit. Pour lui, il posa une bouilloire sur le feu.

— Tu ne bois pas ?

Il fit « non » de la tête.

— Après quelques années de ce travail, j'ai commencé à avoir besoin d'un verre pour me décompresser en arrivant à la maison. Puis de deux. Puis je me suis rendu compte que j'étais incapable de me relaxer avant d'avoir bu ces deux verres, ou peut-être même trois.

Il ouvrit une boîte à thé et déposa un sachet au fond d'une tasse.

— Ensuite, poursuivit-il, j'ai… j'ai perdu quelqu'un de très proche, et je me suis dit que si je n'arrêtais pas l'alcool immédiatement, je n'arrêterais jamais.

Il ne me regardait pas en parlant. Il faisait les cent pas dans le wagon, une présence à la fois massive et étrangement gracieuse entre ces murs étroits.

— Je m'autorise une bière de temps en temps, mais pas ce soir. Il va falloir que je te ramène chez toi tout à l'heure.

Cette remarque me détendit. La situation était bizarre : j'étais installée dans un wagon à boire une bière en compagnie d'un individu que je connaissais à peine, mais comment ne pas se sentir proche d'un homme qui vous a sauvé la vie et vous a déjà vue à moitié nue ? Et comment se méfier d'un homme qui vous a fait part de son intention de vous ramener chez vous ? C'était comme si notre rencontre dans l'ambulance avait gommé les obstacles habituels et la gêne qu'on pouvait ressentir lors d'un premier rendez-vous. Sam m'avait vue en sous-vêtements, il avait même pu voir ce qui se trouvait sous ma peau. Je me sentais plus à l'aise avec lui qu'avec aucun autre.

Le wagon me rappelait les caravanes de bohémiens de mes livres d'enfant : chaque objet y avait sa place attitrée dans un espace réduit. La pièce était à la fois douillette et austère, et manifestement habitée par un homme. Il y flottait une agréable odeur de bois chauffé par le soleil, de savon et de bacon. Un nouveau départ. Je me demandai ce qui était arrivé à son ancienne maison.

— Et… euh… qu'est-ce que Jake pense de tout ça ? demandai-je.

Il s'assit avec son thé à l'autre bout de la banquette.

— Au début, il m'a pris pour un dingue, répondit-il. Maintenant, il aime bien l'idée. Il s'occupe des animaux quand je travaille, et en échange je lui ai promis de lui apprendre à conduire sur le terrain dès qu'il aura dix-sept ans. Dieu me vienne en aide, conclut-il en levant sa tasse.

En réponse, je levai ma bouteille.

Peut-être était-ce dû au plaisir inattendu d'être de sortie un vendredi soir, en compagnie d'un homme qui me regardait dans les yeux quand il parlait – et qui était doté du genre de chevelure que je mourais d'envie de décoiffer en y passant les doigts – ou peut-être était-ce simplement parce que je venais d'entamer ma deuxième bière, mais je commençais à vraiment m'amuser. Comme il faisait très chaud dans le wagon, nous sortîmes nous installer sur deux chaises pliantes. Je regardai les poules picorer dans l'herbe, un spectacle étrangement apaisant, et écoutai les anecdotes de Sam au sujet de patients obèses qui nécessitaient quatre équipes pour les tracter hors de chez eux, ou de jeunes membres de gangs qui tentaient de se poignarder alors même qu'ils étaient en train de se faire recoudre à l'arrière de son ambulance. Au cours de notre conversation, je me surpris à l'épier du coin de l'œil : j'observai la façon dont il tenait sa tasse, et remarquai des sourires fugitifs qui formaient trois petites rides au coin de ses yeux, parfaitement dessinées, comme si elles avaient été tracées avec précision à l'aide d'un stylo.

Il me parla de ses parents : son père était un pompier à la retraite, sa mère une chanteuse de cabaret qui avait abandonné sa carrière pour élever ses enfants (« Je crois que c'est pour ça que ta tenue m'a inspiré. Je suis à l'aise avec les strass. »). Il ne mentionna pas directement sa femme, mais me confia que sa mère s'inquiétait du manque d'influence féminine dans la vie de Jake.

— Elle vient le chercher une fois par mois pour l'emmener à Cardiff, où elle et ses sœurs le bichonnent, le gavent de petits plats et s'assurent qu'il a assez de chaussettes, expliqua-t-il, les coudes posés sur les genoux. Il râle toujours un peu avant de partir, mais je sais bien qu'en fait il adore ça.

À mon tour, je lui parlai du retour de Lily. Mon récit de sa rencontre avec les Traynor lui arracha une grimace. Je lui racontai ses surprenants changements d'humeur et son attitude imprévisible. Il hocha la tête, comme si cela n'avait rien d'étonnant. Lorsque j'évoquai la mère de Lily, il secoua la tête d'un air affligé.

— Être riche ne fait pas d'eux de meilleurs parents, déclara-t-il sombrement. Si elle touchait des allocations familiales, cette femme aurait déjà eu droit à une visite des services sociaux. C'est gentil, ce que tu fais pour elle, Louisa Clark, ajouta-t-il en levant sa tasse.

— Mais je ne suis pas sûre de faire ce qu'il faut.

— Avec les ados, personne n'a jamais l'impression de faire ce qu'il faut. Je crois que c'est justement ce qui en fait des ados.

J'avais du mal à associer ce Sam, cet hôte agréable qui s'occupait tranquillement de ses poules, avec la version larmoyante et coureuse de jupons dont Jake avait dressé le portrait au cercle. Mais j'étais bien placée pour savoir que le personnage qu'on choisit de présenter au monde pouvait être très différent de ce que nous étions réellement. Je savais que le chagrin pouvait nous faire agir d'une manière que nous-mêmes étions incapables de comprendre.

— J'adore ton wagon, dis-je. Et ta maison invisible.

— Alors j'espère que tu reviendras, répliqua-t-il.

Le baiseur en série.

Si c'était ainsi qu'il séduisait les femmes, songeai-je un peu tristement, alors il était doué. C'était un mélange puissant: le père en deuil aux manières chevaleresques, les sourires rares, sa façon de soulever une poule d'une seule main en donnant l'impression que l'animal appréciait la manœuvre. Je ne deviendrais pas une de ses conquêtes tarées, ne cessais-je de me répéter. J'éprouvais cependant un vague plaisir à flirter innocemment avec un bel homme. Il était agréable, pour une fois, de ressentir autre chose que l'angoisse ou la colère muette, ces émotions jumelles qui occupaient la plus grande partie de ma vie quotidienne. Les seules autres interactions que j'avais eues avec le sexe opposé au cours des derniers mois avaient été alimentées par l'alcool et s'étaient terminées par un retour en taxi et des larmes mortifiées sous la douche.

Qu'est-ce que tu en penses, Will ? Est-ce que c'est bien ?

Le jour commençait à décliner. Les poules rentrèrent en caquetant d'un air indigné dans leur enclos. Sam les observait, bien calé dans son siège.

— Quand tu me parles, Louisa Clark, j'ai l'impression qu'une tout autre conversation se déroule ailleurs en même temps.

J'aurais voulu trouver une repartie spirituelle. Mais il avait raison, et je n'avais rien à répondre.

— Toi et moi, reprit-il. On tourne tous les deux autour de quelque chose.

— Tu es très direct.

— Et maintenant, je t'ai mise mal à l'aise.

— Non, pas du tout ! Bon, peut-être un peu, ajoutai-je en croisant furtivement son regard.

Derrière nous, un corbeau s'éleva bruyamment dans le ciel ; ses violents battements d'ailes faisaient vibrer l'air immobile. Je résistai à l'impulsion de remettre de l'ordre dans mes cheveux et bus une gorgée de bière.

— OK. Bon. Voilà la vraie question, lâchai-je. D'après toi, ça prend combien de temps de se remettre de la mort de quelqu'un ? Quelqu'un qu'on aimait vraiment ?

Je ne savais pas pourquoi je lui avais posé la question. Elle était brutale, presque cruelle étant donné les circonstances. Peut-être avais-je peur que le baiseur en série fasse encore des siennes.

La surprise de Sam se lut un instant sur son visage.

— Ah. Euh…

Il plongea les yeux au fond de sa tasse, puis releva la tête, le regard perdu au loin dans la pénombre de la campagne.

— … je ne suis pas sûr qu'on s'en remette jamais complètement, dit-il enfin.

— Joyeuse perspective.

— Non. Vraiment. J'y ai beaucoup songé. On apprend à vivre avec. Avec eux. Parce qu'ils restent en nous, même s'ils ne sont plus là en chair et en os. Ce n'est plus le chagrin dévastateur du début, celui qui te submerge, te donne envie de pleurer en permanence, te fait ressentir cette espèce de colère insensée contre tous les idiots qui sont toujours en vie alors que la personne que tu aimes est morte… Non, c'est juste un vide dont tu dois apprendre à t'accommoder. C'est comme si un trou s'était formé en toi et que tu devais l'accepter sans broncher. Je ne sais pas. C'est comme… comme si tu étais un petit pain et que tu devenais un donut.

Je lisais une telle tristesse sur son visage que je me sentis soudain coupable.

— Un donut, répétai-je.

— Comparaison stupide, s'excusa-t-il avec un demi-sourire.

— Non, ce n'est pas ce que je…

Il secoua la tête et s'absorba dans la contemplation de l'herbe entre ses pieds, puis me jeta un regard en coin.

— Allez, dit-il. Je te ramène.

Nous traversâmes le terrain pour rejoindre sa moto. L'air s'était rafraîchi. Je croisai les bras pour me réchauffer. Il surprit mon geste et me tendit son blouson, insistant lorsque je prétendis que ce n'était pas la peine. Le vêtement pesait agréablement lourd sur mes épaules, terriblement masculin. Je m'efforçai de ne pas respirer son odeur.

— Tu fais ça avec tous tes patients ?

— Seulement ceux qui ont survécu.

J'éclatai de rire. C'était sorti sans crier gare, plus fort que je ne l'avais voulu.

— On n'est pas vraiment censés sortir avec les patients, ajouta-t-il en me tendant son deuxième casque. Mais après tout, tu n'es plus ma patiente.

— Et on n'est pas vraiment sortis ensemble.

— Ah non ? D'accord, répliqua-t-il avec un petit hochement de tête philosophique alors que j'enfourchais sa machine.

Chapitre 11

Cette semaine-là, lorsque j'arrivai au cercle d'accompagnement, Jake n'était pas là. Pendant que Daphne discourait sur son incapacité à ouvrir un pot de confiture sans l'aide d'un homme et que Sunil évoquait les problèmes rencontrés en partageant les quelques possessions de son jumeau entre ses autres frères et sœurs, je me surpris à attendre de voir s'ouvrir les lourdes portes rouges de la salle paroissiale. Je me répétai que je m'inquiétais pour le bien-être de Jake, qu'il avait besoin d'exprimer son malaise face à l'attitude de son père. Je me persuadai d'un ton ferme que ce n'était pas Sam que j'espérais voir, appuyé contre sa moto.

— Et toi, Louisa, quels sont les petits soucis qui te tracassent ?

Jake en avait peut-être fini avec le groupe, songeai-je. Peut-être avait-il décidé qu'il n'en avait plus besoin. Les gens abandonnaient souvent, tout le monde le disait. Et ce serait terminé. Je ne les verrais plus.

— Louisa ? Les petits soucis du quotidien ? Il doit bien y en avoir ?

Je ne cessais de songer à cette maison, à l'étroitesse de ce wagon, à la manière dont Sam avait traversé le terrain, une poule sous chaque bras, comme s'il transportait un chargement précieux. Les plumes sur son torse étaient aussi douces qu'un soupir.

Daphne me donna un coup de coude pour me ramener à la réalité.

— On parle des petits détails de la vie quotidienne qui nous obligent à penser à nos chers disparus, dit Marc.

— Le sexe me manque, déclara Natasha.

— Ça n'a rien d'un petit détail, fit remarquer William.

— Tu n'as pas connu mon mari, rétorqua Natasha avec un petit rire. Non, pardon. C'est une très mauvaise plaisanterie. Je suis désolée. Je ne sais pas ce qui m'a pris.

— C'est bien de plaisanter, répliqua Marc pour l'encourager.

— Olaf était très bien membré. Parfaitement bien membré, même.

Natasha parcourut l'assemblée du regard. Comme personne ne pipait mot, elle écarta les mains d'une trentaine de centimètres et hocha la tête avec emphase.

— Nous étions très heureux, conclut-elle.

Un bref silence s'ensuivit.

— Très bien, dit enfin Marc.

— Je ne veux pas que les gens pensent... Enfin, je ne veux pas que les gens pensent à ça quand ils pensent à mon mari. Qu'il avait une petite...

— Je suis certain que personne ne pense ça de ton mari.

— Si, moi, si tu continues à en parler, rétorqua William.

— Je ne veux pas que vous pensiez au pénis de mon mari, dit Natasha. En fait, je vous interdis de penser à son pénis.

— Alors arrête d'en parler ! s'écria William.

— Est-ce qu'on pourrait éviter de parler de pénis ? demanda Daphne. Ça me met un peu mal à l'aise. Les bonnes sœurs nous tapaient sur les doigts avec une règle si on avait le malheur de prononcer ne serait-ce que le mot « entrejambe ».

— Est-ce qu'on pourrait arrêter de parler de... Revenons-en au sujet initial, intervint Marc d'une voix teintée de désespoir. Louisa, tu t'apprêtais à nous parler des petites choses qui te rappellent la perte de ton ami.

Je restai là un instant sans rien dire, essayant d'ignorer Natasha qui levait de nouveau les mains, mesurant en silence une improbable longueur invisible.

— Je crois que ça me manque de ne plus avoir quelqu'un à qui parler, dis-je prudemment.

Il y eut un murmure d'approbation générale.

— Je ne fais pas partie de ces personnes qui ont un grand cercle d'amis, expliquai-je. J'ai quitté mon dernier petit copain il y a des lustres, et on... on ne sortait pas beaucoup. Et puis il y a eu... Bill. On parlait tout le temps. De musique, des gens, de nos expériences passées et à venir, et je ne m'inquiétais jamais de savoir si j'allais dire quelque chose de déplacé ou le blesser, parce qu'il me comprenait. Vous voyez ? Et depuis que j'ai emménagé à Londres, je suis très seule ; en dehors de ma famille, bien sûr, mais parler avec eux est toujours assez... délicat.

— Tu m'étonnes, dit Sunil.

— Et maintenant, il se passe quelque chose dans ma vie dont j'aurais vraiment envie de lui parler. Je lui parle dans ma tête, mais ce n'est pas pareil. Il me manque de pouvoir simplement lui demander : « Eh, qu'est-ce que tu penses de ça ? » Et de savoir que quoi qu'il me réponde, ce sera probablement la meilleure solution.

Le groupe resta silencieux une minute.

— Tu peux nous parler, Louisa, dit Marc.

— C'est... compliqué.

— C'est toujours compliqué, répliqua Leanne.

Je regardai leurs visages, aimables et encourageants, et totalement incapables de comprendre ce que je pourrais leur raconter. De le comprendre vraiment, en tout cas.

Daphne rajusta son écharpe en soie et prit la parole :

— Ce qu'il faut à Louisa, c'est un autre homme à qui parler. C'est évident. Tu es jeune et belle. Tu trouveras quelqu'un d'autre. Et toi aussi, Natasha. Il est trop tard pour moi, mais vous deux ne devriez pas être ici, dans cette vieille salle miteuse… désolée, Marc, mais c'est la vérité. Vous devriez sortir danser, vous amuser.

Natasha et moi échangeâmes un regard. Clairement, elle avait autant envie que moi de sortir en boîte.

Une image de Sam l'Ambulancier s'imposa soudain à moi, mais je la chassai.

— Et si jamais tu as envie d'un nouveau pénis, ajouta William, je suis sûr que je pourrais te dessiner un…

— Très bien, tout le monde. Passons aux testaments, l'interrompit Marc. Quelqu'un a-t-il été surpris par son contenu ?

Je rentrai chez moi épuisée, à 21 h 15, pour trouver Lily couchée sur le canapé devant la télé, en pyjama. Je laissai tomber mon sac à main.

— Tu es là depuis combien de temps ? demandai-je.

— Depuis le petit déjeuner.

— Tu vas bien ?

— Mm.

Son visage blafard trahissait la maladie ou l'épuisement.

— Tu ne te sens pas bien ?

Elle mangeait du pop-corn dans un bol, passant mollement les doigts au fond du récipient pour en récupérer les dernières miettes.

— J'avais envie de rien, aujourd'hui, répondit-elle.

À cet instant, son portable sonna. Elle regarda le message d'un air absent, puis repoussa l'appareil sous un coussin.

— Tu es sûre que ça va ? demandai-je à nouveau au bout d'une minute.

— Oui, impec.

Elle n'avait pas l'air en forme.

— Je peux peut-être t'aider ?

— Je t'ai dit que j'allais bien, répéta-t-elle en évitant mon regard.

Cette nuit-là, Lily dormit chez moi. Le jour suivant, alors que je m'apprêtais à partir au travail, M. Traynor m'appela et demanda à lui parler. Étendue sur le canapé, elle me regarda d'un air vide lorsque je lui annonçai qui était au téléphone. Enfin, à contrecœur, elle tendit la main vers le combiné. Je restai là tandis qu'elle l'écoutait. Je ne comprenais pas ce qu'il disait, mais je distinguais le ton qu'il employait: doux, rassurant. Lorsqu'il se tut, elle laissa passer un bref silence, puis répondit:

— D'accord. Très bien.

— Est-ce que tu vas le revoir ? lui demandai-je quand elle me rendit le combiné.

— Il veut venir me voir à Londres.

— C'est super.

— Mais il ne peut pas trop s'éloigner d'elle au cas où elle perdrait les eaux.

— Est-ce que tu veux que je t'emmène là-bas pour le voir ?

— Non.

Elle cala ses genoux sous son menton, s'empara de la télécommande et se mit à zapper.

— Tu as envie d'en parler ? demandai-je après une minute.

Elle ne répondit pas, et au bout de quelques instants, je compris que la discussion était close.

Le mercredi, je m'enfermai dans ma chambre pour appeler ma sœur. Nous nous parlions plusieurs fois par semaine. C'était plus facile depuis que mon éloignement de mes parents ne se dressait plus entre nous comme un champ de mines conversationnel.

— Tu trouves ça normal ?

— Papa m'a raconté qu'une fois je ne lui ai plus parlé pendant deux semaines entières quand j'avais seize ans. Seulement des grognements. Et j'étais pourtant très heureuse.

— Elle ne grogne même pas. Elle a seulement l'air terriblement triste.

— Comme toutes les jeunes filles de son âge. C'est leur paramètre par défaut. C'est des ados joyeuses qu'il faut se méfier : elles dissimulent probablement un gros problème d'anorexie ou volent du rouge à lèvres chez Boots.

— Ça fait trois jours qu'elle est vautrée sur mon canapé.

— Et ?

— Je crois qu'il y a quelque chose qui cloche.

— Elle a seize ans. Son père n'a jamais su qu'elle existait et a cassé sa pipe avant qu'elle ait eu l'occasion de le rencontrer. Sa mère a épousé un homme qu'elle surnomme Tête-de-Nœud, elle a deux petits frères qui semblent bien partis pour devenir tueurs en série, et ils ont changé les serrures de la maison familiale pour l'empêcher de revenir vivre chez elle. À sa place, je resterais probablement vautrée sur ton canapé pendant une année entière. Et puis, ajouta Treena en aspirant à grand bruit une gorgée de thé, elle vit chez une nana qui bosse dans un bar vêtue d'une minijupe en Spandex vert et qui appelle ça une carrière.

— Du Lurex. C'est du Lurex.

— Peu importe. Du coup, quand est-ce que tu vas chercher un vrai travail ?

— Bientôt. Je dois d'abord trouver une solution.

— Une solution à quoi ?

— Elle n'est vraiment pas bien. Je me sens mal pour elle.

— Et moi, tu sais ce qui me fait me sentir mal ? Cette habitude que tu as de promettre que tu vas vivre à fond, puis de te sacrifier pour aider tous les malheureux qui croisent ta route.

— Will n'était pas un malheureux.

— Mais Lily, si. Lou, tu ne la connais même pas, cette fille. Tu devrais te focaliser sur toi-même, aller de l'avant. Tu devrais envoyer ton CV partout, parler à tes contacts, travailler sur tes points forts, pas te trouver une nouvelle excuse pour mettre ta vie en suspens.

Par la fenêtre, je regardais le ciel nocturne. Dans la pièce d'à côté, malgré le bruit de la télévision qui jacassait, j'entendis Lily se lever pour se traîner jusqu'au frigo avant de revenir s'affaler sur le canapé.

— Et tu ferais quoi à ma place, Treen ? demandai-je en baissant la voix. L'enfant de l'homme que tu as aimé débarque sur le pas de ta porte, et le reste du monde semble refuser de s'occuper d'elle. Toi aussi, tu la rejetterais ?

Ma sœur resta silencieuse un bref instant. C'était tellement rare que je me sentis obligée d'enchaîner :

— Imaginons que Thom, dans huit ans, se brouille avec toi pour une raison X ou Y, tu trouverais ça bien que la seule personne à qui il demande de l'aide décide que finalement elle a autre chose à faire de sa vie ? Qu'il n'a qu'à dégager et se démerder tout seul ? J'essaie de faire ce qui est juste, Treen, conclus-je en appuyant ma tête contre le mur. Lâche-moi un peu, d'accord ?

Pas de réponse.

— Ça m'aide à me sentir mieux. OK ? Ça me stimule de savoir que je suis utile à quelqu'un.

Ma sœur resta silencieuse si longtemps que je me demandai un instant si elle n'avait pas raccroché.

— Treen ?

— OK. Bon, je me rappelle avoir lu un truc en psycho sociale, sur les ados qui se lassent vite des interactions en face à face.

— Alors quoi, tu veux que je lui parle à travers une porte ?

Un jour, j'aurai une conversation téléphonique avec ma sœur qui ne comporterait pas le soupir excédé d'une personne essayant d'expliquer une évidence à un simple d'esprit.

— Non, idiote ! Ce que ça signifie, c'est que si tu veux qu'elle te parle, vous devez pratiquer une activité ensemble, côte à côte.

En rentrant chez moi le vendredi, je m'arrêtai au magasin de bricolage. Une fois dans mon immeuble, je traînai mes sacs sur les quatre étages et entrai dans l'appartement. Lily se trouvait exactement là où je m'attendais à la trouver : vautrée devant la télé.

— Qu'est-ce que c'est ? demanda-t-elle.

— De la peinture. Cet appartement est un peu défraîchi, tu n'arrêtes pas de me répéter que je devrais l'égayer un peu. Je me disais qu'on pourrait se débarrasser une bonne fois pour toutes de ce rose pastel chiant à mourir.

Elle ne put s'en empêcher. Je feignis d'être occupée à me servir à boire, la surveillant du coin de l'œil pendant qu'elle s'étirait avant de se lever pour inventorier mes achats.

— Ce n'est pas beaucoup moins chiant, fit-elle remarquer. C'est du gris clair.

— On m'a dit que le gris était à la mode. Je peux la rapporter si tu penses que ça ne va pas fonctionner.

Elle regarda les pots de plus près.

— Non, ça va.

— Je me disais qu'on pourrait repeindre couleur crème deux des murs de la chambre d'amis, et un en gris. Tu crois que ça ira ?

Tout en parlant, je déballais les pinceaux et les rouleaux. Je partis me changer et revins vêtue d'un short et d'un vieux tee-shirt, et lui demandai si elle pouvait mettre un peu de musique.

— Quel genre ?

— Je te laisse choisir.

Je tirai une chaise de côté et posai des bâches le long du mur.

— Ton père m'accusait de n'avoir aucune culture musicale, ajoutai-je.

Elle ne répondit pas, mais j'étais parvenue à capter son attention. J'ouvris un pot de peinture et commençai à touiller.

— C'est lui qui m'a emmenée à mon premier concert, poursuivis-je. Du classique, pas de la pop. J'ai accepté pour lui faire un peu quitter la maison. À l'époque, il n'aimait pas trop sortir. Il a mis une chemise et une belle veste, et c'était la première fois que je le voyais comme…

Je me souvins du choc en voyant émerger du col bleu amidonné l'homme qu'il avait été avant son accident. Je déglutis avec peine.

— Bref. Je suis allée au concert en m'attendant à m'ennuyer toute la soirée, et j'ai pleuré comme une Madeleine pendant toute la deuxième partie. C'était la chose la plus incroyable que j'avais jamais entendue.

Un bref silence.

— C'était quoi ? demanda-t-elle enfin. Qu'est-ce que vous êtes allés écouter ?

— Je ne sais plus. Sibelius ? Ça te dit quelque chose ?

Elle haussa les épaules. Je commençai à peindre, et elle s'avança derrière moi. Elle prit un pinceau. Elle ne dit rien au début, mais elle semblait se laisser hypnotiser par le caractère répétitif de la tâche. Elle faisait attention, veillant à rajuster la bâche pour ne pas éclabousser le sol, essuyant son pinceau sur le bord du pot. Nous ne parlions pas, sauf pour des requêtes murmurées : « Tu peux me passer le petit pinceau ? Tu crois que ça se verra toujours à travers la deuxième couche ? » À nous deux, il ne nous fallut pas plus d'une demi-heure pour repeindre le premier mur.

— Alors, qu'est-ce que tu en penses ? demandai-je en admirant notre œuvre. Tu crois qu'on peut s'attaquer à un autre ?

Elle déplaça une bâche et entama le mur suivant. Elle avait mis un CD d'un groupe indépendant dont je n'avais jamais entendu parler, un fond sonore léger et plaisant à l'oreille. Je me remis à peindre, ignorant la douleur qui me tiraillait l'épaule et l'envie de bâiller.

— Tu devrais accrocher des photos aux murs.

— Oui, tu as raison.

— J'ai ce grand poster d'un tableau de Kandinsky à la maison. Il ne va pas vraiment avec la déco de ma chambre. Je peux te le donner si tu veux.

— Ce serait super.

Elle travaillait plus vite à présent, traçant avec soin le contour de la grande fenêtre.

— Je me disais, déclarai-je, qu'on devrait parler à la mère de Will. Ta grand-mère. Tu es d'accord pour que je lui écrive ?

Elle ne répondit pas. Elle s'accroupit, apparemment absorbée dans son recouvrement du mur jusqu'à la plinthe. Enfin, elle se releva.

— Est-ce qu'elle est comme lui ? demanda-t-elle.

— Comme qui ?

— Mme Traynor ? Est-ce qu'elle est comme M. Traynor ?

Je descendis de la boîte sur laquelle j'étais montée et essuyai mon pinceau sur le bord du pot de peinture.

— Elle est… différente, répondis-je.

— Ça, c'est ta manière de dire que c'est une peau de vache.

— Non, elle est juste… Elle met plus longtemps à se laisser approcher.

— C'est ta manière de dire que c'est une peau de vache et qu'elle ne va pas m'aimer.

— Ce n'est pas du tout ça, Lily. Mais c'est quelqu'un qui ne montre pas facilement ses émotions.

Lily soupira et reposa son pinceau.

— Je suis à peu près la seule personne au monde capable de se découvrir deux grands-parents dont elle ne connaissait pas l'existence, tout ça pour se rendre compte que ni l'un ni l'autre ne l'apprécie.

Nous échangeâmes un regard. Et soudain, sans crier gare, nous éclatâmes de rire.

Je remis le couvercle sur le pot de peinture.

— Viens, dis-je. On sort.

— Où ça ?

— C'est toi qui n'arrêtes pas de me dire que je ne sais pas m'amuser. Montre-moi.

Je sortis de mes cartons une série de petits hauts jusqu'à ce que Lily décide lequel était le plus mettable, puis la laissai m'emmener dans un petit club souterrain non loin du West End, où les videurs connaissaient son prénom et où personne ne semblait se soucier qu'elle n'ait pas encore dix-huit ans.

— C'est du son des années 1990. Des trucs du temps jadis ! s'écria-t-elle avec entrain.

Je fis de mon mieux pour ne pas trop penser au fait qu'à ses yeux je frôlais déjà la sénilité.

Nous dansâmes jusqu'à ce que je perde tous mes complexes, que la sueur coule à travers nos vêtements, que nos cheveux nous collent au crâne et que ma hanche me fasse si mal que je me demandai si je serais en mesure de rester debout derrière le bar pendant la semaine à venir. Nous dansâmes comme si nous n'avions rien d'autre à faire. Bon sang, je me sentais bien ! J'avais oublié la joie de simplement exister ; de se perdre dans la musique, dans la foule, jusqu'à ne former avec elle qu'une seule masse pulsante et organique. Pendant quelques heures sombres et endiablées, je lâchai tout. Mes problèmes se volatilisaient les uns après les autres comme des ballons gonflés à l'hélium : mon horrible travail, mon chef tatillon, ma difficulté à aller de l'avant. Je redevins un être vivant, joyeux. Je regardai Lily de l'autre côté de la piste, ses yeux fermés, ses cheveux voletant autour de son visage, son expression de concentration et de liberté mêlées typique d'une personne perdue dans le rythme de la musique. Puis elle ouvrit les yeux. Je voulus me mettre en colère en apercevant dans sa main, quand elle leva le bras, une bouteille qui n'était clairement pas un soda, mais je me surpris à lui rendre son sourire – un sourire euphorique – et songeai qu'il était étrange qu'une gamine perturbée qui se connaissait à peine ait tant à m'apprendre sur la vie.

Autour de nous, la ville de Londres était bruyante et noire de monde, même s'il était déjà 2 heures du matin. Nous nous arrêtâmes devant un théâtre, une enseigne en chinois et un homme déguisé en ours pour que Lily puisse prendre des selfies de nous deux (apparemment, le moindre événement méritait d'être immortalisé par une photographie), puis nous frayâmes un chemin dans les rues bondées à la recherche d'un bus de nuit, passant devant des kebabs et des ivrognes beuglants, des souteneurs et des troupeaux de filles hurlantes. Ma hanche me lançait terriblement, et je frissonnais dans mes vêtements trempés de sueur, mais je me sentais toujours pleine d'énergie, comme si on avait rallumé en moi une flamme éteinte depuis trop longtemps.

— Je ne sais pas comment on va faire pour rentrer, s'esclaffa Lily.

Soudain, j'entendis crier :

— Lou !

C'était Sam, penché à la fenêtre d'une ambulance, côté conducteur. Lorsque je levai la main en réponse, il arrêta le véhicule de notre côté de la route en effectuant un grand demi-tour.

— Vous allez où comme ça ? demanda-t-il.

— Chez moi. Si on arrive à trouver un bus.

— Montez donc ! Je ne dirai rien si vous gardez le secret. On vient de finir notre tour de garde. Oh, allez, Don ! dit-il à la femme assise sur le siège passager. C'est une patiente. Hanche cassée. On ne peut pas la laisser rentrer à pied.

Lily était enchantée par cette aventure inattendue. Puis la portière arrière s'ouvrit et une femme, vêtue d'un uniforme d'urgentiste, nous fit signe d'embarquer en levant les yeux au ciel.

— Tu vas nous faire virer, Sam, soupira-t-elle en nous indiquant de nous asseoir sur le brancard. Salut, je m'appelle Donna. Oh, non… Je me souviens de vous. Vous êtes la fille qui…

— … est tombée d'un immeuble. Ouais.

Lily m'attira contre elle pour un « selfie d'ambulance », et je m'efforçai de ne pas croiser le regard de Donna, qui levait une nouvelle fois les yeux au ciel.

— Alors, vous étiez où ? cria Sam depuis l'avant du véhicule.

— Parties danser, répondit Lily. J'essaie de convaincre Louisa de ne plus se comporter comme une vieille fille ennuyeuse. Est-ce qu'on peut mettre la sirène ?

— Non. Vous êtes allées danser où ? Au fait, c'est un vieux schnock qui te parle. Donc, quoi que tu me répondes, je n'aurai pas la moindre idée de là où c'est.

— Au *Numéro 22*, dit Lily. En bas de Tottenham Court Road ?

— C'est là qu'on a dû pratiquer cette trachéotomie d'urgence, Sam.

— Je m'en souviens. Vous avez l'air d'avoir passé une bonne soirée, en tout cas.

Il croisa mon regard dans le rétroviseur, et je me sentis rougir. J'étais soudain heureuse d'être sortie danser. Cela me donnait l'impression que je pourrais être une autre personne. Pas seulement une triste barmaid d'aéroport qui n'avait rien trouvé de mieux que de tomber d'un toit en guise de sortie du samedi soir.

— C'était super, dis-je, un grand sourire aux lèvres.

À cet instant, Sam baissa les yeux sur l'écran du tableau de bord.

— Oh, merde, grommela-t-il. On a un code vert au *Spencer's*.

— Mais on avait terminé, protesta Donna. Pourquoi Lennie nous fait-il toujours ce coup-là ? Ce type est un sadique.

— Personne d'autre n'est disponible.

— Qu'est-ce qui se passe ?

— Du boulot. Je vais devoir vous déposer. Mais ce n'est pas très loin de chez toi. Ça va aller ?

— *Spencer's*, soupira Donna. Oh, formidable. Accrochez-vous, les filles.

La sirène se mit à hurler. Et nous partîmes, fonçant dans les rues de Londres, le gyrophare tournoyant au-dessus de nos têtes et Lily criant de joie.

Presque tous les week-ends, nous expliqua Donna tandis que nous nous agrippions aux mains courantes, le standard recevait des appels du *Spencer's* pour ramasser les habitués qui n'avaient pas tenu jusqu'à la fermeture ou recoudre les visages de jeunes gens devenus particulièrement stupides et bagarreurs après leur sixième pinte.

— Ces mecs devraient être heureux de vivre, mais au lieu de ça ils claquent tout leur salaire pour se bourrer la gueule. Toutes les semaines.

Nous arrivâmes à destination en quelques minutes. L'ambulance dut ralentir pour éviter les ivrognes qui se déversaient sur le trottoir. Les affiches collées sur les vitres fumées du *Spencer's* annonçaient des « boissons gratuites pour les filles avant 22 heures ». Malgré les enterrements de vie de jeune fille et de garçon, les sifflements et les vêtements bariolés, les rues bondées du quartier des bars dégageaient une atmosphère moins carnavalesque que tendue et explosive. Je me surpris à regarder avec inquiétude par la fenêtre.

Sam ouvrit les portes arrière et prit son sac.

— Restez dedans, dit-il avant de descendre.

Un agent de police s'avança vers lui pour lui murmurer quelques mots, et nous les regardâmes s'approcher d'un jeune homme assis dans le caniveau, ayant reçu une blessure à la tempe. Sam s'accroupit à côté de lui tandis que le policier s'efforçait de faire reculer les badauds enivrés, les amis pleins de bonnes intentions et les petites copines en larmes. Le type semblait entouré d'une horde de figurants pour *The Walking Dead* qui grognaient et chancelaient, s'effondrant à l'occasion.

— Je déteste ces interventions, grommela Donna en fouillant à gestes brusques dans son nécessaire médical. Donnez-moi quand vous voulez une femme en plein accouchement ou une gentille grand-mère avec une cardiomyopathie. Oh, bordel de merde, il est parti !

Sam venait d'incliner le visage du jeune homme afin de l'examiner quand un autre garçon, les cheveux pleins de gel et le col de sa chemise imprégné de sang, l'attrapa par le bras.

— Hé ! Je dois aller dans l'ambulance !

Sam pivota lentement vers lui. Le jeune ivrogne projetait du sang et de la salive en parlant.

— Tu recules, mec. D'accord ? Laisse-moi faire mon travail.

L'alcool avait rendu les garçons stupides. Le nouveau venu leva les yeux sur ses amis, puis avança d'un pas.

— Tu me dis pas de reculer, cracha-t-il.

Sam l'ignora et continua à soigner l'autre jeune homme.

— Hé ! Hé, toi ! Je dois aller à l'hôpital. Hé ! cria-t-il en poussant l'épaule de Sam.

Sam resta accroupi un moment, parfaitement immobile. Puis il se releva avec précaution et se retourna pour faire face à l'ivrogne.

— Je vais t'expliquer un truc dans des termes que tu pourras peut-être comprendre, fiston. Tu ne monteras pas dans l'ambulance, OK ? C'est tout. Alors économise ton souffle, finis ta soirée avec tes potes, mets un peu de glace là-dessus et va voir ton médecin demain matin.

— T'as pas à me dire ce que j'ai à faire. C'est moi qui te paie. J'ai le nez cassé, putain de merde !

Alors que Sam soutenait posément son regard, le jeune homme leva la main pour le bousculer. Sam baissa les yeux sur sa main.

— Oh-oh…, dit Donna à côté de moi.

— OK. Je te préviens…, commença Sam d'une voix dans laquelle on sentait poindre la colère.

— Tu ne me préviens pas, l'interrompit l'autre d'un air méprisant. Tu ne me préviens de rien du tout ! Pour qui tu te prends ?

Donna était déjà sortie et courait vers un policier. Elle lui murmura quelques mots à l'oreille, et je les vis tous deux se retourner. Donna semblait implorante. Le jeune ivrogne criait et jurait, essayant toujours de pousser Sam :

— Alors tu me soignes moi d'abord, avant de t'occuper de ce pédé !

Sam rajusta son col. La rage se lisait sur son visage aux traits figés.

Puis, juste au moment où je me rendis compte que je retenais mon souffle, le policier était là, entre eux. Donna avait empoigné le bras de Sam et ramenait son collègue vers le blessé assis sur le bord du trottoir. Le jeune ivrogne fit volte-face et cracha sur la veste de Sam.

— Va te faire foutre ! cria-t-il.

S'ensuivit un bref silence choqué. Sam se raidit.

— Sam ! Viens, donne-moi un coup de main. J'ai besoin de toi, intervint Donna en le poussant en avant.

Lorsque j'aperçus le visage de Sam, ses yeux étincelaient, froids et durs comme des diamants.

— Viens, répéta Donna lorsqu'ils eurent chargé à l'arrière du véhicule le jeune homme dans un état comateux. On se tire d'ici.

Il conduisit en silence. Lily et moi étions serrées sur la banquette avant à côté de lui. Donna nettoyait le dos de sa veste tandis qu'il regardait droit devant lui, la mâchoire serrée.

— Ça pourrait être pire, déclara joyeusement Donna. Le mois dernier, il y en a un qui m'a vomi dans les cheveux. Et le petit enfoiré l'a fait exprès. Il a fourré ses doigts au fond de sa gorge et m'a couru après, juste parce que j'avais refusé de le ramener chez lui, comme si j'étais un putain de taxi.

Elle se leva pour s'emparer de la boisson énergétique qu'elle gardait à l'avant du véhicule.

— C'est du gâchis, reprit-elle. Quand on pense à ce qu'on pourrait faire au lieu de ramasser dans le caniveau tous ces merdeux…

Elle but une gorgée, puis baissa les yeux sur le jeune homme à peine conscient.

— Je ne sais pas, conclut-elle. Je ne comprends pas ce qui leur passe par la tête.

— Pas grand-chose, répondit Sam.

— Ouais. Bref, il faut qu'on le surveille de près, celui-là, déclara Donna en tapotant l'épaule de Sam. Il a déjà eu un avertissement l'an dernier.

Sam me jeta un regard en coin, l'air soudain piteux.

— On est allés ramasser une fille en haut de Commercial Street. Complètement défigurée à coups de poing. Alors que je m'apprêtais à la mettre sur le brancard, son mec a déboulé du bar pour s'acharner encore sur elle. Je n'ai pas pu m'en empêcher.

— Tu lui as mis une droite ?

— Plus d'une, ricana Donna.

— Ouais. Bon. Je traversais une mauvaise passe.

— En tout cas, me dit Donna avec une grimace, il ne peut pas se permettre de s'attirer encore des ennuis. Sinon, il risque un renvoi pur et simple.

Quelques minutes plus tard, il s'arrêta et nous fit descendre. Je les remerciai chaleureusement.

— On n'allait quand même pas vous laisser dans cet asile de fous à ciel ouvert, répliqua Sam.

Brièvement, nos regards se croisèrent. Puis Donna ferma la portière, et ils s'en allèrent pour l'hôpital afin d'y décharger leur cargaison humaine bien mal en point.

— Tu es totalement dingue de lui, dit Lily alors que nous regardions l'ambulance disparaître au coin de la rue.

J'avais presque oublié sa présence. Je soupirai en cherchant mes clés au fond de mes poches.

— C'est un baiseur en série, soupirai-je.

— Et alors ? Je le baiserais bien, moi, rétorqua Lily lorsque je lui ouvris la porte. Je veux dire, si j'étais vieille. Et un peu désespérée. Comme toi.

— Je ne crois pas être prête pour me lancer dans une nouvelle relation, Lily.

Je la précédais dans l'escalier, je n'avais donc aucune preuve, mais je la soupçonnais d'avoir grimacé dans mon dos sur les quatre étages qui nous séparaient de mon appartement.

Chapitre 12

J'écrivis à Mme Traynor. Je ne lui parlai pas de Lily. Je lui dis simplement que j'espérais qu'elle allait bien, que j'étais rentrée de mes voyages, que je serais de passage dans la région dans quelques semaines avec une amie et que j'aimerais venir la saluer si elle n'y voyait pas d'inconvénient. J'envoyai ma lettre en courrier rapide et me sentis étrangement excitée en la voyant glisser dans la boîte postale.

Papa m'avait dit au téléphone qu'elle avait quitté *Granta House* quelques semaines à peine après la mort de Will. Il m'avait confié que les employés de maison avaient été choqués, mais je me souvenais de la fois où j'avais surpris M. Traynor en compagnie de Della, la femme avec qui il allait avoir un bébé, et je me demandai combien d'entre eux avaient été sincèrement étonnés. Difficile de garder un secret dans une si petite ville.

— Elle a terriblement mal vécu toute cette histoire, avait dit papa. Et à peine était-elle partie que cette rouquine avait déjà mis le grappin sur M. Traynor. Elle a su saisir sa chance, on peut bien lui accorder ça. Un gentil vieil homme, même pas chauve, avec une grande maison, il n'allait pas rester seul bien longtemps, hein ? Oh, à propos, Lou… Tu ne voudrais pas toucher un mot à ta mère au sujet de ses aisselles ? Elle peut déjà y faire des tresses, mais elle persiste à tout laisser pousser…

Je ne cessais de songer à Mme Traynor. J'essayais d'imaginer comment elle réagirait à la nouvelle concernant Lily. Je me remémorais la joie mêlée d'incrédulité que j'avais lue sur le visage de M. Traynor lors de leur rencontre. Lily l'aiderait-elle à soulager sa peine ? Parfois, je voyais Lily rire devant la télévision, ou tout bonnement regarder par la fenêtre, perdue dans ses pensées, et je reconnaissais Will si clairement dans les traits de son visage – la forme de son nez, ces pommettes presque slaves – que j'en oubliais de respirer. (À ce moment, elle grommelait généralement : « Arrête de m'observer comme une débile, Clark. Tu me fous les jetons. »)

Lily devait rester chez moi deux semaines. Tanya Houghton-Miller m'avait appelée pour m'annoncer qu'ils partaient en vacances en famille en Toscane et que Lily refusait de les accompagner.

— Et franchement, vu son attitude, c'est un soulagement. Cette gamine m'épuise.

Je lui fis remarquer que depuis qu'elle avait fait changer les serrures de sa porte d'entrée Lily n'était presque jamais chez elle et qu'elle risquait d'avoir du mal à épuiser quiconque, sauf peut-être en frappant à leur fenêtre pour leur déclamer une complainte. Il s'ensuivit un bref silence au bout du fil.

— Quand vous aurez des enfants, Louisa, rétorqua-t-elle enfin, vous aurez peut-être une vague idée de ce dont je parle.

Oh, la carte maîtresse de tout parent. Comment pouvais-je comprendre ?

Elle me proposa de l'argent pour couvrir les frais de Lily en leur absence. J'éprouvai un certain plaisir à refuser, même si, pour être honnête, héberger Lily me coûtait plus cher que prévu. Celle-ci, semble-t-il, ne se satisfaisait pas de mon régime à base de haricots sur un toast ou de sandwichs au fromage. Elle me demandait des sous, puis revenait avec du pain de campagne, des fruits exotiques, du yaourt à la grecque, du poulet bio… Les aliments clés d'un garde-manger de classe moyenne fortunée. Je me souvins de la maison de Tanya, de la façon dont Lily avait avalé des morceaux d'ananas frais, debout devant l'immense réfrigérateur.

— Au fait, demandai-je, qui est Martin ?

Nouveau silence.

— Martin est mon ancien compagnon. Apparemment, Lily s'obstine à le fréquenter, même si elle sait que ça ne me plaît pas.

— Pourrais-je avoir son numéro ? Pour être sûre de savoir où elle est quand vous serez partie.

— Le numéro de Martin ? Pourquoi voulez-vous que j'aie son numéro ? glapit-elle avant de raccrocher.

Quelque chose avait changé depuis ma rencontre avec Lily. Je n'avais pas simplement appris à m'accommoder de la soudaine éruption de désordre adolescent dans mon appartement jusqu'alors presque vide ; j'avais commencé à prendre plaisir à avoir Lily dans ma vie, à avoir quelqu'un avec qui partager mes repas, assises côte à côte sur le canapé du salon, en commentant tout ce qui passait à la télévision ou en tâchant de garder un visage impassible quand elle m'offrait une de ses recettes maison.

« Mais comment j'étais censée deviner qu'il fallait cuire les patates dans une salade de pommes de terre ? C'est une salade, bordel ! »

Au travail, j'écoutais à présent les pères souhaiter bonne nuit à leurs enfants au téléphone avant de partir en voyage d'affaires – « Tu seras gentil avec maman, Luke… Ah oui ?… Vraiment ? C'est très bien ! » – et les disputes liées à la garde alternée, toujours murmurées dans le combiné : « Non, je n'ai pas dit que je pouvais passer le prendre à l'école ce jour-là. Je dois être à Barcelone, c'est prévu depuis des mois… Si, ça l'était… Non, non, c'est toi qui n'écoutes pas. »

Je n'arrivais pas à croire qu'on puisse donner naissance à un être humain, l'aimer, le nourrir, et après son seizième anniversaire se prétendre si exaspéré par sa présence qu'on se sentait obligé de changer les serrures de sa maison pour l'empêcher de rentrer à sa guise. À seize ans, on était encore un enfant. Malgré ses attitudes de grande personne, je voyais la petite fille en Lily. Elle était là dans les moments d'excitation, dans les brusques montées d'enthousiasme, mais aussi dans les bouderies, les essais de différents looks devant le miroir de la salle de bains et le sommeil qui tombait d'un coup sans prévenir.

Je songeais à ma sœur et à son amour inconditionnel pour Thom. Je songeais également à mes parents, qui nous encourageaient et s'inquiétaient pour nous, même si Treena et moi étions déjà adultes. Et dans ces moments-là, je ressentais l'absence de Will dans la vie de Lily comme dans la mienne.

Tu aurais dû être là, Will, lui disais-je en silence. *C'est de toi qu'elle a besoin.*

Je posai une journée de congé ; un outrage, selon Richard. (« Vous êtes revenue depuis seulement cinq semaines. Je ne vois vraiment pas pourquoi vous éprouvez le besoin de disparaître encore. »). Je souris, esquissai une révérence de danseuse irlandaise reconnaissante et rentrai chez moi pour trouver Lily en train de repeindre un des murs de la chambre d'amis dans une teinte vert jade particulièrement éclatante.

— Tu as dit que tu voulais rendre l'appart un peu plus gai, se justifia-t-elle devant mon air estomaqué. Mais ne t'en fais pas, j'ai payé la peinture moi-même.

— D'accord, dis-je en enlevant ma perruque avant de défaire mes lacets. Mais assure-toi d'avoir terminé d'ici ce soir, parce que j'ai posé un congé pour demain et que je veux te montrer certaines choses que ton père aimait bien.

Elle arrêta de peindre, faisant couler de la peinture sur la moquette.

— Quelles choses ?

— Tu verras.

Nous passâmes la journée en voiture, avec en fond sonore une playlist de l'iPod de Lily qui passait sans transition d'une chanson d'amour tragique à un hymne de haine contre l'humanité capable de vous perforer les tympans. En roulant sur l'autoroute, je maîtrisai à la perfection l'art de m'élever mentalement au-dessus du bruit pour me concentrer sur la conduite. Lily, à côté de moi, remuait la tête en rythme et exécutait à l'occasion un solo de batterie sur le tableau de bord. Je me réjouissais qu'elle apprécie l'excursion. Et, de toute façon, qui avait besoin de deux tympans en état de marche ?

Je commençai par l'emmener à Stortfold. Nous nous assîmes aux endroits où je m'installais toujours avec Will pour manger, aux tables de pique-nique dans les parcs qui surplombaient la ville, sur ses bancs préférés dans les jardins du château… Lily eut l'élégance d'essayer de masquer son ennui. Pour sa défense, ce n'était pas facile de s'enthousiasmer pour du mobilier d'extérieur. Je lui racontai donc comment, lors de notre première rencontre, Will ne quittait presque plus la maison et comment, par un habile mélange de subterfuges et d'obstination, j'étais parvenue à le faire sortir de nouveau.

— Tu dois comprendre, expliquai-je, que ton père avait horreur de dépendre de qui que ce soit. Et sortir avec moi ne signifiait pas seulement qu'il devrait dépendre de quelqu'un d'autre, mais aussi qu'il devrait être vu en situation de handicap.

— Même si cet autre, c'était toi.

— Même si c'était moi.

Elle médita un instant, puis déclara :

— Je détesterais que des gens me voient comme ça. Déjà que je déteste quand les gens me voient avec les cheveux mouillés…

Nous visitâmes la galerie où il avait tenté de m'expliquer la différence entre le « bon » et le « mauvais » art moderne (j'étais toujours incapable de faire la différence), et Lily grimaça devant la quasi-totalité des œuvres. Je l'emmenai ensuite faire un tour chez le caviste où il m'avait fait goûter toutes sortes de vins (« Non, Lily, on ne va pas faire une dégustation aujourd'hui. »), puis chez le tatoueur où il m'avait persuadée de me faire tatouer. Elle me demanda si je pouvais lui prêter de l'argent pour s'en faire un (je faillis pleurer de soulagement quand le tatoueur l'informa qu'il ne prenait pas de mineurs), puis voulut voir mon petit bourdon. Ce fut l'une des rares occasions où j'eus vraiment l'impression de susciter son admiration. Elle éclata de rire quand je lui racontai que Will s'était fait tatouer une date de péremption sur la poitrine.

— Tu as hérité de son horrible sens de l'humour, lui dis-je.

Elle essaya de dissimuler sa joie.

À cet instant, le tatoueur, qui avait entendu notre conversation, déclara qu'il possédait une photographie du tatouage de Will.

— Je garde des photos de toutes mes créations, dit-il sous sa moustache en guidon de vélo lourdement cirée. J'aime conserver une trace de mon travail. Vous vous souvenez de la date ?

Nous attendîmes en silence qu'il ait fini de parcourir son dossier. Et il était là, remontant de près de deux ans, un gros plan de ce dessin en noir et blanc soigneusement tatoué sur la peau dorée de Will. Je regardai longuement la photo. Son aspect familier me coupait le souffle. Le petit dessin, celui que j'avais nettoyé avec un chiffon doux, que j'avais séché, couvert de crème solaire, où j'avais posé ma joue. Je voulus le toucher, mais Lily me devança. Elle fit doucement glisser ses doigts aux ongles rongés sur le cliché.

— Je crois que je vais m'en faire un, dit-elle. Le même. Quand j'aurai l'âge requis.

— Alors, comment va-t-il ?

Lily et moi nous retournâmes. Le tatoueur était assis dans son fauteuil.

— Je me souviens bien de lui, dit-il en se frottant un bras lourdement enluminé. On n'a pas beaucoup de tétraplégiques, ici. C'est un sacré caractère, non ? ajouta-t-il avec un sourire.

Une boule se logea soudain au fond de ma gorge.

— Il est mort, répliqua Lily. Mon père est mort.

Le tatoueur grimaça.

— Désolé, petite. Je ne savais pas.

— Je peux la garder ? demanda Lily, qui avait déjà commencé à sortir la photo de sa pochette plastique.

— Bien sûr, se hâta-t-il de répondre. Si tu la veux, prends-la. Prends aussi la pochette. Au cas où il pleuvrait.

— Merci, dit-elle en calant le cliché sous son bras.

Et, pendant que l'homme bredouillait de nouvelles excuses, nous sortîmes de la boutique.

Nous mangeâmes – un petit déjeuner servi à toute heure de la journée – en silence dans un café. Sentant la bonne humeur du matin nous échapper, je me mis à parler. Je rapportai à Lily ce que je savais des amours de Will et de sa carrière. Je lui expliquai qu'il était le genre d'homme auquel on avait envie de plaire à tout prix, que ce soit en l'impressionnant par un acte remarquable ou simplement en le faisant rire avec une blague stupide. Je le lui décrivis tel qu'il était lorsque je l'avais rencontré, et lui racontai comment il avait changé, s'était adouci, s'était remis à trouver de la joie dans les petits riens de la vie, même si cela semblait souvent exiger qu'il se moque de moi.

— Par exemple, je n'étais pas très aventureuse en matière de nourriture. Ma mère sait cuisiner une dizaine de plats de base, qu'elle fait tourner depuis vingt-cinq ans. Et aucun de ceux-ci ne contient de quinoa. Ni de citronnelle. Ni de guacamole. Ton père, lui, était prêt à manger n'importe quoi.

— Et toi aussi, maintenant ?

— J'essaie toujours le guacamole une fois tous les deux mois environ. Mais c'est bien pour lui que je le fais.

— Tu n'aimes pas ça ?

— Le goût n'est pas mauvais. Mais je n'arrive pas à m'habituer à la consistance : ça ressemble à une crotte de nez.

Je lui parlai de son ancienne petite amie et du jour où nous nous étions incrustés à la fête de son mariage, moi assise sur les genoux de Will pendant que nous faisions tournoyer son fauteuil roulant motorisé sur la piste de danse. Lily rit tellement fort qu'elle recracha sa boisson en toussant.

— Sérieux ? À son mariage ?

Dans le petit espace surchauffé de ce café, je lui évoquai son père du mieux que je pus, et peut-être était-ce parce que nous étions loin de toutes les complications de la maison, ou parce que ses parents étaient partis à l'étranger, ou parce que, pour une fois, quelqu'un lui racontait des histoires à son sujet qui étaient simples et drôles, elle rit et posa des questions, hochant continuellement la tête comme si mes réponses ne faisaient que confirmer des choses qu'elle avait déjà devinées.

Oui, oui, il était comme ça. Oui, je suis peut-être un peu comme ça, moi aussi.

Nous discutâmes ainsi une bonne partie de l'après-midi, laissant nos tasses de thé refroidir sur la table. Et lorsque la serveuse fatiguée proposa de nous enlever le dernier toast de la pile que nous avions mis deux heures à manger, je me rendis compte que, pour la première fois, je me souvenais de Will sans ressentir la moindre tristesse.

— Et toi ?

— Quoi, moi ? demandai-je en avalant le dernier morceau de pain grillé.

Je jetai un coup d'œil à la serveuse, qui semblait prête à revenir à la charge.

— Qu'est-ce qui t'est arrivé quand papa est mort ? Je veux dire, tu avais l'air de faire vachement plus de trucs avec lui – alors qu'il était coincé dans son fauteuil – que tu en fais maintenant.

L'aliment devint soudain pâteux au fond de ma bouche. Je déglutis avec peine, et pus enfin protester :

— Je fais des tas de choses. Je suis très occupée en ce moment, c'est tout. Je travaille.

Elle haussa légèrement les sourcils, mais ne répondit pas.

— Et ma hanche me fait encore mal. Je ne suis pas encore en état d'escalader une montagne.

Lily remuait paresseusement son thé.

— Il se passe des choses dans ma vie. Tomber d'un toit n'est pas exactement ce qu'on peut appeler un événement routinier. J'ai eu ma dose de sensations fortes pour l'année !

— Mais ce n'est pas vraiment faire quelque chose, si ?

Un long silence s'installa. J'inspirai profondément, essayant de faire taire le soudain bourdonnement dans mes oreilles. La serveuse arriva entre nous, ramassa nos assiettes vides avec un vague air de triomphe et disparut en cuisine.

— Eh, dis-je. Je t'ai parlé de la fois où j'ai emmené ton père aux courses ?

Avec un timing parfait, ma voiture fit une surchauffe sur l'autoroute, à cinquante kilomètres de Londres. Face à l'incident, Lily eut une réaction étonnamment joyeuse. En fait, elle était curieuse :

— Je n'ai jamais été dans une voiture en panne. Je ne savais même pas que ça existait encore.

À ces mots, je restai bouche bée (mon père adressait régulièrement des prières à voix haute à sa camionnette, lui promettant de l'essence de meilleure qualité, des contrôles réguliers de la pression des pneus et un amour éternel si elle daignait arriver jusqu'à la maison encore une fois). Puis Lily m'expliqua que ses parents changeaient de Mercedes chaque année. La plupart du temps, ajouta-t-elle, à cause des dégâts infligés par ses demi-frères aux cuirs intérieurs.

Je me garai sur une bande d'arrêt d'urgence en attendant la dépanneuse. À chaque passage de camion, nous sentions vibrer la carrosserie de la petite voiture. Finalement, je jugeai plus prudent de sortir du véhicule, et nous grimpâmes sur le talus pour nous asseoir dans l'herbe, regardant le soleil de l'après-midi entamer sa descente de l'autre côté du pont.

— C'est qui, Martin ? demandai-je lorsque nous eûmes épuisé tous les sujets de conversation relatifs aux pannes.

Lily arracha des brins d'herbe derrière elle.

— Martin Steele ? C'est l'homme avec qui j'ai grandi, répondit-elle.

— Je croyais que c'était Francis.

— Non. Tête-de-Nœud n'est arrivé que quand j'avais sept ans.

— Tu sais, Lily, tu devrais peut-être arrêter de l'appeler comme ça.

Elle me jeta un regard de travers.

— Ouais, tu as sûrement raison, répliqua-t-elle en s'allongeant dans l'herbe. Je l'appellerai Face-de-Verge à la place, ajouta-t-elle avec un sourire narquois.

— OK, restons-en à Tête-de-Nœud. Du coup, comment ça se fait que tu le voies toujours ?

— Martin ? C'est le seul père dont je me souvienne vraiment. Maman s'est mise avec lui quand j'étais petite. Il est musicien. Très créatif. Il me lisait des histoires et écrivait des chansons sur moi, ce genre de trucs. J'ai…

Sa voix se brisa.

— Qu'est-ce qui s'est passé ? Entre lui et ta mère ?

Lily sortit de son sac un paquet de cigarettes et en alluma une. Elle inhala et recracha un long filet de fumée, se décrochant presque la mâchoire.

— Je suis rentrée de l'école un jour avec ma nounou, et maman m'a annoncé qu'il était parti. Juste comme ça. D'après elle, il ne s'intéressait pas assez à son développement personnel, ou bien il ne partageait pas sa vision de l'avenir. Une connerie dans ce goût-là. Je crois qu'en fait elle avait rencontré Francis et savait que Martin ne lui offrirait jamais ce qu'elle voulait.

— C'est-à-dire ?

— De l'argent. Une grande maison. La possibilité de passer ses journées à faire du shopping, à colporter des rumeurs avec ses amies, à aligner ses chakras, ou je ne sais quoi. Francis gagne une fortune en jonglant avec les chiffres dans sa banque privée, en compagnie de tous ses copains banquiers. Bref, en gros, un matin Martin était mon père – je l'ai appelé papa jusqu'au jour de son départ – et le soir, elle avait décidé qu'elle en avait assez de lui. Je suis rentrée, et il avait… disparu. C'était sa maison à elle, donc il a dû s'en aller. En un claquement de doigts. Et je n'ai pas le droit de le voir, ni même de parler de lui, parce que je ne suis bonne qu'à « remuer le couteau dans la plaie et être difficile ». Et bien sûr, elle a « tellement de peine et souffre d'une telle détresse émotionnelle… », grimaça Lily en imitant la voix de sa mère avec une précision presque effrayante. Et un jour où j'étais vraiment très en colère contre elle, elle m'a balancé que ce n'était pas la peine de me mettre dans des états pareils parce qu'il n'était même pas mon vrai père. En voilà, une manière sympa d'apprendre la vérité !

Je la regardai fixement.

— Et après ça, poursuivit-elle, Francis est arrivé. Avec ses bouquets de fleurs de luxe et ses prétendues sorties familiales, où je passais mon temps à tenir la chandelle ou à jouer avec les nounous dans un hôtel quatre étoiles adapté aux enfants. Six mois plus tard, maman m'a emmenée déjeuner à la pizzeria. Je me dis que c'est pour me faire plaisir, et que peut-être Martin est de retour, mais elle m'apprend qu'elle et Francis vont se marier, que c'est formidable, qu'il va être pour moi le meilleur père au monde et que je « dois vraiment beaucoup l'aimer ».

Lily souffla un anneau de fumée vers le ciel et l'observa s'élargir et se disloquer avant de disparaître.

— Mais tu ne l'aimais pas.

— Je le détestais. Tu le sais tout de suite quand quelqu'un se contente de tolérer ta présence. Même les enfants le sentent. Il n'a jamais voulu de moi, seulement de ma mère. Et je peux le comprendre : quel homme a envie de s'occuper de la gamine d'un autre ? Du coup, quand ils ont eu les jumeaux, ils m'ont envoyée en pension. Et hop, bon débarras !

Ses yeux s'étaient emplis de larmes. J'avais envie de la serrer contre moi, mais elle avait noué ses bras autour de ses genoux repliés et regardait droit devant elle. Nous restâmes assises en silence pendant quelques minutes, à contempler la circulation qui commençait à se densifier tandis que le soleil dérivait de plus en plus bas dans le ciel.

— Je l'ai retrouvé, tu sais.

Je me tournai vers elle.

— Martin. Quand j'avais onze ans. J'ai entendu ma nounou dire à une autre qu'elle n'avait pas le droit de me dire qu'il avait appelé à la maison. Alors je lui ai demandé de me révéler où il vivait, sans quoi je raconterais à ma mère qu'elle la volait. J'ai cherché son adresse et j'ai découvert qu'il habitait à un quart d'heure à pied de notre maison. Pyecroft Road. Tu connais ?

Je fis « non » de la tête.

— Est-ce qu'il était content de te revoir ?

— Très, répondit-elle après une brève hésitation. Il a même failli pleurer. Il a dit que je lui manquais beaucoup, que c'était terrible d'être séparé de moi et que je pouvais passer le voir chaque fois que j'en avais envie. Mais il s'était marié et il avait eu un bébé. Et quand tu débarques chez quelqu'un qui a refait sa vie et s'est construit une petite famille, tu te rends compte que tu n'en fais plus vraiment partie.

— Je suis sûre que personne n'a pensé…

— Oui, bon. En tout cas, il est super gentil et tout, mais je lui ai expliqué que je ne pouvais pas le voir. C'est trop bizarre. Et, tu sais, comme je lui ai dit, « je ne suis pas ta vraie fille ». Mais il m'appelle toujours de temps en temps. C'est idiot, conclut-elle en secouant la tête.

Un long moment, nous restâmes assises sans rien dire. Puis elle regarda vers le ciel et demanda :

— Tu sais ce qui m'emmerde le plus ?

J'attendis.

— Elle a fait changer mon nom quand elle s'est mariée. Elle l'a modifié sans même me demander mon avis. Je ne voulais pas être une Houghton-Miller, murmura-t-elle d'une voix brisée.

— Oh, Lily.

Elle se passa la main sur le visage d'un geste brusque, gênée d'être surprise en train de pleurer. Elle aspira une dernière bouffée de sa cigarette, puis l'écrasa dans l'herbe et renifla bruyamment.

— Cela dit, reprit-elle, en ce moment, Face-de-Verge et maman se disputent tout le temps. Je ne serais pas surprise qu'ils finissent par se séparer. Si ça arrive, on devra encore déménager et changer de nom, et personne ne pourra rien lui dire à cause de sa « douleur » et de son besoin de « progresser sur le plan émotionnel », ou je ne sais quelle connerie. Et dans deux ans, il y aura un nouveau Tête-de-Nœud, et mes frères s'appelleront Houghton-Miller-Branson ou Ozymandias ou Toodlepip, ou que sais-je encore. Heureusement, conclut-elle avec un petit rire, je serai partie depuis longtemps quand ça arrivera. Je parie qu'elle ne s'en rendra même pas compte.

— Tu crois vraiment qu'elle a une si piètre opinion de toi ?

Lily se tourna brusquement vers moi. Le regard qu'elle me lança, bien trop avisé pour son âge, était triste à mourir.

— Je crois qu'elle m'aime, mais qu'elle s'aime encore plus. Sinon, comment pourrait-elle agir ainsi ?

Chapitre 13

LE BÉBÉ DE M. TRAYNOR VINT AU MONDE LE LENDEMAIN. MON téléphone sonna à 6 h 30 et, pendant un bref et terrible instant, je crus qu'un accident était arrivé. Mais ce n'était que Steven Traynor, à bout de souffle et au bord des larmes, qui s'écria d'un ton légèrement incrédule :

— C'est une fille ! Trois kilos sept ! Elle est absolument parfaite !

Il me dit à quel point elle était belle, à quel point elle ressemblait à Will quand il était bébé, et m'invita à venir la voir. Puis il me demanda de réveiller Lily. Je la regardai, ensommeillée et silencieuse, l'écouter lui annoncer qu'elle avait une… une… (ils mirent une bonne minute à le comprendre) une tante !

— D'accord, dit-elle enfin.

Puis, après l'avoir écouté un instant :

— Oui… bien sûr.

Elle raccrocha et me rendit le combiné. Elle croisa brièvement mon regard, puis se retourna dans son tee-shirt froissé et partit se recoucher en fermant avec soin la porte derrière elle.

Les représentants en mutuelle de santé bien imbibés étaient, estimai-je à 10 h 45, à une tournée de rater leur avion. J'hésitais à le leur faire remarquer quand une veste réfléchissante familière apparut derrière le bar.

— Personne n'a besoin d'assistance médicale ici, lui dis-je en m'approchant à pas lents. Pas encore, en tout cas.

— Je ne me lasse jamais de cette tenue. Je ne sais pas pourquoi.

Sam grimpa sur un tabouret et posa les coudes sur le comptoir.

— Cette perruque est… intéressante.

— La production d'électricité statique est devenue mon super pouvoir, répliquai-je en tirant sur ma jupe en Lurex. Tu veux un café ?

— Oui, merci. Mais je ne vais pas pouvoir rester longtemps.

Il jeta un coup d'œil à sa radio, puis la remit dans sa poche.

Je lui préparai un allongé en tâchant de dissimuler ma joie.

— Comment tu as su où je travaillais ? demandai-je.

— On nous a appelés à la porte d'embarquement 14. Un possible infarctus. Jake m'a rappelé que tu bossais à l'aéroport et, tu sais, tu es facilement repérable…

Les commerciaux s'étaient tus. Sam était le genre d'homme, avais-je remarqué, dont la présence calmait aussitôt les autres.

— Donna fait le tour des boutiques détaxées, ajouta-t-il. Elle cherche un sac à main.

— J'imagine que vous avez déjà soigné votre patient ?

— Non, sourit-il. Je pensais demander la direction de la porte 14 après avoir pris un petit café.

— Très drôle. Et donc, vous lui avez sauvé la vie ?

— Je lui ai donné un cachet d'aspirine et lui ai dit que boire quatre doubles expressos avant 10 heures du matin n'était pas la meilleure idée qui soit. Mais je suis flatté que tu aies une vision si trépidante de mon travail.

Je ne pus m'empêcher d'éclater de rire. Je lui tendis son café, dont il but une gorgée d'un air reconnaissant.

— Je me demandais…, dit-il. Ça te dirait qu'on se refasse un non-rencard un de ces jours ?

— Avec ou sans ambulance ?

— Sans, de préférence.

— Est-ce qu'on pourra discuter des ados à problèmes ?

Je me rendis compte que j'étais en train d'enrouler entre mes doigts une longue mèche bouclée de ma perruque. Bon sang de bonsoir ! Je jouais avec mes cheveux, et ce n'étaient même pas les vrais ! Il fallait que je me calme.

— On pourra parler de tout ce que tu veux.

— Et qu'est-ce qu'on pourrait faire ?

Il marqua une pause assez longue pour me faire rougir.

— Dîner ? proposa-t-il enfin. Chez moi ? Ce soir ? Je te promets que s'il pleut je ne t'installerai pas dans le salon.

— Ça marche.

— Je passe te prendre à 19 h 30.

Il venait d'avaler sa dernière gorgée de café quand Richard apparut. Celui-ci le regarda, puis se tourna vers moi. J'étais toujours penchée sur le bar, à quelques centimètres de lui.

— Il y a un souci ? demanda-t-il.

— Aucun, répondit Sam.

Lorsqu'il se leva, Richard put constater que Sam faisait une bonne tête de plus que lui. Je vis quelques pensées fugaces passer sur son visage. Il était si transparent que je pus même deviner leur cheminement.

Que fabrique cet ambulancier ici ? Pourquoi Louisa ne fiche-t-elle rien ? Je voudrais bien l'engueuler, mais cet homme est trop baraqué et je ne comprends pas très bien ce qui se passe entre eux. Et j'ai aussi un petit peu peur de lui.

Je faillis éclater de rire.

— OK. À ce soir, répéta Sam. Et garde cette perruque. Je t'aime bien en version inflammable.

Un homme d'affaires, rougeaud et l'air imbu de lui-même, se cala au fond de son siège si bien que sa chemise se tendit à craquer sur son ventre, et demanda :

— Alors, vous allez nous le faire, ce petit discours sur les dangers de l'alcool ?

Les autres s'esclaffèrent.

— Non, continuez, messieurs, répliqua Sam en leur adressant un salut de la main. On se revoit dans un an ou deux.

Je le regardai s'éloigner vers la zone des départs. Donna le rejoignit devant le marchand de journaux. Lorsque je me retournai vers le bar, je croisai le regard de Richard, qui m'observait.

— Louisa, dit-il, je n'aime pas voir votre vie privée empiéter sur votre temps de travail.

— Très bien. La prochaine fois, je lui demanderai d'ignorer la crise cardiaque de la porte 14.

— Et ce qu'il a dit à l'instant, poursuivit Richard en serrant la mâchoire. Au sujet de la perruque qu'il vous demande de porter ce soir. Je vous rappelle que cet accessoire est la propriété du *Shamrock and Clover*. Vous n'êtes pas autorisée à la porter en dehors de vos heures de travail.

Cette fois, je ne pus m'en empêcher. Je me mis à rire.

— Vraiment ?

Même lui eut l'intelligence de rougir un peu.

— C'est le règlement, répliqua-t-il. Il s'agit d'un uniforme.

— Mince… Je crois qu'à l'avenir je vais être obligée d'acheter mes propres perruques de danseuse irlandaise. Eh, Richard ! l'appelai-je alors qu'il repartait dans son bureau d'un pas vif. Pour que ce soit équitable, est-ce que ça signifie que vous n'avez pas le droit d'émoustiller Mme Percival avec ce polo ?

En arrivant chez moi, je ne trouvai nulle trace de Lily hormis un paquet de céréales posé sur le comptoir de la cuisine et, inexplicablement, un tas de poussière sur le sol de l'entrée. Je tentai de la joindre sur son portable, sans succès, et me demandai si j'arriverais un jour à trouver l'équilibre entre le parent hyper anxieux, le parent normalement inquiet, et Tanya Houghton-Miller. Puis je sautai dans la douche et me préparai pour mon rencard qui, définitivement, n'en était pas un.

Il pleuvait. Il se mit même à pleuvoir à torrents lorsque nous arrivâmes sur le terrain de Sam. Trempés, nous parcourûmes au pas de course la faible distance qui séparait sa moto du wagon. Je restai à dégouliner sur le seuil pendant qu'il fermait la porte, me rappelant à quel point la sensation de chaussettes mouillées était déplaisante.

— Ne bouge pas, dit-il en chassant du plat de la main les gouttelettes suspendues à ses cheveux. Tu ne peux pas rester dans ces vêtements trempés.

— On dirait le début d'un très mauvais film porno, dis-je.

Il se figea, et je me rendis compte que j'avais parlé à haute voix. Je lui adressai un sourire un peu hésitant.

— OK, dit-il en haussant les sourcils.

Il disparut au fond du wagon et réapparut une minute plus tard avec un pull et quelque chose qui ressemblait à un jogging.

— Le pantalon appartient à Jake. Tout est propre, mais j'ai bien peur que ça ne fasse pas très « hardeuse », déclara-t-il en me tendant les habits. Ma chambre est là si tu veux aller te changer. La salle de bains est derrière cette porte, si tu préfères.

J'entrai dans sa chambre et fermai la porte derrière moi. La pluie battait bruyamment sur le toit, obscurcissant les fenêtres d'un voile mouvant. Je voulus tirer les rideaux, puis me souvins qu'il n'y avait pas de vis-à-vis… à part les poules, qui se blottissaient à l'abri en secouant leurs plumes d'un air grognon pour en chasser les gouttes. J'enlevai mon haut et mon jean, puis m'essuyai à l'aide de la serviette que Sam m'avait donnée. Pour rire, je m'exhibai devant les volatiles à travers la fenêtre.

Une facétie digne de Lily, songeai-je après coup.

Les volailles ne semblèrent pas impressionnées. Je plaquai la serviette sur mon visage et inspirai profondément. Je me sentais coupable, comme si j'avais inhalé une drogue interdite. La pièce de linge venait d'être lavée, mais parvenait pourtant à dégager une senteur masculine. Je n'avais pas respiré une telle odeur depuis la mort de Will. Cette évocation me mit un instant mal à l'aise, et je reposai la serviette.

Au sol, le lit double occupait presque toute la place. Une armoire étroite tenait lieu de garde-robe, et deux paires de bottes de chantier étaient proprement rangées dans un coin. Un livre traînait sur la table de nuit à côté d'une photo de Sam et d'une femme, dont les cheveux blonds étaient rassemblés en un chignon relâché. Elle avait le bras posé sur son épaule et souriait au photographe. Elle n'était pas incroyablement belle, mais dégageait quelque chose d'hypnotique. Elle semblait faire partie de ces femmes qui riaient beaucoup. Elle me faisait penser à une version féminine de Jake. Soudain, je me sentis désespérément triste pour lui et dus détourner les yeux avant de m'apitoyer également sur moi-même. Parfois, j'avais l'impression que nous pataugions tous dans une épaisse mare de deuil, refusant d'admettre à quel point nous y étions déjà embourbés. Je me demandai vaguement si la réticence de Sam à parler de sa femme était semblable à la mienne ; s'il savait qu'au moment où il ouvrirait la boîte, où il laisserait échapper ne serait-ce qu'un murmure de regret, ce dernier enflerait démesurément et finirait par engloutir tout autre sujet de conversation.

Je pris une profonde inspiration.

— Contente-toi de passer une bonne soirée, m'intimai-je en me rappelant les conseils du cercle : « Autorisez-vous des moments de bonheur. »

J'essuyai les pâtés de mascara sous mes yeux et vis dans le petit miroir que je ne pouvais rien pour mes cheveux. Puis je passai le pull beaucoup trop grand de Sam, m'efforçant de faire abstraction de l'étrange intimité que cela engendrait, et enfilai le jogging de Jake. Ensuite je jetai un coup d'œil à mon reflet.

Qu'est-ce que tu en penses, Will ? Rien qu'une bonne soirée. Ça n'engage à rien, si ?

Sam sourit jusqu'aux oreilles lorsque je sortis de sa chambre en roulant les manches de son pull.

— Tu as l'air d'avoir douze ans, s'esclaffa-t-il.

Je me rendis dans la salle de bains, essorai mon jean, ma chemise et mes chaussettes dans le lavabo, et les suspendis sur la tringle du rideau de douche.

— Qu'est-ce que tu nous prépares ?

— J'avais pensé faire une salade, mais le temps ne s'y prête plus vraiment. Du coup, j'improvise.

Il avait mis à bouillir une casserole d'eau, qui avait déjà formé une couche de buée sur les vitres.

— Tu aimes les pâtes ? demanda-t-il.

— Je mange de tout.

— Excellent.

Il ouvrit une bouteille de vin et m'en servit un verre en me faisant signe de prendre place sur la banquette. Devant moi, la petite table avait été mise pour deux. À cette vue, un léger frisson me parcourut. J'avais le droit de passer un bon moment. De m'accorder un petit plaisir. J'étais sortie danser. Je m'étais exhibée en sous-vêtements devant des poules. Et à présent, j'allais passer une agréable soirée en compagnie d'un homme séduisant qui voulait me faire à dîner. Je progressais peu à peu.

Peut-être Sam perçut-il mon malaise, car il attendit que j'avale une gorgée de vin avant de demander en remuant le contenu d'une casserole sur le réchaud :

— Ce type, tout à l'heure, c'est le chef dont tu m'avais parlé ?

Le vin était délicieux. J'en pris une deuxième gorgée. Je n'osais pas boire quand Lily était avec moi : je ne voulais pas baisser ma garde.

— Oui, répondis-je.

— Je connais ce genre-là. Si ça peut te consoler, dans cinq ans, il souffrira soit d'un ulcère, soit d'une hypertension artérielle qui lui causera un trouble érectile.

— Ces deux idées sont étrangement réconfortantes, m'esclaffai-je.

Bientôt, il s'installa à table en me présentant un bol de pâtes fumantes.

— Santé, dit-il en levant un verre d'eau. Et maintenant, raconte-moi ce qui se passe avec cette gamine.

C'était un tel soulagement d'avoir quelqu'un à qui parler ! J'étais si peu habituée aux gens qui écoutaient vraiment – contrairement à ceux, au bar, qui voulaient seulement entendre le son de leur propre voix – que discuter avec Sam était pour moi une véritable révélation. Il ne m'interrompait pas, ne m'abreuvait pas de conseils. Il écoutait, hochait la tête et me resservait du vin. Puis, enfin, alors que la nuit était tombée depuis longtemps, il déclara :

— C'est une sacrée responsabilité que tu as acceptée.

Je me calai en arrière sur la banquette et levai les pieds.

— Je n'ai pas l'impression d'avoir eu le choix, expliquai-je. Je n'arrête pas de me poser la question que tu m'as posée : qu'est-ce que Will aurait voulu que je fasse ? Mais c'est plus difficile que ce que je croyais. Je pensais que j'aurais simplement à l'emmener voir son grand-père et sa grand-mère, et que tout le monde serait content. Point barre, avec une fin heureuse comme dans les contes de fées.

Il regarda ses mains. Je l'observai.

— Tu penses que je suis folle de prendre en charge cette gamine.

— Non. Trop de gens ne se soucient que de leur bonheur, sans une pensée pour les ravages qu'ils causent dans leur sillage. Tu n'imagines pas le nombre de gamins perturbés que je ramasse le week-end... Ivres, drogués, tout ce que tu veux. Leurs parents sont trop obnubilés par leurs problèmes pour s'occuper d'eux, ou ont tout simplement disparu. La vie de ces gosses n'est qu'un grand vide, alors ils se mettent en danger.

— C'est pire qu'avant ?

— Je l'ignore. Tout ce que je sais, c'est qu'il y en a des tas. Et que le pédopsychiatre de l'hôpital tient une liste d'attente longue comme le bras. Mais attends un peu avant de t'indigner, je dois aller enfermer les poules pour la nuit, ajouta-t-il avec un demi-sourire.

Je voulus lui demander comment une personne apparemment si sage pouvait négliger les sentiments de son fils et s'il savait à quel point Jake était malheureux. Mais vu la façon dont il me parlait et étant donné qu'il venait de me préparer un bon dîner, je jugeai la remarque un peu déplacée... À cet instant, je fus distraite de mes pensées par la vue des volailles qui rentraient l'une après l'autre dans leur poulailler. Puis Sam revint, faisant entrer avec lui l'air frais et les faibles senteurs du dehors.

Il me resservit un verre de vin, que je me mis à siroter tranquillement. Je savourai le côté douillet du petit wagon et la sensation d'un ventre bien rempli tandis que je me laissais bercer par la voix de Sam. Il me raconta ses nuits passées à tenir la main de personnes âgées et me parla des objectifs de ses chefs, qui lui donnaient, à lui et ses collègues, l'impression de ne pas faire le travail pour lequel ils avaient été formés. Je l'écoutais, perdue dans un univers tellement lointain du mien. Je regardais ses mains, qui s'agitaient pour mieux appuyer ses propos, et son sourire mélancolique, qu'il esquissait lorsqu'il sentait qu'il se prenait trop au sérieux. Je regardais ses mains, fascinée.

Je rougis légèrement quand je me rendis compte où m'emmenaient mes pensées et avalai une nouvelle gorgée de vin afin de reprendre une contenance.

— Où est Jake ce soir ?

— Je l'ai à peine croisé. Chez sa copine, je crois. Elle a environ un milliard de frères et sœurs, et une mère qui reste toute la journée à la maison, répondit-il d'un air un peu triste. Il aime bien traîner là-bas.

Il se tut et but un peu d'eau.

— Et Lily, où est-ce qu'elle est ? demanda-t-il à son tour.

— Je ne sais pas. Je lui ai envoyé deux messages, mais elle n'a pas pris la peine de répondre.

Sa simple présence m'émoustillait. Il semblait deux fois plus large d'épaules et trois fois plus vivant que tous les autres hommes. Mes pensées ne cessaient de s'égarer lorsque je me perdais dans ses pupilles, qui s'étrécissaient légèrement quand il m'écoutait comme s'il voulait être certain qu'il m'avait bien comprise… La barbe de deux jours qui lui ombrait le menton, sa silhouette musclée sous la laine de son pull… Mes yeux ne cessaient de glisser de plus en plus bas, vers ses mains posées sur la table, ses doigts qui tapotaient machinalement la surface de bois. Des mains tellement agiles. Je me souvenais de la douceur avec laquelle elles m'avaient tenu la tête, de la façon dont je les avais serrées dans l'ambulance, comme si elles étaient une bouée à laquelle je pouvais me raccrocher. Il me regarda et sourit. Un sourire à la fois tendre et interrogateur. À cet instant, je sentis ma carapace fondre. Est-ce que ce serait si mal, tant que je restais lucide ?

— Tu veux un café, Louisa ?

Il avait cette façon bien à lui de m'observer… Je fis « non » de la tête.

— Est-ce que tu veux…

Sans réfléchir, je me penchai au-dessus de la petite table, l'attrapai par la nuque et l'embrassai. Il hésita une fraction de seconde, puis me rendit mon baiser. Je crois que l'un de nous renversa un verre de vin, mais je ne pouvais plus m'arrêter. Je voulais me perdre dans cette étreinte. Je bannis toute interrogation sur ce que cela signifiait, dans quel pétrin j'étais en train de me fourrer.

Allez, profite ! me dis-je.

Et je l'embrassai jusqu'à ce que tout bon sens m'échappe, jusqu'à ne plus vivre qu'à travers les désirs qu'il m'inspirait.

Il s'écarta en premier, un peu hébété.

— Louisa…

Un couvert tomba par terre dans un fracas métallique. Je me levai, et il m'imita. Puis il m'attira vers lui. Et soudain, nous nous cognions partout dans l'espace réduit du wagon. Nous n'étions plus que mains et bouches et, oh, bon sang, le goût de ses lèvres, son odeur, la sensation de son corps contre le mien… Je sentais comme de petits feux d'artifice qui explosaient dans tout mon être, des parties de moi que je croyais mortes qui revenaient à la vie. Il me souleva et j'enroulai les jambes autour de sa taille, me délectant de sa force et de sa carrure. J'embrassai son visage, le lobe de son oreille, passai les doigts dans sa chevelure brune. Puis il me reposa. Nous nous trouvions à quelques centimètres l'un de l'autre, et il m'observait, une question muette dans le regard.

— Je n'ai plus enlevé mes vêtements devant personne depuis… l'accident, haletai-je.

— Ne t'en fais pas. J'ai une formation médicale.

— Je suis sérieuse. Je suis une vraie épave, murmurai-je, soudain au bord des larmes.

— Tu veux que je t'aide à te sentir mieux ?

— C'est la réplique la plus bidon que j'aie jamais…

Il souleva son tee-shirt, dévoilant une cicatrice rouge longue de cinq centimètres qui lui zébrait le ventre.

— Là. Il y a quatre ans, j'ai été poignardé par un Australien que je voulais emmener au service psychiatrique. Et là, regarde, poursuivit-il en se retournant pour révéler un gros hématome vert et jaune en bas de son dos. Un poivrot m'a donné un coup de pied samedi dernier. Une poivrote, même. Et ici, je me suis cassé un doigt, ajouta-t-il en tendant la main droite. Je l'ai coincé dans la civière en voulant soulever un patient obèse. Et, oh, oui, regarde là ! conclut-il en me montrant sa hanche, où j'aperçus une courte ligne irrégulière d'une étrange couleur argentée. Blessure par perforation, d'origine inconnue, que j'ai reçue pendant une bagarre en boîte de nuit sur Hackney Road l'an dernier. Les flics n'ont jamais arrêté le coupable.

J'examinai son corps solide, ses cicatrices.

— Et celle-là ? demandai-je en touchant doucement une marque plus petite sur son flanc.

Sa peau était chaude sous son tee-shirt.

— Oh, ça ? Appendicite. J'avais neuf ans.

Je posai les yeux sur son torse, puis sur son visage. Puis, en soutenant son regard, je passai lentement mon pull au-dessus de ma tête. Involontairement, je frissonnai. J'ignorais si je devais en accuser le froid ou ma nervosité. Il s'approcha, si près qu'il n'était plus qu'à quelques millimètres de moi, et caressa du bout des doigts la courbe de ma hanche.

— Je me souviens, dit-il. Je me souviens que je sentais la fracture à cet endroit.

Il passa doucement la main sur mon ventre nu. Mes muscles se contractèrent.

— Et là, poursuivit-il. Tu avais ce gros hématome rouge. J'avais peur que des organes vitaux n'aient été touchés.

Il appuya sa paume à l'endroit de ma blessure. Elle était chaude. Mon souffle se bloqua dans ma gorge.

— Les mots « organes vitaux » ne m'ont jamais paru aussi excitants, articulai-je.

— Oh, mais je n'ai même pas encore commencé.

Sans se presser, il m'emmena en direction du lit. Je m'assis, les yeux plongés dans les siens, et il s'agenouilla afin de faire courir ses doigts le long de mes jambes.

— Et puis il y a celle-là, reprit-il en soulevant mon pied droit, orné de sa cicatrice rouge vif. Là. Fracture. Lésions des tissus mous. Ça a dû faire un mal de chien.

— Tu te souviens de beaucoup de choses.

— La plupart des patients, je n'aurais même pas pu les reconnaître en les croisant dans la rue le lendemain. Mais toi, Louisa… Je n'ai pas pu t'oublier.

Il pencha la tête pour embrasser ma cheville, puis fit lentement glisser ses mains vers ma cuisse et les posa sur le lit de chaque côté de mes hanches avant de se redresser. Il était à présent penché sur moi.

— Tu n'as plus mal nulle part, maintenant ?

Je fis « non » de la tête. À cet instant, je me fichais de tout. Je me fichais qu'il soit un baiseur en série, je me fichais de savoir s'il jouait avec moi. J'étais si éperdue de désir que je me fichais même qu'il me brise de nouveau la hanche.

Il remonta sur moi, centimètre par centimètre, comme une marée, et je m'allongeai sur le dos. À chaque mouvement, mon souffle se faisait un peu plus irrégulier, jusqu'à ce que je n'entende plus que ma respiration dans le silence. Sam baissa les yeux sur moi, puis les ferma pour m'embrasser tendrement. Il laissa son poids reposer sur moi, juste assez pour que je me sente délicieusement impuissante et incroyablement excitée, son corps puissant contre le mien. Je savourai la sensation de ses lèvres dans mon cou, sa peau contre la mienne, jusqu'à l'étourdissement. Jusqu'à ce qu'involontairement je me cambre contre lui en enroulant les jambes autour de ses hanches.

— Oh, bon sang, soupirai-je, à bout de souffle, quand il se redressa pour respirer. J'aurais voulu que tu ne sois pas aussi mauvais pour moi…

Il haussa les sourcils d'un air surpris.

— Voilà qui est… euh… aguichant, répliqua-t-il.

— Tu ne vas pas pleurer après, j'espère ?

— Euh… non, répondit-il, absolument abasourdi.

— Oh, et pour info, je ne suis pas une psychopathe obsessionnelle. Je ne vais pas te suivre partout après ça. Ni poser des questions sur toi à Jake pendant que tu seras sous la douche.

— C'est… c'est bon à savoir.

Les règles de base établies, je roulai sur le côté pour le chevaucher et l'embrassai jusqu'à oublier tout ce dont nous venions de parler.

Une heure et demie plus tard, j'étais allongée sur le dos, les yeux rivés au plafond, un peu hébétée. Ma peau bourdonnait, mes os vibraient, j'avais mal à des endroits dont j'ignorais l'existence, et pourtant j'étais envahie par un extraordinaire sentiment de paix. C'était comme si mon être le plus profond avait fondu afin de mieux se reformer. Je ne savais pas si je serais capable de me lever un jour.

« On ne sait jamais ce qui peut se passer quand on tombe de si haut. »

Ce n'était pas moi. Je rougis en repensant aux vingt dernières minutes. Avais-je vraiment… et puis… Les souvenirs se chassaient les uns les autres en une brûlante course-poursuite. Jamais je n'avais rien vécu de tel. Pas même au cours des sept années passées avec Patrick. C'était comme comparer un sandwich au fromage avec… quoi ? La plus incroyable cuisine gastronomique ? Un steak énorme ? À cette pensée, je gloussai involontairement et plaquai une paume sur ma bouche. Je ne me sentais pas moi-même.

À côté de moi, Sam s'était assoupi. Je tournai la tête pour l'observer.

Oh, bon sang, songeai-je, émerveillée devant les lignes de son visage, la courbe de ses lèvres… Il était impossible de le regarder sans avoir envie de le toucher. Je me demandai si je devais rapprocher ma main afin de…

— Eh, chuchota-t-il, les yeux embrumés de sommeil.

… et c'est alors que la vérité me frappa de plein fouet.

Oh, merde. Je suis devenue l'une d'entre elles.

Nous nous rhabillâmes sans dire un mot. Sam proposa de me préparer une tasse de thé, mais je répondis que je devais rentrer rapidement afin de m'assurer que Lily était là.

— Vu que sa famille est partie en vacances, tu comprends…, expliquai-je en passant mes doigts dans mes cheveux emmêlés.

— Bien sûr. Oh. Tu veux vraiment partir maintenant ?

— Oui… s'il te plaît.

Je récupérai mes vêtements dans la salle de bains. Je me sentais mal à l'aise, brusquement dessoûlée. Je ne pouvais pas le laisser deviner mon trouble. Je m'efforçais tant bien que mal de rétablir une distance confortable entre nous, et cela me rendait maladroite. Lorsque je ressortis, il s'était habillé et faisait la vaisselle. J'essayai de ne pas le regarder. C'était plus simple ainsi.

— Est-ce que je peux t'emprunter ces vêtements pour rentrer ? Les miens sont encore humides.

— Bien sûr. Mais… non, rien.

Il fouilla au fond d'un tiroir, d'où il sortit un sac en plastique. Je le pris, et nous restâmes un instant face à face dans la pénombre.

— C'était… une bonne soirée, dis-je enfin.

— Oui.

Il m'observa un instant, comme pour essayer de comprendre la raison de ma fuite.

En roulant dans l'air froid de la nuit, j'essayai de ne pas poser ma joue contre son dos. Malgré mes protestations, il avait insisté pour me prêter un blouson en cuir. Au bout de quelques kilomètres, la température devint glaciale, et je fus contente de l'avoir. Nous arrivâmes en bas de chez moi à 23 h 15, même si je dus regarder à deux fois lorsque je posai les yeux sur l'horloge. J'avais l'impression que plusieurs vies s'étaient écoulées depuis qu'il était passé me prendre.

Je mis pied à terre et commençai à enlever son blouson, mais il descendit sa béquille d'un coup de talon.

— Il est tard, déclara-t-il. Laisse-moi au moins te raccompagner jusqu'à ton appartement.

J'hésitai.

— D'accord. Comme ça, je pourrai te rendre tes vêtements.

Je tentais d'avoir l'air insouciant. Il haussa les épaules et m'emboîta le pas.

Arrivés sur mon palier, nous fûmes accueillis par une musique tonitruante. Je sus immédiatement d'où elle provenait. Je boitillai d'un pas vif jusqu'à ma porte, attendis quelques secondes et poussai lentement le battant. Lily se tenait au milieu du couloir, une cigarette dans une main, un verre de vin dans l'autre. Elle portait une robe à fleurs jaunes que j'avais achetée dans une boutique vintage à l'époque où je faisais attention à mon apparence. Je la regardai, bouche bée…

et lorsque je remarquai ce qu'elle portait d'autre, je trébuchai ; je sentis Sam m'attraper par le bras.

— Joli blouson, Louisa !

Lily pointa ses orteils. Elle portait mes chaussures vertes à paillettes.

— Pourquoi tu ne les mets jamais, celles-là ? demanda-t-elle. Tu as toutes ces super fringues, et tu mets toujours les mêmes jeans et les mêmes tee-shirts.

Elle retourna dans ma chambre et en sortit une minute plus tard en brandissant une combinaison dorée disco que je portais à l'époque avec des bottes marron.

— Mate-moi ça ! s'écria-t-elle. Je suis trop jalouse !

— Enlève-le, ordonnai-je lorsque je retrouvai la capacité de parler.

— Quoi ?

— Ce collant. Enlève-le, répétai-je d'une voix étranglée.

Lily baissa les yeux sur la paire de collants noir et jaune qu'elle portait.

— Non, sérieusement, tu as de vrais trésors ici. Biba, DVF… Ce truc violet style Chanel… Tu sais combien ça vaut, tout ça ?

— Enlève-le !

Peut-être avait-il remarqué ma soudaine rigidité, car Sam se mit à me pousser en avant.

— Viens, dit-il. Si on allait dans le salon pour…

— Je ne bougerai pas d'ici tant qu'elle n'aura pas enlevé ce collant.

Lily grimaça.

— C'est bon, pas besoin d'en faire tout un drame…

Je la regardai, vibrante de colère, commencer à ôter mon collant rayé. Lorsque la maille s'accrocha à son talon, elle donna un coup de pied pour s'en débarrasser.

— Ne le déchire pas !

— Ce n'est qu'un collant.

— Ce n'est pas qu'un collant ! C'est… un cadeau.

— Ça reste quand même un collant, marmonna-t-elle.

Elle parvint enfin à le retirer et le laissa en boule par terre. Dans ma chambre, j'entendis le cliquètement des cintres tandis qu'elle se hâtait de ranger le reste de mes affaires.

Un instant plus tard, Lily apparut dans le salon. En culotte et soutien-gorge. Elle attendit d'être certaine d'avoir capté notre attention, avant d'enfiler une petite robe à gestes lents et ostentatoires en agitant ses hanches minces. Puis elle m'adressa un sourire narquois.

— Je vais en boîte, annonça-t-elle. Ne m'attends pas. Ravie de vous avoir revu, monsieur…

— Fielding, dit Sam.

— Monsieur Fielding.

Elle me sourit. Un sourire qui n'en était pas un. Puis elle disparut en claquant la porte derrière elle.

Je poussai un soupir tremblant, puis allai ramasser mon collant. Je m'assis sur le canapé pour le défroisser, m'assurant qu'il n'était pas filé ni brûlé à la cigarette. Sam s'assit à côté de moi.

— Ça va ? demanda-t-il.

— Je sais que tu dois me prendre pour une folle, dis-je enfin. Mais c'était un…

— Tu n'as pas à te justifier.

— J'étais une personne différente. C'est ça qu'il signifie… J'étais… Il m'a…

Je me tus. Nous restâmes assis là dans mon appartement silencieux. Je savais que je lui devais une explication, mais je n'avais pas de mots. À la place, j'avais une énorme boule dans la gorge.

J'ôtai le blouson de Sam et le lui tendis.

— Ce n'est rien, dis-je. Tu n'es pas obligé de rester.

Je sentais ses yeux posés sur moi, mais je gardais les miens fixés vers le sol.

— Bon, alors je vais te laisser.

Et sans prononcer une parole de plus, il s'en alla.

Chapitre 14

Cette semaine, j'arrivai en retard à la séance du cercle. Après m'avoir préparé un café, peut-être en guise d'excuses, Lily avait renversé de la peinture verte sur le sol de l'entrée, laissé un pot de glace fondre dans la cuisine, volé mon trousseau, avec mes clés de voiture, parce qu'elle ne trouvait pas le sien, et emprunté ma perruque pour une soirée sans me demander la permission. Je l'avais retrouvée par terre dans sa chambre. Lorsque je l'avais mise, on aurait dit qu'un vieux chien de berger se livrait sur ma tête à une activité inavouable.

Lorsque j'arrivai à la salle paroissiale, tout le monde venait de s'asseoir. Natasha se décala pour me laisser la chaise voisine de la sienne.

—Ce soir, nous allons parler des signes qui indiquent qu'on est en train d'aller de l'avant, annonça Marc, sa tasse de thé à la main. Pas forcément des choses énormes : nouer une nouvelle relation, jeter des vêtements, ou que sais-je encore. Simplement de petits détails qui nous font comprendre que notre deuil pourra un jour prendre fin. Souvent, nous ne prêtons pas attention à ces signes, comme si nous refusions de les voir parce que nous nous sentons coupables de tourner la page.

—Je me suis inscrit sur un site de rencontres, déclara Fred. *De mai à décembre*, ça s'appelle.

Un murmure surpris et approbateur lui répondit.

— C'est très encourageant, Fred, dit Marc. Qu'est-ce que tu espères y trouver ? De la compagnie ? Je me souviens t'avoir entendu dire qu'il te manquait d'avoir quelqu'un avec qui te balader le dimanche après-midi. Près de la mare aux canards, c'est bien ça ? Là où toi et ta femme alliez marcher ensemble ?

— Oh, non. C'est pour le sexe en ligne.

Marc faillit s'étrangler avec son thé. S'ensuivit un moment de flottement, puis quelqu'un lui tendit un mouchoir pour qu'il puisse essuyer son pantalon.

— Le sexe en ligne, reprit Fred. C'est ce qu'ils font tous, non ? Je me suis inscrit sur trois sites. *De mai à décembre*, pour les jeunes femmes qui aiment les hommes plus âgés, expliqua-t-il en comptant sur ses doigts, *Sugar Daddies*, pour celles qui aiment les vieux qui ont de l'argent, et… euh… *Étalons fringants*. Pour celui-là, ils n'ont pas précisé.

— C'est bien d'être optimiste, Fred, répliqua Natasha après un bref silence.

— Et toi, Louisa ?

— Euh…

La présence de Jake, assis juste en face de moi, me fit hésiter. Je me lançai néanmoins :

— J'ai eu un rendez-vous avec un homme ce week-end.

D'autres membres du groupe poussèrent à voix basse un « waouh ! » taquin. Je baissai les yeux, un peu penaude. Je n'arrivais même pas à penser à ce soir-là sans rougir.

— Ça s'est passé comment ?

— C'était… surprenant.

— Elle a baisé. Je suis sûre qu'elle a baisé, dit Natasha.

— Elle est plus rayonnante, ajouta William.

— Il a fait comment ? demanda Fred. Tu as des tuyaux ?

— Et tu as réussi à ne pas trop penser à Bill ?

— Je n'y ai pas assez pensé pour que ça m'arrête… Je voulais seulement m'amuser… Je voulais seulement me sentir vivante, conclus-je en haussant les épaules.

À ces mots, un murmure d'approbation parcourut l'assemblée. C'était ce à quoi nous aspirions tous : être libérés de notre peine, de cet enfer des morts où gisaient des fragments de nos cœurs dans de petites urnes de porcelaine. Cela faisait du bien de partager, pour une fois, une anecdote positive.

Marc hocha la tête pour m'encourager.

— Ça me paraît très sain, déclara-t-il.

J'écoutai Sunil raconter qu'il s'était remis à écouter de la musique et Natasha expliquer qu'elle avait enlevé du salon les photos d'Olaf afin de les ranger dans sa chambre, « pour ne pas avoir à parler de lui chaque fois que quelqu'un vient me voir ». Daphne avait arrêté de sentir les chemises de son mari, furtivement, dans son dressing.

— Pour être honnête, avoua-t-elle, de toute façon, elles avaient perdu son odeur. Je crois que je ne le faisais plus que par habitude.

— Et toi, Jake ?

Ce dernier semblait toujours aussi malheureux.

— Je sors un peu plus, j'imagine, répondit-il.

— Tu as parlé à ton père de ce que tu ressens ?

J'essayai de ne pas croiser son regard. J'étais étrangement gênée d'ignorer ce qu'il savait.

— Mais je crois qu'il s'est attaché à quelqu'un, poursuivit Jake.

— Il couche encore ? demanda Fred.

— Non, je veux dire qu'il s'attache vraiment à quelqu'un.

Mes joues étaient brûlantes. Je m'attelai à frotter une tache invisible sur ma chaussure afin de cacher mon visage.

— Qu'est-ce qui te fait croire ça, Jake ?

— Il a commencé à parler d'elle pendant le petit déjeuner, l'autre jour. Il disait qu'il envisageait d'arrêter de ramener des femmes au hasard. Qu'il avait rencontré quelqu'un et qu'il allait peut-être essayer de vivre une histoire avec elle.

Je me savais rouge comme une pivoine. Je n'arrivais pas à croire que personne dans la salle ne l'avait encore remarqué.

— Donc tu penses qu'il a enfin compris que les relations de rebond ne lui permettront pas d'avancer ? Il avait peut-être seulement besoin d'essayer quelques partenaires avant de se sentir prêt à retomber amoureux.

— On peut le dire, il a beaucoup rebondi, ricana William. Champion hors catégorie !

— Jake ? demanda Marc. Qu'est-ce que tu ressens vis-à-vis de ça ?

— C'est un peu bizarre. Ma mère me manque, mais c'est une bonne chose qu'il aille de l'avant.

J'essayai de deviner ce que Sam avait pu lui raconter. Avait-il prononcé mon nom ? Je me les représentais, tous les deux, dans la cuisine du petit wagon, discutant à cœur ouvert en se beurrant des toasts. J'avais les joues en feu. Je ne savais pas vraiment si j'avais envie que Sam s'imagine avec moi si rapidement. J'aurais dû lui expliquer clairement que je n'avais pas l'intention de me mettre en couple. C'était trop tôt. Et c'était surtout beaucoup trop tôt pour que Jake en discute en public.

— Et tu as rencontré cette femme ? demanda Natasha. Tu l'aimes bien ?

— Ouais, dit Jake en baissant la tête. C'est là que ça devient vraiment merdique.

Je levai les yeux.

— Il l'a invitée à prendre un brunch avec nous dimanche matin, et elle a été horrible. Elle avait mis un petit haut hyper moulant, et elle n'arrêtait pas de poser son bras sur mes épaules comme si elle me connaissait. Et puis elle riait trop fort, et quand mon père est sorti dans le jardin, elle m'a regardé avec de grands yeux ronds et m'a demandé : « Et tu as quel âge ? » en inclinant la tête comme une idiote.

— Oh, ces gens qui inclinent la tête ! s'écria William.

Un murmure d'approbation accueillit sa remarque. Tout le monde connaissait quelqu'un dans son entourage qui inclinait la tête.

— Et quand papa est là, elle passe son temps à glousser et à secouer ses cheveux, poursuivit Jake en grimaçant d'un air dégoûté. Comme si elle essayait d'avoir l'air d'une ado alors que ça se voit bien qu'elle a plus de trente ans.

— Trente ans ! s'exclama Daphne. Vous imaginez !

— Je préférais même celle qui m'interrogeait sur ses intentions. Au moins, elle ne faisait pas semblant d'être mon amie.

J'entendis à peine la suite de son récit. Un bourdonnement distant résonnait dans mes oreilles. Comment avais-je pu être si bête ? Je me souvins alors de Jake levant les yeux au ciel la première fois qu'il avait vu Sam m'adresser la parole. J'avais eu mon avertissement, clair comme de l'eau de roche, et j'avais été assez stupide pour l'ignorer.

J'avais soudain trop chaud. Je me sentais fébrile. Je ne pouvais pas rester là. Je ne pouvais pas en entendre davantage.

— Euh... je viens de me rappeler un rendez-vous, bredouillai-je en ramassant mon sac à main avant de me lever. Désolée.

— Tout va bien, Louisa ? demanda Marc.

— Très bien. Je dois filer.

Je courus jusqu'à la porte, un douloureux sourire factice aux lèvres.

Il était là. Bien sûr qu'il était là. Il venait d'arrêter sa moto et était en train d'enlever son casque. J'émergeai de la salle paroissiale et m'arrêtai en haut des marches. Je me demandai un instant s'il existait un moyen d'atteindre mon véhicule sans passer devant lui, mais c'était sans espoir. La partie purement animale de mon cerveau se mit soudain en ébullition, sans laisser le temps à mes neurones d'intervenir : une bouffée de désir, le souvenir de ses mains sur mon corps. Puis cette colère noire, cet intense sentiment d'humiliation.

— Salut, dit-il dès qu'il m'aperçut.

Il me sourit, les yeux plissés de plaisir. Ce sale ensorceleur.

Je ralentis le pas, lui laissant le temps de lire la peine sur mon visage. Je m'en fichais. Je me sentais soudain comme une Lily. Je voulais exprimer ma fureur. Ce n'était pas moi qui enchaînais les aventures d'un soir.

— Bien joué, connard ! crachai-je.

Puis je courus à ma voiture avant que le son étouffé de ma voix se change en un sanglot.

La semaine, comme pour répondre à un appel du sort, parvint à empirer encore davantage. Richard devenait de plus en plus tatillon, se plaignant qu'on ne souriait pas assez et que notre manque d'enthousiasme envoyait les clients tout droit au grill d'en face. La météo fit également des siennes : le ciel prit une couleur gris violacé, et des tempêtes tropicales retardèrent des vols. L'aéroport était donc déjà rempli de passagers grincheux, dont l'humeur se dégrada un peu plus lorsque, avec un sens du timing remarquable, les bagagistes se mirent en grève.

— À quoi tu t'attendais ? Mercure est en Sagittaire, grommela Vera avant de fusiller du regard un client qui avait demandé moins de mousse dans son cappuccino.

Chez moi, Lily était arrivée entourée de son propre nuage noir. Assise sur mon canapé, elle avait les yeux rivés sur son téléphone. Malheureusement, ce qui se trouvait sur le petit écran ne semblait pas lui plaire. Elle partit ensuite regarder par la fenêtre, le visage figé, comme son père le faisait souvent, comme si elle aussi se sentait prise au piège. J'avais tenté de lui expliquer que c'était Will qui m'avait offert le collant jaune et noir, que son importance pour moi n'avait rien à voir avec sa couleur ni sa qualité, mais qu'il…

— Ouais, ouais, le collant. Peu importe, avait-elle répliqué.

Pendant trois nuits, je dormis à peine. Je regardais fixement le plafond, animée d'une rage froide qui s'était logée dans ma poitrine et refusait de s'en aller. J'étais très en colère contre Sam, mais je l'étais plus encore contre moi-même. Il m'envoya deux messages, deux « ?? » insupportables d'hypocrisie auxquels je ne répondis pas. J'avais commis l'erreur classique des femmes qui ignorent tout ce que fait ou dit un homme, préférant écouter leur rengaine intérieure : *Ce sera différent avec moi.* C'était moi qui l'avais embrassé. J'étais responsable de tout ce qui s'était passé. Je ne pouvais m'en prendre qu'à moi-même.

Je tentai de me convaincre que je m'en sortais bien. Je me répétai, avec de petits points d'exclamation, qu'il valait mieux le découvrir maintenant que dans six mois ! Je m'efforçai de voir la situation avec les yeux de Marc : Sam était enfin parvenu à tourner la page ! Je pouvais inscrire cette histoire sur le tableau de mes expériences ! Au moins, le sexe avait été bon ! Puis, des larmes idiotes se mettaient à couler de mes yeux, et j'envoyais tout balader en me disant que c'était ce qu'on récoltait quand on avait la bêtise de s'attacher à quelqu'un.

La dépression, avions-nous appris au cercle, se nourrit de vide. Il fallait s'activer, ou au moins concevoir des projets. Alors, le vendredi soir, fatiguée de rentrer chez moi après le travail pour trouver Lily affalée sur mon canapé, et tout aussi fatiguée d'essayer de cacher mon irritation, je lui annonçai qu'on irait voir Mme Traynor le lendemain.

— Mais tu as dit qu'elle n'a pas répondu à ta lettre.

— Elle ne l'a peut-être pas reçue. Peu importe. M. Traynor va bien finir par parler de toi à sa famille, donc on ferait bien d'aller la voir avant.

Elle ne répondit pas. Je le pris comme un consentement tacite et n'abordai plus le sujet.

Ce soir-là, je me surpris à passer en revue les vêtements que Lily avait sortis de mon carton, ces habits que j'ignorais depuis que j'étais partie à Paris deux ans auparavant. Je ne voyais plus l'intérêt de les porter. Depuis la mort de Will, je n'avais plus l'impression d'être cette personne.

À présent, cependant, il me semblait important d'enfiler un vêtement qui n'était ni un jean, ni une tenue verte de danseuse irlandaise. Je dénichai une petite robe bleu marine que j'adorais autrefois et que j'estimai assez sobre pour une visite semi-formelle, la repassai et la mis de côté. J'annonçai à Lily que nous partirions à 9 heures le lendemain matin et me couchai en m'étonnant une fois encore du niveau d'épuisement généré par une personne persuadée que tout discours plus long qu'un grognement constituait un effort surhumain qu'elle n'était pas prête à fournir.

Dix minutes après que j'eus fermé la porte de ma chambre, une note manuscrite fut glissée en dessous.

Chère Louisa,
Je suis désolée d'avoir emprunté tes fringues. Et merci pour tout. Je sais que je suis parfois chiante.

Désolée,
Lily

P.-S. : Tu devrais quand même porter ces tenues. Elles sont CARRÉMENT mieux que ces trucs que tu mets d'habitude.

J'ouvris la porte. Lily se tenait là, l'air sérieux. Elle esquissa un pas en avant et me serra quelques secondes contre elle, si fort que j'en eus mal aux côtes. Puis elle se retourna et, sans un mot, disparut dans le salon.

Le lendemain matin, la journée s'annonçait belle et notre humeur en fut égayée. Nous roulâmes plusieurs heures en direction d'un petit village de l'Oxfordshire, un amas de maisons aux murs de pierre couleur moutarde recuits par le soleil et de jardins clôturés. Je bavardai sans cesse sur la route, en grande partie pour dissimuler ma nervosité à la perspective de revoir Mme Traynor. Le plus dur lorsque l'on s'adressait à un adolescent, c'était que vos propos, quels qu'ils soient, étaient systématiquement reçus avec le même mépris que les élucubrations d'une vieille tante soûle lors d'un mariage.

— Alors, demandai-je, qu'est-ce que tu aimes faire comme activité ? Quand tu n'es pas à l'école ?

Elle haussa les épaules.

— Tu envisages de faire quoi plus tard ?

Elle me jeta un regard dégoûté.

— Tu as bien dû avoir des hobbies quand tu étais petite ?

Elle récita alors une liste d'une longueur étourdissante : saut d'obstacles, lacrosse, hockey, piano, cross-country, course à pied, tennis au niveau régional.

— Tout ça ? Et tu n'as rien voulu continuer ?

Elle parvint à renifler tout en haussant les épaules, puis posa les pieds sur le tableau de bord pour bien me signifier que la discussion était close.

— Ton père adorait voyager, déclarai-je quelques kilomètres plus loin.

— Oui, tu me l'as déjà dit.

— Une fois, il m'a dit qu'il était allé partout sauf en Corée du Nord. Et à Disneyland. Il était capable de me raconter des histoires sur des endroits dont je n'avais jamais entendu parler.

— Les jeunes de mon âge ne partent pas à l'aventure. Il n'y a plus rien à découvrir. Et les gens qui prennent une année sabbatique pour partir avec leur sac à dos sont hyper chiants. Toujours à bavasser au sujet de tel bar qu'ils ont découvert en Thaïlande ou de telle drogue incroyable qu'ils ont essayée dans les forêts tropicales de Birmanie.

— Tu n'es pas obligée de partir avec ton sac à dos.

— Ouais, mais une fois qu'on a vu l'intérieur d'un hôtel quatre étoiles, on les a tous vus, rétorqua-t-elle en laissant échapper un bâillement.

Un peu plus tard, elle se pencha par la fenêtre et déclara :

— J'ai été à l'école pas loin d'ici, une année. C'est la seule école que j'ai vraiment aimée. J'y avais une amie qui s'appelait Holly.

— Qu'est-ce qui s'est passé ?

— Maman a commencé à être obsédée par l'idée que ce n'était pas une bonne école. Elle disait que leurs critères académiques n'étaient pas assez élevés, ou un truc du genre. C'était un petit internat sans prétention. Alors elle m'a fait changer d'établissement. Après ça, je ne me suis plus emmerdée à me faire des amis. À quoi bon, s'ils peuvent m'envoyer ailleurs quand ça leur chante ?

— Tu es restée en contact avec Holly ?

— Non, pas vraiment. Ça ne sert à rien si on ne peut pas se voir.

Je me souvenais vaguement de l'intensité des relations entre adolescentes, qui tenaient plus de la passion que de l'amitié.

— Et qu'est-ce que tu comptes faire ? demandai-je. Si tu ne veux vraiment pas retourner à l'école ?

— Je n'aime pas faire des projets.

— Mais tu vas bien devoir commencer à y réfléchir, Lily.

Elle ferma les yeux une minute, puis reposa les pieds sur le tapis de sol et gratta une écaille de vernis violet sur l'ongle de son pouce.

— Je ne sais pas, Louisa. Je vais peut-être suivre ton exemple et faire toutes les choses tellement excitantes que tu fais.

Je dus prendre trois profondes inspirations rien que pour m'empêcher d'arrêter la voiture en plein milieu de l'autoroute.

Les nerfs, me dis-je.

Ce n'étaient que les nerfs. Puis, pour l'embêter, j'allumai la radio, poussai le son au maximum et n'y touchai plus pendant tout le reste du trajet.

Un promeneur de chien nous indiqua Four Acres Lane, et je pus me garer devant *Fox's Cottage*, une modeste bâtisse aux murs couverts de crépi blanc et au toit de chaume. Devant, des roses rouges semblaient se bousculer sur une arche métallique qui marquait le début d'un sentier, et des fleurs aux couleurs délicates garnissaient des parterres parfaitement entretenus. Une petite voiture à hayon était garée dans l'allée.

— Elle a perdu son ancien train de vie, fit remarquer Lily.

— C'est une jolie maison.

— C'est une boîte à chaussures.

Je restai assise un instant, à écouter les cliquetis du moteur qui refroidissait.

— Écoute, Lily. Avant qu'on entre. Mme Traynor est une femme très formelle. C'est sa façon de se protéger, elle se réfugie derrière les bonnes manières. Elle va sûrement te parler comme un professeur. Ne t'attends surtout pas à ce qu'elle te serre dans ses bras comme l'a fait M. Traynor.

— Mon grand-père est un hypocrite, répliqua Lily d'un air méprisant. Il fait comme si tu étais la meilleure chose qui lui soit arrivée, alors qu'en fait il n'en a rien à foutre.

— Et s'il te plaît, surveille ton langage.

— Ça ne sert à rien de me faire passer pour ce que je ne suis pas, rétorqua Lily d'un ton boudeur.

Nous restâmes assises là pendant de longues minutes. Je me rendis compte que ni elle ni moi n'avions le courage d'y aller.

— Tu veux que j'essaie de l'appeler encore une fois ? demandai-je en sortant mon portable.

J'avais essayé à deux reprises dans la matinée, mais j'étais tombée directement sur son répondeur.

— Ne lui dis pas tout de suite ! s'écria soudain Lily. Ne lui dis pas qui je suis. Je… je veux juste voir comment elle est. Avant qu'on lui annonce.

— Bien sûr, promis-je d'une voix douce.

Et sans me laisser le temps d'ajouter quoi que ce soit, Lily sortit de la voiture et remonta l'allée d'un pas vif, les poings serrés, comme un boxeur qui s'apprête à monter sur le ring.

Mme Traynor avait viré au gris. Ses cheveux, autrefois teints en brun, étaient à présent blancs et coupés court. Elle semblait beaucoup plus âgée qu'elle l'était en réalité, comme si elle était en train de se remettre d'une maladie grave. Elle devait bien avoir perdu cinq kilos depuis notre dernière rencontre, et des cernes rougeâtres creusaient son regard. Elle dévisagea Lily d'un air confus. Apparemment, elle n'était plus habituée à recevoir de la visite. Puis elle m'aperçut et écarquilla les yeux.

— Louisa ?

— Bonjour, madame Traynor, dis-je en lui tendant la main. Nous sommes de passage dans la région. Je ne sais pas si vous avez reçu ma lettre, mais je me suis dit que j'allais passer vous saluer…

Ma voix faussement joyeuse mourut au fond de ma gorge. La dernière fois qu'elle m'avait vue, je l'aidais à ranger la chambre de son fils décédé ; la fois d'avant, c'était pour le voir rendre son dernier souffle. Et à présent, je la voyais revivre ces deux événements.

— Nous admirions votre jardin, repris-je.

— Des roses David Austin, dit Lily.

Mme Traynor se tourna vers elle, comme si elle remarquait à peine sa présence. Elle lui sourit. Un sourire mince et hésitant.

— Oui. Oui, c'est bien ça. Comment le savez-vous ? C'est… Je suis vraiment désolée, je reçois rarement de visiteurs. Vous êtes-vous déjà présentée ?

— C'est Lily, dis-je.

Je regardai Lily serrer la main de Mme Traynor sans la quitter des yeux une seule seconde.

Nous restâmes un instant debout sur le perron. Puis, enfin, comme si elle se rendait compte qu'elle n'avait plus le choix, Mme Traynor ouvrit en grand sa porte.

— Entrez donc.

La maison était petite, les plafonds si bas que je dus même me baisser pour passer de l'entrée à la cuisine. J'attendis que Mme Traynor ait fini de préparer le thé tandis que Lily parcourait le salon d'un pas nerveux, se frayant un chemin autour des quelques meubles anciens que je me souvenais avoir vus à *Granta House*, soulevant des objets avant de les remettre en place.

— Et… comment allez-vous ? s'enquit Mme Traynor d'une voix monocorde, comme si elle n'attendait pas de réelle réponse.

— Oh, très bien, je vous remercie.

Un long silence s'installa.

— C'est un joli village, ajoutai-je.

— Oui. Je ne pouvais pas rester à Stortfold…

Elle versa de l'eau bouillante dans la théière. Je ne pus m'empêcher de penser à Della, en train de se mouvoir avec lourdeur dans l'ancienne cuisine de Mme Traynor.

— Vous connaissez beaucoup de monde dans la région ? demandai-je.

— Non, répondit-elle comme si c'était justement la raison qui l'avait incitée à s'installer dans le coin. Pourriez-vous aller prendre le pot de lait ? Il ne tenait pas sur mon plateau.

Il s'ensuivit une douloureuse demi-heure de conversation laborieuse. Mme Traynor, d'ordinaire pénétrée des aptitudes sociales inhérentes à la haute bourgeoisie, paraissait avoir perdu toute capacité de communiquer. Elle était comme perdue au loin lorsque je lui parlais : elle posait une question, puis la posait de nouveau dix minutes plus tard, comme si la réponse ne lui était pas parvenue. Je commençais à me demander si elle n'était pas sous antidépresseurs. Lily l'observait furtivement. Ses pensées se lisaient sur son visage. Moi, assise entre elles, l'estomac noué, j'attendais une occasion d'aborder le réel motif de notre venue.

Je bavardai dans le vide pendant un long moment. Je parlai de mon horrible travail, de mon séjour en France, du fait que mes parents allaient très bien, merci beaucoup ; n'importe quoi pourvu que je mette fin à ce silence pesant qui planait au-dessus de nos têtes dès que je fermais la bouche. La douleur de Mme Traynor imprégnait toute la maison comme un épais brouillard. Si M. Traynor semblait épuisé par sa peine, Mme Traynor, elle, s'était fait dévorer tout entière par la sienne. Il ne restait presque plus rien de la femme fière aux manières brusques que j'avais connue.

— Et alors, qu'est-ce qui vous amène ici ? demanda-t-elle enfin.

— Euh… Je rends visite à des amis, répondis-je.

— D'où vous connaissez-vous, toutes les deux ?

— Je… j'ai connu le père de Lily.

— Charmant, dit Mme Traynor.

Nous échangeâmes des sourires gênés. Je me tournai vers Lily, m'attendant à ce qu'elle réagisse. Mais elle s'était figée, comme si elle non plus ne savait comment se comporter face à la douleur évidente de cette femme.

Nous bûmes une deuxième tasse de thé en nous extasiant, peut-être pour la troisième fois, devant la beauté du jardin. Je fis de mon mieux pour ignorer l'impression grandissante que notre compagnie exigeait de notre hôte un effort beaucoup trop important pour elle. Mme Traynor ne voulait pas de nous ici. Elle était bien trop polie pour nous le dire, mais il était évident qu'elle n'aspirait qu'à être seule. Cela se ressentait dans le moindre de ses gestes : ses sourires forcés, l'énergie qu'elle devait déployer pour prendre part à la conversation. Je soupçonnais que dès que nous aurions pris congé, elle monterait dans sa chambre d'un pas traînant pour se coucher.

C'est alors que je la remarquai : l'absence totale de photographies. Tandis que *Granta House* avait été remplie de photos encadrées de ses enfants, de sa famille, de poneys, de vacances au ski et de grands-parents éloignés, les murs de sa maison étaient entièrement nus. J'avais bien aperçu une petite sculpture équestre ainsi qu'un tableau représentant des jacinthes, mais pas la moindre photographie. Je m'agitai sur mon siège, me demandant si je ne les avais pas tout simplement ratées, rassemblées sur un guéridon ou un appui de fenêtre. Mais non. La maison était froide et anonyme. Je songeai à mon appartement, à mon incapacité à le personnaliser ou à le transformer en un véritable foyer. Soudain, je me sentis épuisée et désespérément triste.

Qu'est-ce que tu nous as fait, Will ?

— Il est temps d'y aller, Louisa, déclara Lily en montrant du doigt une horloge. Tu as dit que tu voulais éviter les bouchons.

— Mais…

— Tu as dit qu'on ne devait pas rester trop longtemps, m'interrompit-elle d'une voix forte et claire.

Je lui jetai un regard noir, prête à protester, quand soudain le téléphone sonna. Mme Traynor tressaillit, comme si ce son ne lui était pas familier. Elle nous regarda toutes les deux tour à tour, comme si elle se demandait si elle devait décrocher. Puis, se rendant peut-être compte qu'elle ne pouvait ignorer cet appel devant nous, elle s'excusa et passa dans la pièce voisine, où nous l'entendîmes répondre.

— À quoi tu joues ? demandai-je.

— Je ne le sens pas, chuchota Lily d'un air malheureux.

— Mais on ne peut pas repartir sans lui dire.

— Je ne peux pas faire ça aujourd'hui. C'est trop…

— Je sais que ça te fait peur. Mais regarde-la, Lily. Je pense vraiment que ça l'aiderait si tu lui en parlais. Pas toi ?

Lily ouvrit de grands yeux.

— Si elle me parlait de quoi ?

Je tournai la tête. Mme Traynor se tenait immobile sur le pas de la porte.

— Qu'est-ce que vous avez à me dire ? répéta-t-elle.

Lily me regarda, puis se tourna vers elle. Je la voyais bouger au ralenti. Elle déglutit péniblement, puis leva le menton.

— Je suis votre petite-fille.

Un bref silence.

— Ma… quoi ?

— Je suis la fille de Will.

Ses mots résonnèrent dans la pièce exiguë. Mme Traynor croisa mon regard, comme pour s'assurer qu'il ne s'agissait pas d'une cruelle plaisanterie.

— Mais… c'est impossible.

Lily recula.

— Madame Traynor, je sais que ce doit être un choc…, commençai-je.

Elle ne m'entendit pas. Elle dévisageait Lily d'un air féroce.

— Comment mon fils pourrait-il avoir eu une fille dont j'ignore l'existence ?

— Parce que ma mère n'en a parlé à personne, murmura Lily.

— Pendant tout ce temps ? Comment avez-vous pu rester un secret pendant tout ce temps ? Vous étiez au courant ? demanda Mme Traynor en se tournant vers moi.

— C'est pour cette raison que je vous ai écrit, expliquai-je. Lily est venue me trouver. Elle voulait rencontrer sa famille. Madame Traynor, nous n'avions pas l'intention d'aggraver votre peine. Mais Lily voulait connaître ses grands-parents, et ça ne s'est pas très bien passé avec M. Traynor, alors…

— Mais Will m'en aurait parlé, marmonna-t-elle en secouant la tête. Je le sais. C'était mon fils.

— Je ferai un test ADN si vous ne me croyez pas, déclara Lily, les bras croisés. Mais sachez que je ne veux rien obtenir de vous. Je n'ai pas l'intention de venir m'installer chez vous, ni rien de tel. Et j'ai déjà de l'argent, au cas où vous me soupçonneriez d'escroquerie.

— Je ne sais pas ce que je…, balbutia Mme Traynor.

— Inutile de prendre cet air horrifié. Je ne suis pas une maladie contagieuse que vous risquez d'attraper. Je suis seulement votre petite-fille, bon sang !

Lentement, Mme Traynor se laissa tomber dans un fauteuil. Au bout d'un moment, elle posa sur son front une main tremblante.

— Vous allez bien, madame Traynor ?

— Je ne crois pas que je…

Elle ferma les yeux. Elle semblait s'être retranchée quelque part au plus profond d'elle-même.

— Lily, je pense qu'il vaut mieux s'en aller. Madame Traynor, j'écris mon numéro sur un papier. Nous reviendrons quand vous aurez digéré la nouvelle.

— Tu reviendras toute seule, alors. Je ne remets pas les pieds ici. Elle me prend pour une menteuse. Putain, quelle famille !

Lily nous jeta un dernier regard effaré puis sortit en trombe, renversant au passage une table d'appoint en noyer. Je m'accroupis pour la redresser et remis soigneusement en place les petites boîtes argentées qui étaient disposées dessus.

La stupéfaction se lisait toujours sur le visage de Mme Traynor.

— Je suis désolée, lui dis-je. J'ai vraiment essayé de vous parler avant de venir.

La porte d'entrée claqua.

Mme Traynor prit une profonde inspiration.

— Je ne lis les lettres que si je sais d'où elles viennent. J'ai reçu des courriers. Des lettres d'insultes. Qui me disaient que je… Je ne réponds plus à grand-chose maintenant… Les nouvelles ne sont jamais bonnes.

Elle semblait perplexe, vieille et fragile.

— Je suis désolée. Je suis vraiment désolée.

Sur ces mots, je ramassai mon sac à main et pris la fuite.

— Ne dis rien, m'ordonna Lily dès que j'ouvris la portière. OK ?

— Pourquoi tu as fait ça ? demandai-je en m'installant derrière le volant, mes clés à la main. Pourquoi tu as tout gâché ?

— J'ai su ce qu'elle pensait de moi à l'instant où elle m'a regardée.

— C'est une mère qui porte encore le deuil de son fils. On lui a infligé un immense choc psychique, et aussitôt après tu t'en es prise à elle. Tu n'aurais pas pu te taire et laisser les émotions décanter ? Pourquoi il faut toujours que tu repousses les gens ?

— Tu ne sais rien de moi.

— J'ai l'impression que tu t'évertues à saboter les relations avec toute personne qui cherche à se rapprocher de toi.

— Oh merde, c'est encore à cause de ce collant à la con ? Tu ne sais rien de rien ! Tu passes ta vie toute seule dans un appartement pourri, sans jamais recevoir personne. Tes parents te prennent pour une ratée, et tu n'as même pas le courage de démissionner du boulot le plus pathétique qui soit.

— Tu n'as pas idée à quel point c'est difficile de trouver un travail en ce moment, alors ne me dis pas…

— Tu es une ratée ! Pire encore, tu es une ratée qui se permet de donner des conseils aux autres. Et de quel droit ? Tu es restée assise au chevet de mon père pour le regarder mourir, et tu n'as rien fait. Rien ! Alors je ne crois pas que tu sois en droit de me juger !

La tension qui s'installa dans la voiture était palpable et coupante comme du verre. Les yeux rivés sur le volant, j'attendis d'être sûre d'avoir retrouvé une respiration normale.

Puis je démarrai, et les deux cents kilomètres du chemin du retour défilèrent dans un silence de mort.

Chapitre 15

Je vis à peine Lily au cours des jours qui suivirent, et n'eus aucun mal à me faire à son absence. Lorsque je rentrais du travail, une piste de miettes et de tasses vides m'indiquait si elle était dans les parages. De temps en temps, je trouvais l'atmosphère de l'appartement étrangement altérée, comme s'il s'y passait des événements qui m'échappaient. Mais comme rien ne semblait avoir changé, j'attribuai cette impression au fait que je partageais l'espace avec une personne avec qui je ne m'entendais pas bien. Pour la première fois, je regrettais le temps où je vivais seule.

J'appelai ma sœur, qui eut l'élégance de ne pas me dire : « Je t'avais prévenue. » Enfin si, mais juste une fois.

— C'est ce qu'il y a de pire quand on est parent, déclara-t-elle, comme si j'en étais un, moi aussi. Tu es supposée devenir quelqu'un de serein, omniscient et courtois, capable de gérer n'importe quelle situation. Mais parfois, quand Thom fait des siennes ou que je suis fatiguée, j'ai juste envie de claquer la porte, ou de lui tirer la langue en le traitant de petit con.

C'était à peu près ce que je ressentais.

Mon travail était devenu si pénible que je devais m'obliger à chanter à tue-tête des génériques de séries dans ma voiture afin de trouver la motivation de rouler jusqu'à l'aéroport.

Et puis il y avait Sam.

À qui je ne pensais pas.

Je ne pensais pas à lui le matin, quand j'apercevais mon corps nu dans le miroir de la salle de bains. Je ne me souvenais pas de la façon dont ses doigts avaient glissé sur ma peau, me faisant entrevoir mes cicatrices comme les souvenirs d'une histoire partagée ; ni que, l'espace d'une brève soirée, je m'étais sentie de nouveau vivante et téméraire. Je ne pensais pas à lui quand je voyais des couples, la tête penchée l'une contre l'autre, examiner leurs cartes d'embarquement avant de prendre l'avion, prêts à partir pour de romantiques aventures à l'autre bout du monde. Je ne pensais pas à lui sur la route pour aller au travail, ni sur le chemin du retour, dès qu'une ambulance me dépassait… ce qui semblait arriver de plus en plus souvent. Et surtout, je ne pensais pas à lui le soir, seule chez moi sur mon canapé, en regardant à la télé un film dont j'aurais été incapable de raconter le scénario. J'étais le lutin porno inflammable le plus seul au monde.

Nathan chercha à me joindre et me laissa un message pour me demander de le rappeler. Comme j'ignorais si je supporterais d'entendre le dernier épisode de sa trépidante nouvelle vie new-yorkaise, je mis « penser à le rappeler » dans ma liste mentale de choses à faire que je ne ferais jamais. Tanya m'envoya un SMS pour m'annoncer que les Houghton-Miller étaient rentrés trois jours plus tôt que prévu en raison d'une urgence au travail de Francis. Puis Richard me téléphona pour m'informer que je ferais les heures du soir de lundi à vendredi.

« Et s'il vous plaît, Louisa, ne soyez pas en retard. J'aimerais vous rappeler encore une fois qu'il s'agit de votre dernier avertissement. »

Je fis alors la seule chose à laquelle je pus penser : je rentrai à Stortfold, la musique à fond dans la voiture pour éviter de broyer du noir. J'étais heureuse que mes parents soient là. Je ressentais pour la maison une attraction presque ombilicale, attirée par la promesse réconfortante d'un traditionnel déjeuner du dimanche, assise à la table familiale.

— Le déjeuner ? dit papa, les bras croisés, la mâchoire serrée d'indignation. Oh, non. On ne fait plus de repas du dimanche. C'est un signe d'oppression patriarcale.

Dans son coin, grand-père hocha la tête d'un air mélancolique.

— Du coup, reprit papa, on mange des sandwichs. Ou de la soupe. Apparemment, la soupe est très profitable au féminisme.

Treena, qui étudiait à la table du salon, leva les yeux au ciel :

— Maman suit juste un cours de poésie féminine le dimanche matin au centre de formation pour adultes. Elle ne s'est pas changée en suffragette.

— Tu vois, Lou ? Maintenant, je suis censé tout savoir du féminisme, et cet Andrew Dorkin m'a volé mon repas du dimanche.

— Tu dramatises, papa.

— Comment ça, je dramatise ? Le dimanche, c'est fait pour passer du temps ensemble. On doit faire des repas de famille le dimanche.

— Maman a consacré toute sa vie à la famille. Tu ne peux pas la laisser prendre un peu de temps pour elle ?

— C'est ta faute, déclara papa en pointant sur Treena son journal roulé. Ta mère et moi étions parfaitement heureux avant que tu la montes contre moi.

Grand-père hocha frénétiquement la tête.

— Depuis, tout va de travers, poursuivit papa. Je ne peux plus regarder la télé sans qu'elle marmonne « sexiste » devant les pubs pour des yaourts. Ceci est sexiste. Cela est sexiste. Quand j'ai rapporté à la maison l'exemplaire du *Sun* d'Ade Palmer pour lire les pages sportives, elle l'a jeté au feu à cause d'une photo de femme nue. D'un jour sur l'autre, je ne sais jamais quelles vont être ses réactions.

— Un cours de deux heures, rétorqua Treena sans même lever le nez de ses livres. Le dimanche.

— Je n'essaie pas de faire de l'humour, papa, intervins-je, mais tu vois ces deux trucs au bout de tes bras ?

— Quoi ? s'écria papa en regardant ses avant-bras. Quoi ?

— Tes mains, répondis-je. Ce sont des vraies, n'est-ce pas ?

Il fronça les sourcils.

— Alors j'imagine que tu pourrais préparer le déjeuner, conclus-je. Faire une surprise à maman pour quand elle rentrera de son cours.

— Moi ? Préparer le repas du dimanche ? s'exclama papa en ouvrant de grands yeux horrifiés. Moi ? On est mariés depuis trente ans, Louisa. C'est moi qui gagne l'argent, c'est ta mère qui fait les repas. C'est ce qui était convenu ! C'est pour ça que j'ai signé ! Où va le monde, si je me retrouve en cuisine à peler des patates un dimanche matin ? Tu trouves ça juste, toi ?

— C'est ce qu'on appelle la vie moderne, papa.

— La vie moderne. Tu parles ! s'offusqua-t-il. Je parie que ce foutu M. Traynor a son repas du dimanche. Ce n'est pas cette fille qui se mettrait en tête de devenir féministe !

— Ah. Alors il te faut un château, papa. Le féminisme ne peut rien contre les châtelains.

Treena et moi éclatâmes de rire.

— Vous savez quoi ? Ce n'est pas pour rien que vous n'avez pas de petit ami, toutes les deux.

— Oooh. Carton rouge ! m'écriai-je en levant la main droite, aussitôt imitée par Treena.

Papa lança son journal en l'air et sortit d'un pas lourd dans le jardin.

— Je m'apprêtais à proposer qu'on prépare le déjeuner, mais… maintenant ? me demanda Treena, un grand sourire aux lèvres.

— Je ne sais pas. Je ne voudrais pas contribuer à perpétuer l'oppression patriarcale. On va au pub ?

— Bonne idée. J'envoie un message à maman.

Ma mère, à l'âge de cinquante-six ans, semblait avoir commencé à sortir de sa coquille. D'abord timidement, comme un bernard-l'ermite, puis avec un peu plus d'assurance. Pendant des années, elle n'avait pas été capable de sortir seule et s'était satisfaite du petit domaine que constituait notre maison de trois chambres et demie. Cependant, ses quelques semaines passées à Londres après mon accident l'avaient obligée à briser sa routine et avaient suscité en elle une curiosité trop longtemps refoulée. Elle s'était mise à feuilleter les textes que Treena avait empruntés au sein du cercle féministe de l'université, et ces deux événements s'étaient combinés pour l'éveiller enfin au monde qui l'entourait. Elle avait dévoré *Le Deuxième Sexe* et *La Peur de voler*, puis s'était plongée dans *La Femme eunuque*. Finalement, après avoir lu *La Place des femmes*, elle avait été si choquée d'y voir des parallèles avec son propre mode de vie qu'elle avait refusé de faire la cuisine pendant trois jours, jusqu'à ce qu'elle découvre que grand-père s'était constitué une réserve de beignets rassis.

— Je n'arrête pas de penser à ce que ton Will disait, déclara-t-elle.

Installées autour d'une table dans le jardin du pub, nous étions occupées à surveiller Thom, qui jouait à se bousculer avec d'autres enfants dans le château gonflable à moitié dégonflé.

— On n'a qu'une seule vie, poursuivit-elle. Ce n'est pas ce qu'il te répétait ?

Elle portait son habituel chemisier bleu à manches courtes, mais elle s'était attaché les cheveux en arrière d'une manière que je ne lui connaissais pas et qui la faisait paraître beaucoup plus jeune.

— C'est pour ça que j'ai envie de faire le plus de choses possible, conclut-elle. Me cultiver un peu. Enlever de temps en temps mes gants en caoutchouc.

— Papa n'est pas content, fis-je remarquer.

— Ce n'est qu'un sandwich, soupira ma sœur. Et puis, ce n'est pas comme s'il venait de passer quarante jours sans manger dans le désert de Gobi.

— Et ce n'est qu'un cours de dix semaines. Ton père survivra, affirma maman d'un ton ferme avant de reculer contre le dossier de sa chaise afin de mieux nous regarder. Eh bien, c'est agréable ! Je ne crois pas qu'on soit sorties ensemble toutes les trois depuis… eh bien, depuis que vous étiez ados et que vous vouliez faire du shopping le samedi après-midi.

— Et Treena n'arrêtait pas de se plaindre qu'elle s'ennuyait dans les boutiques.

— Ouais, mais ça c'est parce que Lou aimait les friperies qui puaient la sueur.

— C'est bien de te revoir porter tes vêtements préférés, me dit maman avec un signe de tête appréciateur.

J'avais mis un tee-shirt jaune vif, dans l'espoir d'avoir l'air plus heureuse que je l'étais réellement.

Elles me demandèrent ce que devenait Lily, et je leur répondis qu'elle était repartie chez sa mère. J'ajoutai qu'elle avait été très pénible et les vis échanger des regards entendus. Je ne leur parlai pas de Mme Traynor.

— Toute cette histoire avec Lily n'est pas normale, déclara maman. Quel genre de mère te confierait sa fille comme ça ?

— Ne t'en fais pas, maman ne dit pas ça méchamment, ricana Treena.

— Et ton travail, Lou chérie… Je n'aime pas du tout l'idée qu'on t'oblige à porter un costume pareil pour servir des boissons. C'est sexiste. Si tu as pour vocation d'être barmaid, tu peux faire ça à… Je ne sais pas, à Disneyland Paris. Au moins, déguisée en Minnie ou en Winnie l'Ourson, tu n'aurais pas à montrer tes jambes.

— Tu vas sur tes trente ans, ajouta ma sœur. Alors, Minnie, Winnie ou Nell Gwynnie ? Tu as encore le choix.

— J'ai réfléchi, répondis-je lorsque la serveuse nous eut apporté nos frites et notre poulet. Et tu as raison. À partir de maintenant, je vais aller de l'avant. Me concentrer sur ma carrière.

— Tu peux répéter ça ?

Ma sœur prit quelques frites dans son assiette pour les mettre dans celle de Thom. Le jardin du pub devenait de plus en plus bruyant.

— Me concentrer sur ma carrière ! criai-je.

— Non. Juste avant, quand tu as admis que j'avais raison. Je crois que la dernière fois que tu me l'avais dit, c'était en 1997. Thom, chéri, ne repars pas dans ce château gonflable. Tu vas être malade.

Nous restâmes assises à table une bonne partie de l'après-midi, ignorant les SMS de plus en plus furieux de papa, qui exigeait de savoir où nous étions. Je me rendis compte que je n'avais jamais eu de longue discussion d'adulte avec ma mère et ma sœur, comme des gens normaux. Nous nous découvrîmes un intérêt insoupçonné pour la vie et les opinions des autres, comme si nous venions de comprendre que nous ne nous réduisions pas à nos rôles stéréotypés de l'intello, la chaotique et l'épouse corvéable à merci.

C'était une sensation étrange. Pour la première fois, je voyais les membres de ma famille comme des êtres humains à part entière.

— Maman, tu regrettes parfois de ne pas avoir eu de carrière professionnelle ? demandai-je lorsque Thom eut fini son poulet et fut parti jouer, environ cinq minutes avant qu'il rende son déjeuner dans le château gonflable.

— Non. J'ai adoré être mère. Vraiment. Mais c'est bizarre… Tout ce qui s'est passé ces deux dernières années… Ça fait réfléchir.

J'attendis.

— J'ai lu des livres sur ces femmes… Ces âmes courageuses qui ont fait évoluer les mentalités partout dans le monde. Et je regarde mon existence, et je me demande si… eh bien, si quelqu'un verrait la différence si je n'étais plus là.

Elle avait parlé d'un ton neutre, si bien que je ne pus savoir à quel point ces interrogations l'affectaient.

— Bien sûr qu'on verrait la différence, maman.

— Mais ce n'est pas comme si j'avais laissé mon empreinte dans l'histoire, tu comprends ? Je ne sais pas. Je me suis toujours contentée de ce que j'avais. Mais c'est comme si j'avais passé trente ans de ma vie à faire une chose et qu'à présent tout le monde, dans les livres, à la télé, dans les journaux, me disait que ça ne valait rien.

Ma sœur et moi échangeâmes un regard lourd de sens.

— Ce n'était pas rien pour nous, maman.

— Vous êtes gentilles.

— Non, je le pense. On… on s'est toujours senties en sécurité avec toi, répondis-je en pensant soudain à Tanya Houghton-Miller. Et aimées. Ça me rassurait de savoir que tu serais là, chaque jour, quand je rentrais de l'école.

Maman posa sa main sur la mienne.

— Ne vous en faites pas, je vais bien. Je suis fière de vous deux. De vous voir tracer votre chemin dans le monde. Vraiment. Mais j'ai besoin d'évoluer. Mme Deans, la bibliothécaire, a commandé des tas de livres qui, selon elle, pourraient m'intéresser. Je vais bientôt me plonger dans la nouvelle vague américaine de féministes. Passionnantes, toutes leurs théories. Même si j'espère qu'elles vont cesser de se déchirer entre elles, ajouta-t-elle en pliant avec soin sa serviette en papier. J'ai parfois comme une envie d'en prendre une pour taper sur l'autre.

— Et… et c'est vrai que tu ne te rases plus les jambes ?

J'étais allée trop loin. Le visage de ma mère se ferma, et elle me jeta un regard suspicieux.

— Parfois, répondit-elle, on met très longtemps à remarquer un véritable signe d'oppression. J'ai dit à votre père, et je vous le répète, que le jour où il ira à l'institut pour se faire couvrir les jambes de bandes de cire chaude avant de se les faire arracher par un gamin de vingt et un ans au visage rougeaud, ce jour-là, je me remettrai à l'épilation.

Le soleil descendait sur Stortfold comme un disque de beurre fondu. J'étais restée beaucoup plus tard que prévu, avais dit au revoir à ma famille et repris ma voiture pour rentrer. Je me sentais ancrée, reliée à la terre ferme. Après les turbulences émotionnelles de la semaine passée, il était agréable de se sentir entourée d'un peu de normalité. Et ma sœur, qui ne montrait jamais le moindre signe de faiblesse, avait avoué qu'elle craignait de rester toute sa vie célibataire malgré les protestations de maman, qui lui avait assuré à plusieurs reprises qu'elle était « une très jolie fille ».

— Mais je suis mère célibataire, avait-elle fait remarquer. Et pire encore, je ne drague pas. Je serais incapable de draguer un mec, même si Louisa se tenait derrière lui avec des pancartes. En deux ans, les rares hommes que j'ai pu rencontrer et qui n'ont pas pris la fuite en apprenant l'existence de Thom, ne voulaient qu'une seule chose de moi.

— Oh, pas..., commença ma mère.

— Des conseils comptables gratuits.

J'avais éprouvé pour elle une soudaine sympathie. Elle avait raison : j'avais reçu, contre toute attente, tous les avantages – un appartement, un avenir dégagé de toute responsabilité – et la seule personne qui m'empêchait d'en profiter, c'était moi-même. Je trouvais même impressionnant que nos sorts respectifs ne l'aient pas rendue complètement aigrie. Avant de partir, je la serrai dans mes bras. Elle avait d'abord été un peu choquée, puis momentanément suspicieuse, et enfin m'avait rendu mon étreinte.

— Viens passer quelques jours chez moi, lui dis-je. Vraiment, ça me ferait plaisir. Je t'emmènerai danser dans ce night-club où je suis allée. Maman peut garder Thom.

Ma sœur éclata de rire et claqua ma portière, me laissant démarrer.

— Ouais, bien sûr ! Toi, danser ? Ça se saurait !

Elle riait toujours lorsque je m'éloignai.

Six jours plus tard, je rentrai chez moi après avoir travaillé tard dans mon propre night-club. En montant l'escalier de mon immeuble, au lieu du silence habituel, j'entendis des rires lointains et de la musique.

J'hésitai un instant devant la porte de mon appartement, pensant que mon état d'épuisement devait m'induire en erreur, puis l'ouvris.

L'odeur du cannabis me frappa en premier, si puissante que par réflexe je retins mon souffle. Je marchai à pas lents vers le salon et restai pétrifiée, n'en croyant pas mes yeux. Dans la pièce faiblement éclairée, Lily, étendue sur le canapé, sa courte jupe remontée jusque sous ses fesses, était en train de porter à ses lèvres un joint mal roulé. Deux jeunes hommes étaient assis par terre contre le canapé, comme des îlots au milieu d'une mer de bouteilles vides, de paquets de chips et de cartons de plats à emporter. Deux filles de l'âge de Lily étaient également assises par terre ; la première, ses cheveux rassemblés en une queue-de-cheval serrée, me regardait en haussant les sourcils, comme pour me demander ce que je faisais là. La musique faisait vibrer la pièce. Le nombre de canettes de bière vides et de cendriers pleins témoignait d'une longue soirée.

— Oh ! s'exclama Lily d'un ton exagérément joyeux. S-s-salut !

— Qu'est-ce que vous faites là ?

— Ouais. Bon, tu vois, on était de sortie, et on a un peu raté le dernier bus, alors je me suis dit qu'on pourrait dormir ici. Ça ne t'ennuie pas, hein ?

J'étais si abasourdie que je mis quelques secondes à trouver mes mots.

— Si, dis-je enfin d'un ton sec. Ça m'ennuie.

— Oh oh…

Et elle se mit à glousser.

Je laissai tomber mon sac à mes pieds et parcourus des yeux la décharge municipale qui avait autrefois été mon salon.

— La fête est terminée. Vous avez cinq minutes pour ranger votre bordel et partir.

— Oh, je le savais ! Tu ne vas pas encore faire ta coincée ? Ah, j'en étais sûre ! s'écria Lily en se jetant sur le canapé comme une actrice de mélodrame.

Son élocution était laborieuse, ses gestes ralentis par… quoi ? Les drogues ? J'attendis. Un bref instant, les deux jeunes hommes me regardèrent sans bouger, se demandant visiblement s'ils allaient se lever ou simplement rester assis là.

L'une des filles émit un long bruit de succion entre ses dents.

— Quatre minutes, dis-je lentement. Je compte.

Peut-être ma juste colère m'avait-elle conféré un peu d'autorité. Peut-être étaient-ils simplement moins courageux qu'il n'y paraissait. Un par un, ils se levèrent tant bien que mal et s'en allèrent d'un pas traînant. En partant, le dernier garçon leva la main d'un geste ostentatoire et laissa tomber une canette sur le sol de l'entrée. La bière aspergea le mur et se répandit sur le tapis. Je fermai la porte derrière eux d'un grand coup de talon et ramassai l'objet. Lorsque je revins vers Lily, je tremblais littéralement de rage.

— On peut savoir à quoi tu joues, au juste ?

— Oh, ça va… J'ai juste ramené quelques amis, OK ?

— Tu n'es pas chez toi, Lily. Tu n'as pas à ramener des gens ici !

Soudain, je me souvins de ce bizarre sentiment d'étrangeté que j'avais ressenti lorsque j'étais rentrée, une semaine auparavant.

— Oh, mon Dieu. Ce n'est pas la première fois, n'est-ce pas ? La semaine dernière. Tu as invité du monde chez moi, mais ils sont partis avant que je rentre.

Lily se releva, le pied mal assuré. Elle tira sur sa jupe et se passa une main dans les cheveux afin d'en défaire les nœuds. Son eye-liner avait coulé et elle avait un bleu, ou peut-être un suçon, dans le cou.

— C'est bon…, grommela-t-elle. Pas de quoi en faire toute une histoire. C'est juste des gens, OK ?

— Dans mon appartement.

— Oui, enfin on ne peut pas vraiment appeler ça un appart. Il n'y a pas de meubles ni rien de personnel. Tu n'as même pas de photos sur les murs. On dirait… un garage. Un garage sans voiture. Et encore, j'ai déjà vu des stations-service plus cosy.

— L'absence de déco de mon appartement ne te regarde en rien.

Elle laissa échapper un petit rot et agita la main devant sa bouche.

— Beurk ! Haleine de kebab.

Elle partit dans la cuisine, où elle ouvrit trois placards avant de trouver un verre. Elle le remplit au robinet et le vida d'un trait.

— Tu n'as même pas une vraie télé, poursuivit-elle. J'ignorais que ça existait encore, les écrans de dix-huit pouces.

Armée d'un sac-poubelle, je commençai à ramasser les canettes.

— Et alors, c'était qui ? demandai-je.

— Je ne sais pas. Des gens.

— Tu ne sais pas ?

— Des amis, soupira-t-elle d'un air irrité. Des gens que j'ai rencontrés en boîte.

— Tu les as rencontrés en boîte ?

— Oui. En boîte. Bla bla bla bla. Tu fais exprès d'être sourde, ou quoi ? Oui. Des amis que j'ai rencontrés en boîte. C'est ce que font les gens normaux, tu sais ? Ils ont des amis avec qui sortir.

Elle jeta le verre dans l'évier – je l'entendis se briser – et sortit de la cuisine d'un pas raide.

Je la regardai, le cœur soudain serré d'appréhension. Je courus dans ma chambre et ouvris le tiroir du haut de ma commode. Je fouillai parmi les chaussettes, à la recherche de la petite boîte à bijoux qui contenait la chaînette de ma grand-mère et son alliance. Je m'arrêtai et pris une profonde inspiration, tentant de me convaincre que je ne les trouvais pas à cause de la panique. Ils étaient là. Bien sûr qu'ils étaient là. Je commençai à sortir un par un les vêtements du tiroir, les examinant avec soin avant de les jeter sur le lit.

— Est-ce qu'ils sont entrés ici ? criai-je.

Lily apparut sur le pas de la porte.

— Quoi ?

— Tes amis. Est-ce qu'ils sont entrés dans ma chambre ? Où sont mes bijoux ?

— Tes bijoux ? répéta Lily, qui semblait commencer à se réveiller.

— Oh, non. Oh, non !

J'ouvris tous mes tiroirs et entrepris d'en déverser le contenu sur la moquette.

— Où est-ce qu'ils sont ? Et où est ma réserve d'argent en cas d'urgence ? Ils étaient où, bon sang ? demandai-je à Lily. Et comment ils s'appellent ?

Lily resta silencieuse.

— Lily !

— Je… Je ne sais pas.

— Comment ça, tu ne sais pas ? Tu m'as dit que c'étaient tes amis !

— Seulement… des amis de soirée. Mitch. Et… Lise et… je ne me souviens plus.

Je courus dans le couloir et descendis les marches quatre à quatre jusqu'au rez-de-chaussée. Mais lorsque j'arrivai en bas, le hall de l'immeuble ainsi que la rue étaient déserts.

Je restai debout devant la porte, haletante. Puis je fermai les yeux, refoulant mes larmes, et posai les mains sur mes genoux. Peu à peu, je me rendais compte de ce que j'avais perdu : l'alliance de ma grand-mère, la fine chaînette en or avec le petit pendentif qu'elle portait quand elle était petite. Je savais déjà que je ne les reverrais jamais. Il y avait déjà si peu d'objets qui se transmettaient dans ma famille, et même ces reliques avaient fini par disparaître.

À pas lents, je remontai les quatre étages.

Lorsque j'ouvris la porte, Lily se tenait dans l'entrée.

— Je suis vraiment désolée, dit-elle d'une petite voix. Je ne savais pas qu'ils allaient te voler tes affaires.

— Va-t'en, Lily, dis-je.

— Ils avaient l'air vraiment gentils. Je… j'aurais dû me méfier…

— J'ai travaillé treize heures aujourd'hui. Je dois faire l'inventaire de ce que j'ai perdu, et ensuite aller me coucher. Ta mère est rentrée de vacances. Retourne chez toi, s'il te plaît.

— Mais je…

— Non. Ça suffit.

Je me redressai lentement et pris le temps de reprendre mon souffle.

— Tu sais la vraie différence qu'il y a entre toi et ton père ? repris-je. Même quand il était au plus bas, jamais il n'aurait traité quelqu'un comme ça.

On aurait dit que je venais de la gifler. Je m'en fichais.

— Je ne peux plus continuer ainsi, Lily. Tiens, ajoutai-je en lui tendant un billet de vingt livres que je venais de prendre dans mon sac. Pour le taxi.

Elle regarda l'argent, puis releva les yeux vers moi. Elle se passa une main dans les cheveux et repartit d'un pas lourd vers le salon.

J'enlevai ma veste et regardai fixement mon reflet dans le petit miroir au-dessus de ma commode. J'étais blafarde, visiblement épuisée, défaite.

— Et laisse tes clés, ajoutai-je.

S'ensuivit un bref silence. Je l'entendis poser son trousseau sur le comptoir de la cuisine, puis ouvrir et fermer la porte. Elle était partie.

Chapitre 16

J'ai tout gâché, Will.

Je repliai mes genoux contre ma poitrine. Je voulus imaginer ce qu'il m'aurait dit s'il m'avait vue ainsi, mais je ne parvenais plus à entendre sa voix dans ma tête. Cette constatation me rendit encore plus triste.

Qu'est-ce que je fais, maintenant ?

Je ne pouvais plus rester dans l'appartement que je m'étais payé grâce à l'argent de Will. Je le sentais comme imprégné de mes échecs, un lot de consolation que je n'aurais pas vraiment mérité. Comment se sentir chez soi dans un endroit qui nous est parvenu pour de mauvaises raisons ? J'allais le vendre et investir l'argent ailleurs. Mais où aller ?

Je songeai à mon travail, aux crampes d'estomac que me provoquaient à présent les airs de cornemuse, même à la télévision ; à Richard, qui passait son temps à me rabaisser.

Je pensai à Lily. J'avais noté le poids tout particulier du silence qui régnait dans une pièce quand je savais sans aucun doute possible qu'il n'y avait à la maison personne d'autre que moi. Je me demandai où elle était, puis repoussai cette pensée.

La pluie ralentit puis s'arrêta, comme pour s'excuser, comme si le climat admettait qu'il ne savait pas vraiment ce qui lui avait pris. Je m'habillai, passai l'aspirateur et sortis les poubelles remplies de canettes de bière et de paquets de chips. Puis je partis à pied jusqu'au marché aux fleurs, principalement pour me donner une occupation.

« C'est toujours mieux qu'errer sans but », disait toujours Marc.

Je me sentirais sûrement mieux dans l'agitation de Columbia Road, avec ses étalages multicolores et sa foule de flâneurs. Je m'obligeai à sourire, effrayai Samir quand je passai m'acheter une pomme (« Tu prends de la drogue, ou quoi ? ») et m'immergeai dans un océan de fleurs.

Je commandai un expresso dans un petit café et observai le marché à travers les vitres fumées, faisant abstraction du fait que j'étais la seule dans la petite salle à ne pas être accompagnée. Puis je parcourus le marché trempé par la pluie sur toute sa longueur, respirai l'odeur humide et entêtante des lilas, admirai les secrets replis des roses et des pivoines, leurs pétales toujours parsemés de perles d'eau brillantes. Je finis par m'offrir un bouquet de dahlias, et pendant tout ce temps, j'avais le sentiment de jouer un rôle : *Une jeune fille célibataire vit le rêve londonien.*

Je rentrai à pied, mes dahlias sous le bras, m'efforçant de ne pas boiter et d'empêcher les mots : « Oh, de qui te moques-tu ? » de résonner trop fort dans ma tête.

La soirée s'étira en longueur, comme toutes les soirées solitaires. Je finis de nettoyer l'appartement, repêchai des mégots dans les toilettes, regardai la télévision, nettoyai mon uniforme. Je me fis couler un bain moussant puis en sortis au bout de cinq minutes, terrifiée à l'idée de rester seule avec mes idées noires. Je ne pouvais pas appeler ma mère ni ma sœur : je savais que, devant elles, je serais incapable de faire semblant d'être heureuse.

Enfin, je sortis du tiroir de ma table de chevet la lettre de Will. Celle qu'il s'était arrangé pour me faire parvenir à Paris, à l'époque où j'étais pleine d'espoir. Une énième fois, je la dépliai avec soin. Parfois, au cours de cette première année, je la lisais la nuit, essayant de le ramener à la vie. Plus récemment, je m'étais raisonnée : je m'étais convaincue que je n'avais plus besoin de la voir ; j'avais peur qu'elle ne perde son pouvoir de talisman, que les mots perdent leur sens. Mais à présent, j'en avais besoin.

Le texte tapé à l'ordinateur m'était aussi précieux que s'il avait été en mesure de l'écrire à la main ; une trace résiduelle de son énergie vivait encore dans ces phrases imprimées :

> Pendant un temps, tu ne seras pas à l'aise dans ton nouvel univers. Il n'est jamais confortable d'être poussé en dehors de sa zone de confort… Je sens une faim en toi, Clark. Une grande audace. Tu l'as simplement enfouie, comme la plupart des gens.
>
> Contente-toi de bien vivre ta vie. Vis-la à fond.

Je lus les recommandations d'un homme qui avait cru en moi, posai ma tête sur mes genoux et, enfin, fondis en larmes.

Le téléphone se mit à sonner, trop fort, trop près de mon oreille. Je bondis et cherchai le combiné à tâtons. Au passage, je remarquai l'heure tardive et ressentis une peur « réflexe » désormais familière.

— Lily ?

— Quoi ? Lou ? dit la voix grave de Nathan à l'autre bout du fil.

— Il est 2 heures du matin, Nathan.

— Ah, mince. Je me suis encore trompé dans les fuseaux horaires. Désolé. Tu veux que je te rappelle plus tard ?

Je me redressai et me frottai le visage.

— Non. Non… Ça me fait plaisir de t'entendre, répondis-je en allumant ma lampe de chevet. Comment vas-tu ?

— Très bien ! Je suis de retour à New York.

— Super.

— Oui. C'était sympa de revoir la famille, mais après quelques semaines la Grosse Pomme me manquait. Cette ville est épique.

Je m'obligeai à sourire, au cas où il l'entendrait.

— C'est génial, Nathan. Je suis contente pour toi.

— Tu te plais toujours dans ton pub ?

— Ça va.

— Tu n'as pas… envie d'autre chose ?

— Comment dire ? Tu sais, quand tout va mal et que tu te répètes des trucs du genre : « Oh, ça pourrait être pire, je pourrais être la personne chargée de nettoyer les poubelles réservées aux crottes de chien » ? Eh bien, en ce moment, je préférerais être cette personne.

— Alors j'ai une proposition pour toi.

— Beaucoup de clients me disent ça, Nathan. Et la réponse est toujours « non ».

— Ah, je vois. En fait, il y a un poste disponible ici, dans la famille pour qui je travaille. Et tu es la première personne à qui j'ai pensé.

L'épouse de M. Gopnik, m'expliqua-t-il, n'était pas la typique femme de Wall Street. Elle ne se passionnait pas pour le shopping ni les brunchs ; c'était une émigrée polonaise, en proie à une légère dépression. Elle était seule, et sa femme de ménage – une Guatémaltèque – refusait de lui faire la conversation.

M. Gopnik avait besoin d'une personne de confiance pour tenir compagnie à sa femme et l'aider à s'occuper des enfants pendant leurs voyages.

— En gros, il cherche une sorte d'assistante polyvalente pour la maison. Une personne avenante et intègre. Et qui n'ira pas raconter à n'importe qui les détails de leur vie privée.

— Est-ce qu'il sait…

— Je lui ai parlé de Will dès notre première entrevue, mais il avait déjà mené son enquête. Ça ne l'a pas rebuté. Loin de là. Il m'a dit qu'il était impressionné que nous ayons respecté la volonté de Will et que nous n'ayons jamais vendu notre histoire à la presse. À ce niveau, Lou, les gens privilégient avant tout la fiabilité et la discrétion. Enfin, bien sûr, ils ne t'embaucheront pas non plus si tu es stupide ou si tu fais mal ton boulot, mais ce n'est pas ce qui leur importe le plus.

Mes pensées tournoyaient à toute vitesse, comme un manège devenu fou lors d'une fête foraine. Je tins un instant le téléphone devant moi, puis le collai de nouveau à mon oreille.

— Est-ce que… est-ce que je rêve ?

— Ce n'est pas un travail facile. Les journées sont longues et bien remplies. Mais je vais te confier un secret : je ne me suis jamais senti aussi bien.

Je passai la main dans mes cheveux. Je pensai au bar, avec sa clientèle d'hommes d'affaires essoufflés et le regard acéré de Richard braqué sur moi. Je pensai à mon appartement, à ses murs qui semblaient se refermer sur moi tous les soirs.

— Je ne sais pas, dis-je enfin. C'est… enfin, c'est très…

— C'est ta carte verte assurée, Lou, insista Nathan à voix basse. C'est le gîte et le couvert. C'est New York ! Écoute. M. Gopnik a le bras long. Travaille dur, et il prendra soin de toi. Il est malin, et il est juste. Viens ici, montre-lui ce que tu vaux, et ça pourrait t'offrir des opportunités insoupçonnées. Sérieusement. Ne vois pas ça comme un travail de nounou. Plutôt comme un tremplin.

— Je ne sais pas…

— Il y a un mec que tu n'as pas envie de quitter ?

J'hésitai.

— Non. Mais il se passe tellement de choses… Je n'ai pas…

Toute l'histoire me semblait très longue à expliquer à 2 heures du matin.

— Je sais que tu as été secouée par ce qui s'est passé. Nous l'avons tous été. Mais tu dois aller de l'avant.

— Ne me dis pas que c'est ce qu'il aurait voulu.

— D'accord, répliqua-t-il avant de l'articuler en silence dans le combiné.

Je m'efforçai de rassembler mes pensées.

— Est-ce que je vais devoir venir à New York pour un entretien ? demandai-je enfin.

— Ils sont partis dans les Hamptons pour l'été, donc il cherche quelqu'un qui pourrait commencer en septembre. Dans six semaines. Si tu es intéressée, il te fera passer un entretien sur Skype et s'occupera des formalités administratives. Il y aura d'autres candidates. C'est un très bon poste. Mais M. Gopnik me fait confiance, Lou. Si je lui dis qu'il peut compter sur toi, il m'écoutera. Alors, est-ce que tu te lances ? Oui ? J'ai bien entendu un « oui » ?

— Euh… oui. Oui, répondis-je avant même d'avoir pu y réfléchir.

— Génial ! Envoie-moi un mail si tu as des questions. Je t'enverrai quelques photos.

— Nathan ?

— Je dois y aller, Lou. Le vieux vient de me biper.

— Merci. Merci d'avoir pensé à moi.

S'ensuivit un bref silence, puis il répliqua :

— C'est que j'aimerais bien retravailler avec toi, ma belle.

Lorsqu'il eut raccroché, je ne parvins pas à trouver le sommeil. Je me demandais sans cesse si je n'avais pas inventé toute cette conversation. Mon cerveau bourdonnait d'excitation. À 4 heures du matin, je me redressai dans mon lit et envoyai à Nathan un mail avec quelques questions. Les réponses arrivèrent aussitôt :

> La famille est sympa. Les riches ne sont jamais normaux (!), mais ceux-là sont des gens bien. Pas trop de scènes d'hystérie.
> Tu auras ta chambre et ta salle de bains. On partagera la cuisine avec la gouvernante. Elle est très pro. Un peu plus âgée. Pas très causante.
> Les horaires sont corrects. Huit heures par jour, dix dans le pire des cas. Tu auras droit à des congés. Tu auras peut-être besoin d'apprendre quelques notions de polonais !

Au petit matin, je m'endormis, l'esprit débordant de gratte-ciel à Manhattan et de rues encombrées. Lorsque je m'éveillai, un mail m'attendait :

> Chère Mademoiselle Clark,
> Nathan m'a confirmé que vous étiez intéressée à l'idée de venir travailler chez nous. Seriez-vous disponible pour un entretien sur Skype mardi à 17 heures (heure de Londres) ?
> Sincèrement vôtre,
> Leonard M. Gopnik.

Je contemplai le message pendant vingt bonnes minutes. C'était la preuve que je n'avais pas tout imaginé. Puis je me levai et partis me doucher, me fis une tasse de café noir et rédigeai ma réponse.

Je n'ai rien à perdre avec cet entretien, me dis-je.

S'il y avait beaucoup de candidates new-yorkaises hautement qualifiées, je ne décrocherais pas cet emploi. Mais ce serait au moins un bon entraînement. Et cela me donnerait l'impression de faire enfin quelque chose de ma vie, d'aller de l'avant.

Avant de partir au travail, je pris la lettre de Will dans le tiroir de ma table de chevet. J'y déposai un baiser, puis la repliai avec soin pour la ranger.

Merci, lui dis-je en silence.

Cette semaine-là, le cercle d'accompagnement n'était pas au complet. Natasha était partie en vacances, ainsi que Jake. L'absence du garçon fit naître en moi un étrange mélange de soulagement et de frustration. Le sujet du jour était : « Si je pouvais remonter dans le temps », si bien que William et Sunil passèrent toute la séance à fredonner la chanson de Cher, *If I Could Turn Back Time*.

J'écoutai Fred exprimer son regret d'avoir passé trop de temps au travail, puis Sunil déplorer de ne pas avoir cherché à mieux connaître son frère (« On pense qu'ils seront toujours là, vous comprenez ?

Et puis, un jour, ils sont partis. »), et commençai à me demander si j'avais bien fait de venir.

Par moments, je me disais que le groupe m'aidait à avancer. Mais la plupart du temps, je me rendais compte que j'étais assise au milieu de gens avec qui je n'avais rien en commun et qui passaient leur temps à radoter. J'étais fatiguée et d'humeur maussade, ma hanche me faisait mal sur ma chaise en plastique dur, et j'aurais été tout aussi éclairée sur ma santé mentale en regardant un épisode d'*EastEnders*. Sans compter que les biscuits étaient vraiment immondes.

Leanne, une mère célibataire, racontait qu'elle et sa sœur aînée s'étaient disputées pour un pantalon de survêtement deux jours avant la mort de cette dernière.

— Je l'ai accusée de l'avoir volé parce qu'elle me piquait toujours mes affaires. Elle a prétendu qu'elle ne l'avait pas pris, mais c'est ce qu'elle disait toujours.

Marc attendit. Je me demandai si je n'avais pas des antidouleurs dans mon sac à main.

— Après ça, elle a été renversée par ce bus et je ne l'ai revue qu'à la morgue. Et quand j'ai fouillé dans mon placard à la recherche de vêtements noirs pour son enterrement, vous savez ce que j'ai trouvé ?

— Le bas de survêtement, répondit Fred.

— Ce n'est pas facile quand il reste des choses en suspens, déclara Marc. Parfois, pour notre équilibre, nous devons prendre un peu de recul.

— On peut aimer quelqu'un tout en le traitant de tous les noms s'il nous a volé notre pantalon de survêtement, dit William.

Ce jour-là, je ne voulais pas parler. J'étais seulement venue parce que je ne supportais plus le silence de mon petit appartement. Soudain, je fus prise d'une horrible vision de ce que je risquais de devenir : une de ces personnes à moitié folles, qui ont tant besoin de contact humain qu'elles adressent la parole au hasard aux autres passagers du métro ou passent dix minutes à choisir un article dans un magasin pour avoir l'occasion de parler au vendeur. J'étais si occupée à me demander si je devais m'inquiéter d'avoir discuté avec Samir de mon nouveau bandage de compression lors de mon passage en caisse que j'en oubliai d'écouter Daphne regretter de ne pas être rentrée du travail une heure plus tôt ce fameux jour. Puis je m'aperçus qu'elle s'était mise à verser des larmes silencieuses.

—Daphne ?

—Je suis désolée. Mais j'ai passé tant de temps à me dire « si seulement… ». Si seulement je ne m'étais pas arrêtée pour bavarder avec la fleuriste. Si seulement j'avais laissé tomber ma compta et j'étais rentrée plus tôt du travail. Si seulement je pouvais remonter dans le temps… peut-être aurais-je pu le dissuader de se suicider. Peut-être aurais-je pu changer une seule chose qui aurait suffi à lui redonner l'envie de vivre ?

Marc me tendit une boîte de mouchoirs, que je posai doucement sur les genoux de Daphne.

—Alan avait-il déjà tenté de mettre fin à ses jours, Daphne ? demanda-t-il.

Elle hocha la tête et se moucha.

—Oh, oui, répondit-elle. Plusieurs fois. Depuis très jeune, il avait régulièrement ce qu'il appelait « le blues ». Je n'aimais pas le laisser seul dans cet état, parce que c'était comme si… comme s'il ne m'entendait plus. Quoi que je puisse dire. Alors souvent j'appelais le travail pour dire que j'étais malade et restais avec lui pour lui remonter le moral. Lui faire ses sandwichs préférés. M'asseoir à côté de lui sur le canapé. Je faisais tout, vraiment, pour lui montrer que j'étais là. Je pense souvent que c'est à cause de ça que je n'ai jamais eu de promotion au travail, alors que toutes les autres filles en ont eu une. Je devais sans cesse prendre des congés, vous comprenez.

—La dépression peut être très dure à vivre. Et pas seulement pour celui qui en souffre.

—Est-ce qu'il prenait des antidépresseurs ?

— Oh, non. Mais le problème n'était pas… vous savez… clinique.

— Tu es sûre ? La dépression était sous-diagnostiquée à l'époque…

Daphne leva la tête.

— Il était homosexuel, lâcha-t-elle.

Elle avait prononcé le mot en entier, avec ses cinq syllabes parfaitement articulées. Puis elle nous regarda bien en face, un peu rouge, comme pour nous défier d'émettre le moindre commentaire.

— Je n'en ai jamais parlé à personne, poursuivit-elle. Mais il était homosexuel, et je crois que c'était ce qui le rendait triste. Mais il était si gentil, il n'aurait jamais rien fait qui puisse me blesser. Il ne serait jamais… vous savez… parti faire des choses. Il savait que je n'aurais pas supporté la honte.

— Mais qu'est-ce qui te fait croire qu'il était gay, Daphne ?

— J'ai trouvé des magazines en cherchant une de ses cravates. Avec des hommes qui se tripotaient entre eux. Dans son tiroir. Je vois mal pourquoi il aurait eu ces magazines s'il n'était pas gay.

Fred se raidit légèrement.

— En effet, approuva-t-il.

— Je ne lui en ai jamais parlé, reprit Daphne. Je les ai rangés là où je les avais trouvés. Mais à cet instant, toutes les pièces du puzzle se sont mises en place. Il n'avait jamais été très friand de sexe. Mais je m'étais dit que j'avais de la chance, vous comprenez, parce que moi non plus. À cause des bonnes sœurs. Elles vous font vous sentir sales pour à peu près tout et n'importe quoi. Alors quand j'ai épousé un homme tendre qui ne me sautait pas dessus toutes les cinq minutes, j'ai pensé que j'étais la femme la plus chanceuse au monde. Enfin, j'aurais aimé avoir des enfants. Ça aurait été bien. Mais nous n'en avons jamais vraiment parlé, soupira-t-elle. À l'époque, ça ne se faisait pas. Maintenant, je regrette de ne pas l'avoir fait. Avec du recul, je n'arrête pas de me dire : « Quel gâchis ! »

— Tu penses que si tu lui avais parlé franchement, ça aurait pu changer quelque chose ?

— Eh bien, les mentalités ont évolué, non ? Maintenant, il n'y a plus de mal à être homosexuel. Mon teinturier l'est, et il parle à tout le monde de son petit ami. J'aurais été triste de perdre mon pari, mais s'il était malheureux parce qu'il se sentait pris au piège, je l'aurais laissé partir. Je n'ai jamais voulu prendre personne au piège. Je voulais juste qu'il soit un peu plus heureux.

Son visage se chiffonna, et je posai un bras sur ses épaules. Ses cheveux sentaient la laque et le gigot d'agneau.

— Allons, allons, dit Fred en se levant pour lui tapoter le dos, un peu gêné. Je suis sûr qu'il savait que vous vouliez son bonheur.

— Tu crois vraiment, Fred ? demanda-t-elle d'une voix tremblante.

Fred hocha fermement la tête.

— Oh, oui. Et tu as raison. Les mentalités étaient différentes à l'époque. Ce n'est pas ta faute.

— Tu as été très courageuse de partager cette histoire, Daphne. Merci, déclara Marc en lui souriant. Et j'ai une grande admiration pour toi, pour avoir trouvé l'énergie de continuer à vivre. Parfois, simplement vivre au jour le jour requiert une force surhumaine.

Lorsque je baissai les yeux, je m'aperçus que Daphne me tenait la main. Je sentis ses doigts potelés se glisser entre les miens et lui rendis son étreinte. Et sans y réfléchir, je me mis à parler :

— J'ai fait une chose que je regrette.

Une demi-douzaine de visages se tournèrent vers moi.

— J'ai rencontré la fille de Will. Elle a débarqué dans ma vie, sortie de nulle part, et j'ai cru que ça m'aurait aidée à accepter sa mort, mais au lieu de ça…

Ils me regardaient tous fixement. Fred grimaçait.

— Qu'est-ce qui se passe ?

— Qui est Will ? demanda Fred.

— Tu avais dit qu'il s'appelait Bill.

Je me tassai un peu sur ma chaise.

— Will, c'est Bill. Au début, j'étais mal à l'aise à l'idée de l'appeler par son vrai prénom.

Dans la salle, tout le monde poussa un soupir de soulagement.

— Ne t'en fais pas, ma chère, me dit Daphne en me tapotant la main. Ce n'est qu'un prénom. Il y a quelques mois, on a eu une femme qui avait inventé toute son histoire. Elle a raconté qu'elle avait eu un enfant qui était mort d'une leucémie. Il s'est avéré qu'elle n'avait même pas de poisson rouge.

— Ce n'est rien, Louisa. Tu peux nous parler, renchérit Marc en me jetant un de ses fameux regards empathiques.

Je lui adressai un petit sourire, juste pour lui montrer que j'avais compris. Et que Will n'était pas un poisson rouge.

Quoi ? songeai-je. *Ma vie est encore plus bordélique que toutes les leurs réunies.*

Je leur parlai donc de l'arrivée de Lily, de comment j'avais cru pouvoir lui venir en aide en organisant des retrouvailles qui auraient dû rendre tout le monde heureux. Je leur expliquai à quel point je me sentais stupide d'avoir été aussi naïve.

— J'ai l'impression d'avoir déçu Will. D'avoir déçu tout le monde. Et maintenant qu'elle est partie, je n'arrête pas de culpabiliser. Mais la vérité, c'est que je n'étais pas capable de m'occuper d'elle. Je n'étais pas assez forte.

— Mais tes affaires ! Tes précieux bijoux qui ont été volés ! s'écria Daphne, dont l'autre main moite et potelée s'abattit sur la mienne. Tu étais parfaitement en droit d'être en colère !

— Ne pas avoir de père n'est pas une excuse pour se conduire comme une sale gosse, ajouta Sunil.

— Je trouve que tu as déjà été très gentille de la laisser vivre chez toi. Je ne suis pas sûre que j'aurais accepté, dit Daphne.

— Selon toi, Louisa, qu'est-ce que son père aurait pu faire de plus que toi ? me demanda Marc en se servant une nouvelle tasse de café.

Soudain, je regrettai que nous n'ayons pas de boissons plus fortes à disposition.

— Je ne sais pas, répondis-je. Mais il avait cette manière bien particulière de prendre la situation en main. Même alors qu'il ne pouvait bouger ni les bras ni les jambes, il donnait toujours l'impression qu'il était capable de tout faire. Il l'aurait empêchée de se conduire comme une idiote. Il aurait trouvé un moyen de la remettre dans le droit chemin.

— Tu es sûre que tu n'es pas en train de l'idéaliser ? demanda Fred.

— Au fait, on parlera de l'idéalisation en semaine huit.

— Moi, je ne peux pas m'empêcher de faire de Jilly une sainte, pas vrai, Marc ? J'oublie qu'elle laissait toujours ses bas accrochés à la barre du rideau de douche et que ça me mettait hors de moi.

— Son père n'aurait peut-être rien pu faire pour l'aider. Tu ne peux pas savoir. Ils se seraient peut-être détestés.

— Elle m'a l'air d'une jeune fille bien compliquée, dit Marc. Et tu lui as donné autant de chances que tu as pu. Mais… parfois, Louisa, aller de l'avant signifie être capable de se protéger. Et peut-être l'as-tu compris, au fond de toi. Si Lily n'apportait que chaos et négativité dans ta vie, alors il est possible que tu aies agi comme il fallait.

Sa tirade fut accueillie par des hochements de tête.

— Oui, sois indulgente avec toi-même. Tu es humaine, après tout.

Ils étaient si gentils, à m'adresser des sourires rassurants, à vouloir me réconforter… J'arrivais presque à les croire.

Le mardi, je demandai à Vera si elle pouvait m'accorder dix minutes. (Je marmonnai une vague excuse à propos de problèmes intimes, elle hocha la tête comme pour me signifier que la vie des femmes n'était qu'un long calvaire, et murmura qu'elle me parlerait plus tard de son fibrome.) Je courus dans les toilettes pour femmes les plus tranquilles – le seul endroit où je savais que Richard ne me verrait pas – avec mon portable dans mon sac. J'enfilai un chemisier par-dessus mon uniforme, calai l'ordinateur sur le lavabo et me connectai aux trente minutes de wi-fi gratuites de l'aéroport avant de me placer soigneusement devant l'écran. M. Gopnik m'appela sur Skype à 17 heures tapantes, juste au moment où j'enlevais ma perruque.

Même si je ne voyais que son visage pixelisé, je sus d'emblée que Leonard Gopnik était riche. Il avait des cheveux poivre et sel très bien coupés, regardait le petit écran avec une autorité naturelle et parlait sans détour. Sans compter le tableau de maître encadré d'or qui trônait sur le mur derrière lui.

Il ne voulut rien savoir de mes résultats scolaires, de mon CV, ni des motifs qui m'avaient incitée à effectuer cet entretien à côté d'un sèche-mains. Il consulta quelques documents, puis me demanda quelle était ma relation avec les Traynor.

— Bonne ! Je veux dire, je suis sûre qu'ils pourront vous fournir une lettre de recommandation. Je les ai vus tous les deux récemment, pour diverses raisons. Nous nous entendons bien, en dépit des… des circonstances de…

— Des circonstances de la fin de votre contrat, acheva-t-il d'une voix basse et décidée. Oui, Nathan m'a expliqué la situation. C'est une sacrée histoire.

— Oui. En effet, répondis-je après un bref silence gêné. Mais je me suis sentie privilégiée. D'avoir pu faire partie de la vie de Will.

Il hocha la tête, puis me demanda :

— Et depuis, qu'avez-vous fait ?

— Euh… J'ai un peu voyagé, surtout en Europe. C'était… intéressant. C'est bien, de voyager. Ça permet de relativiser, ajoutai-je en m'efforçant de sourire. Maintenant, je travaille dans un aéroport, mais ce n'est pas vraiment…

Alors que je parlais, la porte s'ouvrit derrière moi et une femme entra en tirant sa valise à roulettes. Je déplaçai mon ordinateur, espérant qu'il ne l'entendrait pas entrer dans la cabine.

— … ce n'est pas vraiment ce que j'ai envie de faire sur le long terme, conclus-je.

S'il vous plaît, faites un petit pipi silencieux, suppliai-je mentalement.

Il me posa quelques questions sur mes responsabilités actuelles, ainsi que sur mon salaire. Je tentai d'ignorer le bruit de la chasse d'eau et regardai toujours droit devant moi, sans saluer la femme qui ressortit de la cabine.

— Et que voulez-vous…

M. Gopnik s'interrompit et fronça les sourcils. La voyageuse était passée derrière moi pour allumer le sèche-mains, qui produisait un rugissement assourdissant.

— Attendez un moment, s'il vous plaît, monsieur Gopnik.

Je posai mon pouce sur ce que j'espérais être le micro.

— Je suis désolée, criai-je à la femme, mais vous ne pouvez pas vous servir de cet appareil. Il est… cassé.

Elle se tourna vers moi en frottant ses doigts parfaitement manucurés, puis de nouveau vers la machine.

— Non, il fonctionne. Où est le panneau « en panne » ?

— Il a brûlé. Brusquement. Ce truc-là est très dangereux.

Elle me dévisagea un instant, puis regarda le sèche-mains d'un air suspicieux, recula et s'en alla avec sa valise. Je calai ma chaise contre la porte pour empêcher quiconque d'entrer, puis replaçai mon ordinateur de façon que M. Gopnik puisse me voir.

— Je suis désolée. Je dois faire ça sur mon lieu de travail et c'est un peu…

Il était en train d'étudier ses papiers.

— Nathan m'a dit que vous aviez eu un accident récemment.

Je déglutis péniblement.

— En effet. Mais je vais beaucoup mieux. Je suis parfaitement rétablie. Enfin, à part un léger boitillement.

— Ça arrive même aux meilleurs d'entre nous, répliqua-t-il avec bonhomie.

Je lui souris à mon tour. Quelqu'un essaya d'entrer. Je pesai de tout mon poids sur ma chaise.

— Qu'est-ce qui a été le plus difficile ? demanda M. Gopnik.

— Je vous demande pardon ?

— Lorsque vous travailliez pour William Traynor. Ce devait être un vrai défi.

J'hésitai. La pièce était soudain très silencieuse.

— Le laisser s'en aller, répondis-je.

Soudain, je me rendis compte que je refoulais des larmes.

Leonard Gopnik me regardait attentivement. Je combattis l'envie de m'essuyer les yeux.

— Ma secrétaire vous recontactera, mademoiselle Clark. Merci pour votre temps.

Il m'adressa un dernier signe de tête, puis son visage se figea et l'écran devint noir. Je restai un instant à le contempler. Je me rendais compte qu'une fois de plus j'avais réussi à tout gâcher.

Ce soir-là, en rentrant à la maison, je décidai de ne pas songer à cet entretien. Je me répétai les mots de Marc comme un mantra. Je passai en revue les bêtises de Lily : les invités surprise, le vol, les drogues, les sorties tardives, les affaires qu'elle m'empruntait, et les étudiai à travers le prisme des commentaires émis au sein du groupe. Lily incarnait le chaos, le désordre ; une fille qui prenait tout sans rien donner en retour. Elle avait beau avoir l'excuse de la jeunesse, et être la fille biologique de Will, cela ne signifiait pas que je devais me sentir responsable d'elle, ni supporter le bazar qu'elle semait.

Je me sentais déjà un peu mieux. Vraiment. Je me souvins d'une autre phrase de Marc : « Une sortie de deuil n'est jamais un chemin rectiligne. » Il y aurait de bons et de mauvais jours.

Ce jour-là avait été un mauvais jour, une pierre sur mon chemin, mais j'y survivrai.

J'entrai dans mon appartement et lâchai mon sac, heureuse de retrouver mon chez-moi exactement comme je l'avais quitté. Je laisserais passer un peu de temps, me dis-je, puis j'enverrais un SMS à Lily et m'assurerais que ses prochaines visites soient mieux cadrées. Je me concentrerais sur ma recherche d'un nouvel emploi. Je penserais à moi, pour changer. Je m'autoriserais à guérir. Je dus m'arrêter à ce point, car j'avais l'impression de commencer à parler comme Tanya Houghton-Miller.

Mon regard se posa sur l'escalier de secours. Le premier pas vers la guérison serait de remonter sur le toit. J'allais y grimper toute seule, sans être submergée par une crise de panique, et resterais assise là-haut pendant une demi-heure. Je ne devais plus laisser ce satané toit me faire cet effet-là. C'était parfaitement ridicule.

J'enlevai mon uniforme, enfilai un short et, pour me donner du courage, le pull en cachemire de Will. Celui que j'avais volé après sa mort. Réconfortée par sa douceur contre ma joue, je m'approchai de la fenêtre et l'ouvris en grand. Il ne s'agissait que de deux volées de marches en fer. Et je serais là-haut.

— Il ne peut rien t'arriver, dis-je à voix haute.

Lorsque je posai le pied sur l'escalier de secours, mes jambes me parurent étrangement creuses. Mais ce n'était qu'une impression, me répétai-je. L'écho d'une vieille angoisse. Je pouvais la surmonter, comme j'allais surmonter tout le reste. J'entendais la voix de Will dans mon oreille.

Allez, Clark. Un pas à la fois.

En tenant la rampe à deux mains, j'entamai mon ascension. Je ne baissai pas les yeux. Je m'empêchai de penser à la hauteur à laquelle je me trouvais, à la légère brise qui me rappelait mon accident, à la douleur persistante dans ma hanche. Je me focalisai sur Sam, et la colère que cela éveilla me permit d'avancer. Je ne serais plus la victime, la personne qui subissait son sort.

Toutes ces pensées m'accompagnèrent jusqu'en haut des marches. En arrivant sur le toit, mes jambes se remirent à trembler. Je grimpai maladroitement sur le muret, craignant qu'elles ne se dérobent sous moi, et me laissai tomber à quatre pattes. J'avais réussi. Je contrôlais mon destin. Je resterais là le temps qu'il faudrait pour me sentir de nouveau normale.

Je m'accroupis sur les talons en m'appuyant contre le mur, m'assurant de sa solidité. Tout allait bien. Rien ne bougeait. Je l'avais fait. Puis j'ouvris les yeux, et mon souffle se bloqua dans ma poitrine.

Le toit était couvert de fleurs. Les bacs que j'avais négligé d'arroser pendant des mois étaient remplis de plantes rouges et violettes qui coulaient jusqu'au sol comme de petites fontaines multicolores. Deux nouvelles jardinières débordaient de nuages de pétales bleus, et un érable du Japon trônait dans un pot ornemental à côté d'un des bancs, ses feuilles frissonnant délicatement dans la brise.

Dans le coin le plus ensoleillé, côté sud, deux sacs de terreau enrichi étaient posés contre le réservoir d'eau, et deux plants de tomates cerise y poussaient. Un autre était couché par terre, au milieu duquel émergeaient de petites feuilles vertes et dentelées. Je m'en approchai lentement dans la délicate odeur du jasmin, puis m'arrêtai et m'assis en m'agrippant au banc en fer. Je posai mes fesses sur un coussin que je reconnus pour provenir de mon salon.

Je contemplais avec incrédulité cette petite oasis de calme et de beauté que quelqu'un avait su créer sur mon toit aride. Je me souvins de Lily, qui avait cassé une brindille morte en m'informant avec un grand sérieux qu'il était criminel de laisser mourir ses plantes. Je repensai à sa remarque dans le jardin de Mme Traynor, « des roses David Austin ». Et je me rappelai alors les mystérieux tas de poussière, ou de terre, trouvés dans mon entrée.

Et j'enfouis le visage entre mes mains.

Chapitre 17

J'ENVOYAI DEUX MESSAGES À LILY. LE PREMIER POUR LA remercier du miracle qu'elle avait accompli sur mon toit.

C'est tellement magnifique. J'aurais voulu que tu m'en parles.

Le lendemain, je lui écrivis que j'étais désolée que les choses aient si mal tourné entre nous et que, si jamais elle voulait un jour parler de Will, je ferais de mon mieux pour répondre à ses questions. J'ajoutai que j'espérais qu'elle irait voir M. Traynor et son bébé, car je savais mieux que quiconque qu'il était important de ne pas se couper de sa famille.

Elle ne répondit pas. Je n'en fus pas vraiment surprise.

Les deux jours suivants, je retournai sur le toit, comme quelqu'un qui s'inquiète d'une dent branlante. J'arrosais les plantes, prise d'un vague sentiment de culpabilité résiduelle. Je marchais parmi les fleurs aux couleurs éclatantes tout en m'imaginant les heures volées que Lily avait passées là-haut ; elle avait dû hisser les sacs de compost et les pots de terre cuite jusqu'en haut de l'escalier de secours pendant que j'étais au travail. Mais chaque fois que je repensais à notre relation, je me remettais à tourner en boucle. Qu'aurais-je pu faire d'autre ? Je n'aurais pas pu obliger les Traynor à l'accepter comme elle le souhaitait. Je n'aurais pas pu la rendre plus heureuse. La seule personne qui aurait pu y parvenir n'était plus là.

Une moto stationnait devant mon immeuble. Je fermai la voiture et traversai la rue en boitant pour aller acheter un carton de lait à la supérette. J'étais épuisée après ma journée de travail. Je baissai la tête pour me protéger du crachin, et lorsque je relevai les yeux, j'aperçus un uniforme familier à l'entrée de mon immeuble. Mon cœur bondit.

Je retraversai la rue et passai droit devant lui en cherchant mon trousseau dans mon sac. Pourquoi mes doigts se changeaient-ils toujours en saucisses à cocktail dans les moments de stress ?

— Louisa.

Les clés refusèrent de réapparaître. Je fouillai mon sac une seconde fois, fis tomber au passage un peigne et de la petite monnaie, et marmonnai un juron. Je tapotai mes poches, essayant de me rappeler où j'avais pu les mettre.

— Louisa.

Puis, l'estomac noué, je me souvins qu'elles étaient dans la poche de mon jean, celui que j'avais enlevé juste avant de partir travailler. *Oh, impeccable !*

— Sérieusement ? Tu as l'intention de m'ignorer ?

Je pris une profonde inspiration et me tournai vers lui en redressant le menton.

— Sam.

Lui aussi semblait fatigué. Il était mal rasé. Il venait probablement de finir sa tournée. Je ne devrais pas remarquer ces détails. Je me concentrai sur un point derrière son épaule.

— Est-ce qu'on peut parler ? demanda-t-il.

— Pour quoi faire ?

— Pour quoi faire ?

— J'ai saisi le message, OK ? Je ne comprends même pas ce que tu fais là.

— Je suis là parce que je viens de finir une journée de seize heures et que j'ai déposé Donna un peu plus loin. Je me suis dit que j'allais essayer de te voir pour comprendre ce qui s'est passé entre nous. Parce que je n'en ai pas la moindre idée.

— Vraiment ?

— Vraiment.

Nous nous fusillâmes du regard. Pourquoi n'avais-je pas remarqué plus tôt à quel point il était agressif ? Déplaisant ? Comment avais-je pu être à ce point aveuglée de désir pour cet homme alors que tout mon être me criait à présent de déguerpir ? Une dernière fois, je fis mine de chercher mes clés et me retins à grand-peine de donner un coup de pied dans la porte.

— Alors, est-ce que tu vas au moins daigner me donner un début d'explication ? J'en ai assez, Louisa, je n'aime pas ces petits jeux.

— Toi, tu n'aimes pas les petits jeux ? m'écriai-je avec un rire amer.

Il prit une profonde inspiration.

— OK. Une question. Une seule, et après je m'en vais. Je veux juste savoir pourquoi tu ne réponds pas quand je t'appelle.

Je le regardai d'un air incrédule.

— Parce que je suis beaucoup de choses, mais certainement pas idiote. Je l'ai peut-être été – tous les signes auraient dû me faire fuir, et je les ai ignorés – mais, en gros, je n'ai pas répondu à tes coups de fil parce que tu es un abruti de première. OK ?

Je m'accroupis pour ramasser mes affaires. Je sentais que je m'échauffais, comme si mon thermomètre interne s'était soudain détraqué.

— Oui, parce que tu es tellement parfait, hein ? poursuivis-je. Si tout ça n'était pas aussi pathétique, je serais même plutôt impressionnée.

— Regardez Sam, le bon père. Si attentionné, si intuitif, crachai-je en me redressant. Mais en vérité, qu'est-ce qui se passe ? Tu es tellement occupé à baiser la moitié des femmes de Londres que tu ne remarques même pas que ton fils souffre.

— Mon fils ?

— Oui ! Parce qu'on l'écoute vraiment, nous, tu vois. On n'est pas censés raconter à des non-membres ce qui se dit au cercle, et il ne t'en parlera pas lui-même parce que c'est un ado, mais il est malheureux, et pas seulement parce qu'il a perdu sa mère. Il est malheureux parce que tu passes ton temps à tenter d'oublier ton chagrin en culbutant toute une cohorte de femmes !

Je criais à présent. Mes propres mots m'échappaient, mes mains s'agitaient en tous sens. Je voyais Samir et son cousin me regarder à travers leur vitrine, mais cela m'était égal.

— Et oui, oui, je sais, j'ai été assez bête pour être l'une d'entre elles. Alors pour lui, je le répète, tu es un abruti. Et c'est pour ça que je n'ai pas envie de te parler en ce moment. Ni jamais.

Il se gratta la tête.

— Est-ce qu'on parle toujours de Jake ? demanda-t-il enfin.

— Bien sûr que je parle de Jake. Tu as combien d'autres fils ?

— Jake n'est pas mon fils.

Je le dévisageai, médusée.

— Jake est le fils de ma sœur décédée. C'est mon neveu.

Ses mots mirent de longues secondes à prendre une forme que je fus en mesure de comprendre. Sam me regardait intensément, les sourcils froncés, comme si lui aussi essayait d'analyser la situation.

— Mais… mais tu passes le prendre au cercle. Il habite avec toi.

— Je passe le prendre le lundi, parce que son père travaille le soir. Et il dort chez moi de temps en temps, oui. Mais il ne vit pas avec moi.

— Jake… n'est pas ton fils.

— Je n'ai pas d'enfants. À ma connaissance. Même si, depuis cette histoire avec Lily, je me suis parfois posé la question.

Je le revis serrer Jake dans ses bras et rembobinai mentalement une demi-douzaine de nos conversations.

— Mais je l'ai vu quand on s'est rencontrés, la première fois. Quand tu me parlais, il a levé les yeux au ciel, comme si…

Sam baissa la tête.

— Oh, mon Dieu, dis-je en me plaquant la main sur la bouche. Ces femmes…

— Pas les miennes.

Nous restâmes plantés là, au milieu de la rue. Samir nous observait à présent depuis le seuil de sa boutique. Un autre de ses cousins venait de le rejoindre. À notre gauche, tous ceux qui attendaient le bus détournèrent le regard dès qu'ils se rendirent compte que nous les avions surpris en train de nous espionner. Sam m'indiqua d'un signe de tête la porte de mon immeuble.

— Tu ne crois pas qu'on devrait aller parler à l'intérieur ?

— Oui. Oui. Oh. Non, je ne peux pas. Je me suis enfermée dehors.

— Tu as un double des clés ?

— Dans l'appartement.

Il se passa une main sur le visage, puis jeta un coup d'œil à sa montre. Il était clairement épuisé.

— Écoute… rentre chez toi et repose-toi, lui dis-je. On parlera demain. Je suis désolée.

La pluie s'intensifia soudain en une grosse averse estivale, transformant en un instant les caniveaux en torrents et inondant la chaussée. En face, Samir et ses cousins se réfugièrent à l'intérieur.

Sam poussa un soupir. Il leva les yeux vers le ciel, puis les reposa sur moi.

— Attends une minute, dit-il.

Il prit un gros tournevis qu'il avait emprunté à Samir et me suivit dans l'escalier de secours. Par deux fois, je dérapai sur le métal mouillé, et il me rattrapa. À son contact, je fus comme traversée d'un éclair de chaleur. Lorsque nous arrivâmes à mon étage, il glissa l'outil dans l'encadrement de ma fenêtre afin de faire levier. Celle-ci céda en quelques minutes.

— Et voilà.

Il souleva la vitre à guillotine, puis la soutint d'une main et se tourna vers moi en me faisant signe d'entrer, l'air vaguement désapprobateur.

— C'était beaucoup trop facile, ce n'est pas prudent pour une jeune femme qui vit seule dans ce quartier, déclara-t-il.

— Tu ne me fais pas l'effet d'une jeune femme qui vit seule dans ce quartier, rétorquai-je.

— Je suis sérieux.

— Je m'en sors très bien, Sam.

— Tu ne vois pas les horreurs que je vois. Je veux que tu sois en sécurité.

J'essayai de sourire, mais mes genoux tremblaient et mes paumes glissaient sur la rampe en fer. Je voulus esquisser un pas vers la fenêtre, mais titubai légèrement.

— Ça va ?

Je hochai la tête. Il me prit par le bras et m'aida à m'introduire dans mon appartement. Je me laissai tomber sur le tapis sous la fenêtre et attendis de cesser de trembler. Je n'avais pas eu une bonne nuit de sommeil depuis des jours et me sentais soudain à moitié morte, comme si la rage et l'adrénaline qui m'avaient supportée jusque-là venaient de disparaître.

Sam entra à son tour et ferma la fenêtre derrière lui en jetant un coup d'œil au loquet brisé. Le couloir était plongé dans la pénombre, et on entendait le tambourinement étouffé des gouttes de pluie sur le toit. Devant moi, Sam fouilla ses poches jusqu'à y trouver, parmi d'autres détritus, un petit clou. Il s'empara du tournevis et se servit de la poignée pour enfoncer le morceau de métal dans le cadre de la fenêtre afin d'empêcher quiconque de l'ouvrir de l'extérieur. Puis il s'approcha à pas lourds de là où je me tenais et me tendit la main.

— C'est l'avantage d'être bâtisseur de maison à temps partiel, dit-il. On a toujours un clou sous la main. Allez, debout. Si tu restes assise là, tu ne vas jamais te relever.

Ses cheveux étaient aplatis par la pluie, et sa peau luisait sous la lumière électrique. Je le laissai m'aider à me relever, et le mouvement m'arracha une grimace de douleur.

— La hanche ? s'enquit-il.

J'acquiesçai.

— J'aimerais que tu me parles, soupira-t-il.

La peau sous ses yeux était mauve d'épuisement. Deux longues égratignures couronnaient le dos de sa main gauche. Je me demandai ce qui s'était passé la veille au soir. Il disparut dans la cuisine, et j'entendis de l'eau couler. Il revint avec deux pilules et une tasse.

— Je ne devrais pas te donner ça, mais elles vont te permettre de passer une nuit tranquille.

Je les pris avec gratitude. Il me regarda les avaler.

— Ça t'arrive de suivre les règles ? lui demandai-je.

— Seulement quand je les trouve sensées, répondit-il en reprenant la tasse. Alors, Louisa Clark, tout est clair entre nous ?

Je hochai la tête.

Il poussa un profond soupir.

— Je t'appelle demain, déclara-t-il.

Après coup, je ne compris pas vraiment ce qui avait motivé mon geste. Je tendis la main pour prendre la sienne et sentis ses doigts se refermer lentement sur les miens.

— Ne pars pas, dis-je dans un souffle. Il est tard. Et les motos sont dangereuses.

Je pris le tournevis dans son autre main et le laissai tomber sur le tapis. Il m'observa un long moment, puis se massa les tempes.

— Je ne crois pas pouvoir être bon à grand-chose ce soir, dit-il.

— Alors je te promets de ne pas me servir de toi comme objet sexuel. Pas ce soir, en tout cas, ajoutai-je en plongeant mon regard dans le sien.

Son sourire tarda à venir, mais lorsqu'il arriva, je ressentis un profond relâchement, comme si j'avais jusqu'alors porté sur mes épaules un poids dont je n'avais pas eu conscience.

« On ne sait jamais ce qui peut se passer quand on tombe de si haut. »

Il laissa le tournevis par terre, et je le menai en silence dans ma chambre.

Allongée dans l'obscurité de mon petit appartement, agréablement blottie contre un homme endormi, je regardai longuement son visage.

« Crise cardiaque mortelle, accident de moto, adolescent suicidaire et agression à l'arme blanche dans la cité HLM de Peabody. Certains jours sont juste un peu… »

« Chut. Ce n'est rien. Dors. »

Il avait tout juste réussi à enlever son uniforme. Il s'était mis en tee-shirt et boxer, puis m'avait embrassée avant de sombrer dans un sommeil de plomb. Je m'étais demandé si je devais lui préparer un en-cas, ou bien ranger l'appartement afin qu'à son réveil je lui fasse l'effet d'une personne qui avait un minimum de contrôle sur sa vie. Finalement, je décidai de me mettre en sous-vêtements et de me glisser sous les draps.

Pendant ces quelques instants, je voulais seulement être à côté de lui, ma peau nue contre le tissu de son tee-shirt, mon souffle se mêlant au sien. Couchée là, je l'écoutai respirer et m'émerveillai de le voir si paisible. J'examinai la petite bosse qui marquait l'arête de son nez, les nuances dans la barbe naissante qui ombrait son menton, la légère courbure de ses cils noirs. Je repensai aux conversations que nous avions eues. Je les voyais à présent sous une nouvelle perspective, qui le dépeignait comme un vrai célibataire doublé d'un oncle attentionné. J'avais envie à la fois de disparaître dans un trou de souris et de rire de la stupidité de toute cette histoire.

Je caressai son visage, doucement, respirant l'odeur de sa peau. La senteur un peu piquante du savon antibactérien, une touche de sueur masculine à l'effet plus qu'aphrodisiaque… La deuxième fois que je le touchai, je sentis sa main se serrer par réflexe sur ma hanche. Je roulai sur le dos afin de contempler la lumière des lampadaires.

Pour la première fois, je ne me sentais pas comme une étrangère dans cette ville. Puis, enfin, je me mis à dériver…

Il ouvre les yeux, me voit qui le regarde. Une seconde plus tard, il se rappelle où il se trouve.

— Bonjour.

Je me réveille un peu plus. Je suis plongée dans cet état de semi-conscience typique du petit matin.

Il est dans mon lit. Sa jambe contre la mienne.

Un sourire se dessine sur mon visage.

— Bonjour toi-même.

— Quelle heure il est ? demande-t-il.

Je roule sur le côté afin de lire l'heure sur mon réveil.

— Cinq heures moins le quart.

Le temps se remet en ordre. Le monde, comme à contrecœur, reprend sa forme habituelle. Dehors, la pénombre de la rue. Les taxis et les bus de nuit qui passent en grondant. Là-haut, il n'y a que lui et moi, et le lit aux draps froissés, et le bruit de sa respiration.

— Je ne me souviens même pas d'être arrivé là, dit-il.

Il semble un peu mal à l'aise. Il fronce les sourcils, son profil faiblement éclairé par la lumière des lampadaires. Puis, peu à peu, je vois les souvenirs de la veille se reconstruire dans sa mémoire.

Il tourne la tête vers moi. Sa bouche ne se trouve qu'à quelques centimètres de la mienne. Son souffle est doux et tiède.

— Tu m'as manqué, Louisa Clark.

Je veux alors le lui dire. Lui dire que je ne sais pas ce que je ressens. J'ai envie de lui, mais paradoxalement j'ai peur. Je ne veux pas que mon bonheur dépende de quelqu'un d'autre, je refuse d'être l'otage d'un destin que je ne peux contrôler.

Les yeux posés sur mon visage, il lit en moi comme dans un livre.

— Arrête de réfléchir.

Il m'attire contre lui. Je me détends. Cet homme passe chaque jour de son existence là-bas, sur le pont entre la vie et la mort. Il comprend.

— Tu réfléchis trop.

Il me caresse la joue. Sans y penser, je pose mes lèvres sur sa paume.

— Contente-toi de vivre ? dis-je dans un murmure.

Il hoche la tête, puis m'embrasse. Un long et doux baiser qui me laisse emplie de désir.

Il parle à voix basse tout contre mon oreille. Il prononce mon nom, avec tendresse, comme s'il s'agissait d'un bien des plus précieux.

Les trois jours qui suivirent ne furent qu'une succession de nuits volées et de brèves rencontres. Je ratai la « semaine de l'idéalisation » au cercle d'accompagnement, car Sam arriva chez moi juste au moment où je m'apprêtais à partir. Nous finîmes dans un enchevêtrement de bras et de jambes, et seule put nous arrêter la sonnerie de mon minuteur, qui nous indiqua qu'il devait se rhabiller afin de récupérer Jake en temps et en heure. Deux fois, il m'attendait en bas de chez moi lorsque je rentrai du travail, et avec ses lèvres dans mon cou et ses grandes mains sur mes hanches, les humiliations du *Shamrock and Clover* furent, sinon oubliées, au moins balayées en même temps que les bouteilles vides de la veille.

Je voulais lui résister, mais j'en étais incapable. J'étais étourdie, distraite, je ne dormais plus. J'attrapai une cystite, mais ne m'en préoccupai pas. Je fredonnais au travail, flirtais avec les clients et répondais aux reproches de Richard par un joyeux sourire. Ma gaieté offensait mon chef : je le voyais grincer des dents et chercher dans mon attitude le moindre détail à critiquer.

Tout cela m'était égal. Je chantais dans la douche, restais couchée tout éveillée à rêvasser. Je portais mes anciennes robes, mes gilets aux couleurs vives et mes ballerines en satin. Je m'enfermais dans une bulle de bonheur, consciente que les bulles n'existaient qu'un temps avant d'exploser.

— Je l'ai dit à Jake, affirma-t-il.

Il avait eu une pause d'une demi-heure, et lui et Donna s'étaient garés en bas de chez moi avec le déjeuner avant que je parte au travail. J'étais assise à côté de lui sur le siège avant de l'ambulance.

— Tu lui as dit quoi ? demandai-je.

Il avait préparé des sandwichs à la mozzarella, aux tomates cerise et au basilic. Les tomates, qu'il faisait pousser dans son jardin, produisaient sous ma langue comme de petites explosions de saveur. J'étais atterrée de voir comme je me nourrissais mal quand j'étais seule.

— Que tu croyais que j'étais son père. Ça faisait des mois que je ne l'avais pas vu rire autant.

— Tu ne lui as pas dit que je t'ai répété que son père pleurait après le sexe, j'espère ?

— J'ai connu un homme qui faisait ça, déclara Donna. Mais il sanglotait vraiment. C'était assez gênant. La première fois, j'ai cru qu'il s'était fracturé le pénis.

Je me tournai vers elle, bouche bée.

— Ça arrive. Vraiment. On en a vu passer quelques-uns dans l'ambulance, tu te rappelles ?

— C'est vrai. Tu serais étonnée du nombre de blessures coïtales qu'on a pu voir. Je te raconterai quand tu auras fini de manger, ajouta-t-il avec un signe de tête en direction de mon sandwich.

— Blessures coïtales. Génial. Parce qu'il n'y a pas encore assez de sujets d'inquiétude dans la vie.

Son regard glissa sur ma poitrine quand il mordit dans son sandwich. Je rougis.

— Crois-moi, dit-il, je te le ferai savoir.

— Juste pour que ce soit clair, mon vieux, dit Donna en lui passant une de ses éternelles boissons énergétiques, ne compte pas sur moi pour être ton premier intervenant si ça t'arrive.

J'aimais passer du temps dans l'ambulance. Sam et Donna avaient les manières ironiques et terre à terre de ceux qui avaient déjà côtoyé presque toutes les misères humaines et les avaient soignées. Ils étaient drôles et maniaient l'humour noir à la perfection, et je me sentais étrangement à ma place coincée entre eux deux. C'était comme si ma vie, aussi bizarre soit-elle, était en fait plutôt normale.

Voici les choses que j'appris au cours de quelques déjeuners volés :

- Presque aucun homme ou femme de plus de soixante-dix ans ne se plaignait de sa douleur ou de son traitement, même avec une blessure nécessitant une amputation.
- Ces mêmes personnes âgées s'excusaient presque toujours de les « embêter ».
- Le terme « patient TDP » n'était pas un mystérieux sigle scientifique, mais signifiait « patient tombé sans sa pisse ».
- Les femmes enceintes accouchaient rarement à l'arrière des ambulances. (Ce qui me parut un peu décevant.)
- Plus personne n'employait le mot « ambulancier ». Surtout pas les ambulanciers.
- Il y aurait toujours une poignée d'hommes qui répondraient, quand on leur demandait de décrire leur douleur sur une échelle de un à dix, « onze ».

Mais ce qui transparaissait le plus lorsque Sam passait me voir après une longue journée, c'était le ras-le-bol qu'il ressentait : des retraités solitaires ; des hommes obèses collés à un écran de télé, trop gros pour monter et descendre leur propre escalier ; de jeunes mères confinées dans leur appartement avec un million d'enfants en bas âge, qui ne savaient pas comment appeler de l'aide en cas de besoin, car elles ne parlaient pas un mot d'anglais ; et les dépressifs, les malades chroniques, les mal-aimés…

Certains jours, disait-il, c'était comme un virus : il fallait bien se savonner pour se débarrasser de cette mélancolie qui vous collait à la peau, aussi tenace que l'odeur des antiseptiques. Et puis il y avait les suicides, les vies qui s'achevaient sous des trains ou dans des salles de bains silencieuses, les corps qui passaient souvent inaperçus pendant des semaines ou des mois avant que quelqu'un remarque l'odeur ou se demande pourquoi le courrier de son voisin débordait de sa boîte aux lettres.

— Tu as peur, parfois ?

Il était étendu et paraissait immense dans ma petite baignoire. L'eau était devenue vaguement rose du sang d'un patient blessé par balle qui avait coulé sur lui. Je m'étais très vite habituée à avoir chez moi un homme nu, ce qui me surprenait un peu. Surtout un homme capable de se déplacer tout seul.

— Je ne pourrais pas faire ce travail si j'avais peur, répliqua-t-il simplement.

Il avait été dans l'armée avant de devenir auxiliaire médical ; c'était une reconversion courante.

— Ils nous aiment bien parce qu'on n'a pas peur de grand-chose et qu'on a déjà tout vu. Mais je vais te dire, certains de ces gamins ivres morts me font plus flipper que les talibans.

Assise à côté de lui sur le siège des toilettes, je regardais son corps baigner dans l'eau rougie. Même s'il était grand et fort, je frissonnai.

— Eh, dit-il en voyant une ombre passer sur mon visage. Ce n'est rien. J'ai juste un don pour m'attirer des ennuis, ajouta-t-il en me prenant la main. Le seul problème avec ce boulot, c'est qu'il n'est pas pratique pour vivre une relation. Ma dernière copine ne le supportait pas. Les horaires. Le travail de nuit. Le désordre.

— L'eau rose dans la baignoire.

— Ouais. Désolé. Les douches ne marchaient plus à la base. J'aurais dû passer chez moi avant.

Il me jeta un regard éloquent, qui me fit clairement comprendre qu'il n'aurait jamais pris le temps de rentrer chez lui avant de venir me voir. Il tira sur le bouchon de la bonde afin de vider une partie de l'eau, puis rouvrit les robinets.

— Et c'était qui, ta dernière copine ? demandai-je en m'efforçant de garder une voix mesurée.

Je n'allais pas être une de ces femmes jalouses, même s'il s'était avéré qu'il n'était pas un coureur de jupons.

— Iona. Agent de voyages. Une chic fille.

— Mais tu n'étais pas amoureux d'elle.

— Qu'est-ce qui te fait penser ça ?

— Aucun mec n'appelle jamais « une chic fille » une personne dont il a été amoureux. C'est comme ce truc du « on reste amis ». Ça veut juste dire que tes sentiments n'étaient pas assez forts.

Il parut un instant amusé.

— Alors qu'est-ce que j'aurais dû dire si j'avais été amoureux d'elle ?

— Tu aurais pris un air très sérieux, et tu aurais dit : « Karen. Cauchemar total. » Ou bien tu te serais renfermé, genre « je n'ai pas envie d'en parler ».

— Tu as probablement raison.

Il réfléchit un instant, puis ajouta :

— Pour être honnête, je n'avais pas envie de grands sentiments après la mort de ma sœur. Être avec Ellen pendant les derniers mois, m'occuper d'elle, ça m'a un peu chamboulé. Le cancer peut être une manière très brutale de partir. Le père de Jake s'est effondré. Ça arrive parfois. Alors je me suis dit qu'ils avaient besoin de moi. Franchement, la seule chose qui m'ait fait tenir, c'est qu'on ne pouvait pas tous craquer en même temps.

Nous restâmes un moment silencieux. Ses yeux étaient un peu rouges, mais j'ignorais si c'était à cause du chagrin ou du savon.

— Bref. Donc non. Je n'étais probablement pas le meilleur des petits amis à l'époque. Et toi, ton ex ? demanda-t-il en se tournant enfin vers moi.

— Will.

— Oui, bien sûr. Personne depuis ?

— Personne dont j'ai envie de parler.

— Chacun a sa façon de remonter la pente, Louisa. Tu n'as rien à te reprocher.

Sa paume était chaude et humide. J'avais du mal à retenir ses doigts glissants. Je les lâchai, et il se mit à se laver les cheveux. J'admirai le mouvement des muscles de ses épaules, le scintillement de sa peau mouillée. J'aimais la façon dont il se shampouinait : avec vigueur et d'une manière excessivement pragmatique, s'ébrouant comme un chien pour se débarrasser de l'excès d'eau.

— Oh. J'ai passé un entretien, annonçai-je quand il eut terminé. Pour un emploi à New York.

— New York, répéta-t-il en haussant un sourcil.

— Mais je ne vais pas décrocher le job.

— Dommage. J'ai toujours cherché une excuse pour partir là-bas.

Il se laissa glisser lentement sous la surface. Seule sa bouche dépassait. Je le vis sourire.

— Mais tu pourras garder ta tenue de lutin, j'espère ? ajouta-t-il.

Je sentais qu'il était de meilleure humeur. Alors, juste parce qu'il ne s'y attendait absolument pas, j'entrai tout habillée dans le bain pour l'embrasser. Il éclata de rire tout en buvant la tasse. Soudain, je fus heureuse qu'il soit aussi solide dans un monde où il était si facile de tomber.

Finalement, je fis l'effort de m'occuper de l'appartement. Je profitai de mon jour de repos pour acheter un fauteuil et une table basse, ainsi qu'une petite image encadrée que j'accrochai près de la télévision. Étrangement, ces menus changements suffirent à donner l'impression que quelqu'un vivait là. Je m'offris de nouvelles parures de lit, ainsi que deux coussins, et suspendis tous mes vêtements vintage dans le placard. Ainsi, en l'ouvrant, je faisais apparaître une explosion de motifs et de couleurs à la place de mes jeans bon marché et de ma jupe en Lurex trop courte. Je parvins à transformer mon petit appartement anonyme en un lieu qui, s'il n'était pas encore un foyer, était devenu vaguement accueillant.

Par une quelconque bénédiction des dieux du planning, Sam et moi avions le même jour de repos. Dix-huit heures ininterrompues durant lesquelles nous n'avions pas à entendre de sirènes d'ambulance ni de complaintes à la cornemuse. Avec Sam, remarquai-je, le temps passait deux fois plus vite que lorsque j'étais seule. J'avais songé aux millions de choses que nous pourrions faire tous les deux, puis en avais rejeté la moitié parce qu'elles faisaient trop « couple ». Je me demandai s'il était sage de passer autant de temps ensemble.

Une nouvelle fois, j'écrivis un message à Lily :

Lily, réponds-moi, s'il te plaît. Je sais que tu m'en veux, mais appelle-moi. Ton jardin est magnifique! J'ai besoin que tu m'expliques comment m'en occuper; je ne sais pas quoi faire des plants de tomates, qui sont devenus hyper grands (c'est normal ?). Et peut-être qu'après ça on pourrait aller en boîte ? Bisous.

J'appuyai sur « envoyer » et restai là à regarder fixement l'écran jusqu'à ce que la sonnette retentisse.

— Salut !

Il emplissait de sa carrure toute l'embrasure de ma porte, une boîte à outils dans une main et un sac de courses dans l'autre.

— Oh, mon Dieu ! m'écriai-je. Le fantasme féminin ultime !

— Des étagères, répliqua-t-il, impassible. Il te faut des étagères.

— C'est bien, chéri. Continue.

— Et des petits plats faits maison.

— Ça y est. J'ai joui.

Il éclata de rire et déposa les outils dans l'entrée pour m'embrasser. Puis, lorsque enfin nous nous séparâmes, il partit tout droit vers la cuisine.

— J'ai pensé qu'on pourrait aller au cinéma, dit-il. Tu sais que le grand avantage de mon travail, c'est que je ne bosse pas le matin ?

Je jetai un coup d'œil à mon téléphone.

— Mais pas un film violent, poursuivit-il. J'en ai un peu marre du sang.

Lorsque je relevai la tête, il me regardait.

— Quoi ? Ça ne t'emballe pas ? Tu rêvais d'aller voir *Zombies Cannibales 15* ?... Qu'est-ce qu'il y a ?

Je reposai mon portable, soucieuse.

— Je n'arrive pas à joindre Lily.

— Je croyais qu'elle était rentrée chez elle ?

— Oui. Mais elle ne répond pas au téléphone. Je crois qu'elle m'en veut vraiment.

— Ses amis ont volé tes objets de valeur. C'est toi qui devrais être fâchée.

Il commença à vider son sac de courses : une laitue, des tomates, des avocats, des œufs, des herbes aromatiques... Il rangea le tout dans mon réfrigérateur presque vide, puis se tourna vers moi alors que j'envoyais un nouveau message à Lily.

— Ne t'en fais pas, dit-il. Elle a peut-être cassé son portable, ou l'a perdu en boîte, ou n'a plus de crédit. Tu sais comment sont les ados. Ou bien elle boude toujours. Parfois, il faut juste attendre qu'ils se calment.

Je pris sa main et fermai la porte du frigo.

— Il faut que je te montre quelque chose, annonçai-je.

Son regard s'éclaira un instant.

— Non, pas ça, espèce de sale pervers. Pour ça, tu attendras.

Debout sur le toit, Sam admirait les fleurs, bouche bée.

— Et tu n'en avais aucune idée ? demanda-t-il.

— Pas la moindre.

Il s'assit lourdement sur le banc. Je l'imitai, et nous contemplâmes en silence le jardin.

— Je me sens très mal, déclarai-je. Je l'ai accusée de détruire tout ce qu'elle approchait. Et pendant ce temps, elle était en train de créer ce petit coin de paradis.

Il s'accroupit pour caresser les feuilles d'un plant de tomates, puis se redressa et secoua la tête.

— D'accord. On va aller lui parler.

— Vraiment ?

— Oui. D'abord, on mange. Puis on va au ciné. Ensuite, on ira sonner chez elle. Comme ça, elle ne pourra plus t'éviter. Et n'aie pas l'air si inquiète, ajouta-t-il en pressant ma paume sur ses lèvres. C'est une excellente nouvelle, ce jardin. Ça veut dire qu'il y a du bon en elle.

Il lâcha ma main, et je l'observai un instant en plissant les yeux.

— Comment ça se fait que tu arranges toujours tout ?

— Je n'aime pas te voir triste, c'est tout.

Je ne pouvais lui avouer que je n'étais jamais triste en sa présence, ni qu'il me rendait si heureuse que cela m'effrayait. Je songeai à quel point j'aimais l'idée d'avoir ses courses dans mon frigo, à ma façon de vérifier mon téléphone vingt fois par jour en guettant ses messages, à l'habitude que j'avais prise d'imaginer son corps nu au travail avant de devoir penser très fort à de la cire pour plancher ou à des reçus de caisse enregistreuse afin de m'empêcher de trop rougir.

Ralentis, me conseillait une voix dans ma tête. *Ne t'attache pas trop.*

— Tu as un joli sourire, Louisa Clark, dit-il d'une voix douce. Ça fait partie des centaines de choses que j'aime chez toi.

Je lui rendis son regard pendant près d'une minute.

Quel homme, songeai-je. Puis je claquai mes mains sur mes genoux.

— Allons-y ! m'écriai-je d'un ton brusque. On a un film à aller voir.

Le cinéma était presque vide. Nous nous assîmes côte à côte, tout au fond, sur un siège dont quelqu'un avait arraché l'accoudoir. Sam me donnait du pop-corn, qu'il piochait dans un carton grand comme une corbeille à papier, et je m'efforçais de ne pas penser au poids de sa main posée sur ma jambe nue : je voulais tout de même savoir de quoi parlait le film.

Il s'agissait d'une comédie américaine, avec deux flics mal assortis qui, à la suite d'un quiproquo, étaient pris pour des criminels. Ce n'était pas très drôle, mais je riais tout de même. Soudain, les doigts de Sam apparurent devant moi, tenant une poignée de pop-corn salé. Je l'avalai, puis une autre, puis finis par lui mordiller l'index. Il me regarda et secoua la tête, lentement.

— Personne ne verra rien, murmurai-je.

— Je suis trop vieux pour ça, répliqua-t-il à voix basse.

Mais lorsque je tournai son visage vers le mien dans la pénombre moite de la salle et commençai à l'embrasser, il laissa aussitôt tomber le seau de pop-corn et, bientôt, je sentis sa main glisser le long de mon dos.

À cet instant précis, mon téléphone sonna. Les deux spectateurs assis devant nous laissèrent échapper un sifflement désapprobateur.

— Pardon. Pardon, vous deux !

(Nous n'étions que quatre dans la salle.) Je descendis des genoux de Sam et répondis. C'était un numéro inconnu.

— Louisa ?

Je mis un moment à reconnaître la voix de mon interlocutrice.

— Une minute, soufflai-je à Sam avant de quitter la salle.

— Désolée, madame Traynor. J'ai dû… Vous êtes toujours là ? Allô ?

Le hall était vide, et les caisses étaient désertes. Derrière le comptoir, la machine à granité faisait tourner mollement ses réservoirs de glace colorée.

— Oh, Dieu merci. Louisa ? Je me demandais si je pouvais parler à Lily.

Je me figeai, le téléphone collé à l'oreille.

— J'ai repensé à ce qui s'est passé entre nous, et je suis désolée, poursuivit-elle. J'ai dû avoir l'air d'une… Est-ce que vous pensez qu'elle accepterait de me revoir ?

— Madame Traynor…

— Je voudrais lui expliquer. Depuis un an, je… eh bien, je ne suis plus moi-même. Je dois prendre ces comprimés, vous comprenez, qui m'embrument un peu l'esprit. Et j'ai été si prise au dépourvu en vous trouvant sur le pas de ma porte que je n'ai simplement pas pu croire ce que vous me racontiez. Tout ça me paraissait si invraisemblable… Mais je… j'ai parlé à Steven, qui m'a confirmé toute l'histoire. J'ai passé des journées entières à tenter de digérer la nouvelle, et je me dis… Will a eu une fille. J'ai une petite-fille. Je n'arrête pas de me répéter ces mots. Parfois, j'ai l'impression d'avoir rêvé.

J'écoutai en silence cet inhabituel flot de paroles.

— Je sais, répondis-je lorsqu'elle eut terminé. Moi aussi, ça m'a fait cet effet.

— Je n'arrête pas de penser à elle. Je veux la rencontrer comme il faut. Pensez-vous qu'elle acceptera de me revoir ?

— Madame Traynor, elle ne vit plus chez moi. Mais oui, ajoutai-je en passant les doigts dans mes cheveux. Oui, bien sûr que je lui demanderai.

Je ne pus me concentrer sur la fin du film. Au bout d'un moment, constatant que j'avais les yeux perdus dans le vide, Sam me proposa de partir. Dans le parking, devant sa moto, je lui racontai ce qui s'était passé.

— Tu vois ? dit-il, comme si j'avais accompli une prouesse dont je devais être fière. Allons-y !

Il choisit de m'attendre de l'autre côté de la rue pendant que je frappais à la porte. Je levai le menton, déterminée à ne pas me laisser intimider par Tanya Houghton-Miller. Je jetai un coup d'œil en arrière, et Sam m'adressa un petit signe encourageant.

La porte s'ouvrit. Tanya était vêtue d'une robe en lin couleur chocolat et de spartiates. Elle m'observa des pieds à la tête, comme lors de notre première rencontre, comme si ma garde-robe venait d'échouer à un test invisible. (Cela m'agaça un peu, car je portais une de mes tenues préférées : une robe chasuble en coton à gros carreaux.) Son sourire resta une demi-seconde collé à ses lèvres, puis s'évanouit.

— Louisa.

— Navrée de débarquer ainsi à l'improviste, madame Houghton-Miller.

— Quelque chose est arrivé ?

Je clignai des yeux.

— En fait, oui, répondis-je en repoussant les cheveux qui me retombaient sur le visage. Mme Traynor, la mère de Will, vient de m'appeler. Je suis désolée de vous embêter avec ça, mais elle aimerait vraiment pouvoir entrer en contact avec Lily, et votre fille ne répond pas au téléphone. Pourriez-vous, s'il vous plaît, lui demander de m'appeler ?

Tanya me regardait fixement sous ses sourcils parfaitement épilés.

— Ou peut-être pourrait-on lui parler rapidement ? ajoutai-je, impassible.

— Pourquoi pensez-vous que moi, je lui demanderais ça ? s'enquit-elle après un court silence.

Je pris une grande inspiration et choisis mes mots avec soin :

— Je sais que vous n'appréciez pas les Traynor, mais je pense vraiment que ce serait dans l'intérêt de Lily. J'ignore si elle vous l'a raconté, mais leur première rencontre, il y a quelques semaines, a été désastreuse, et Mme Traynor aimerait vraiment avoir une chance de repartir sur de meilleures bases.

— Elle fait ce qu'elle veut, Louisa. Mais pourquoi vous attendez-vous à ce que je m'implique là-dedans ?

Je dus déployer des efforts surhumains pour rester polie.

— Euh… parce que vous êtes sa mère ?

— Qu'elle n'a pas daigné appeler depuis plus d'une semaine.

Je me figeai, l'estomac noué.

— Je vous demande pardon ?

— Lily n'a pas même pris la peine de me passer un coup de fil. Je pensais qu'elle viendrait au moins nous saluer à notre retour de vacances, mais apparemment c'est déjà trop pour elle, lâcha-t-elle en tendant la main pour examiner ses ongles.

— Madame Houghton-Miller, elle était censée être avec vous.

— Quoi ?

— Lily devait retourner chez vous. Quand vous êtes rentrés de vacances. Elle est partie de chez moi… il y a dix jours.

Chapitre 18

DEBOUT DANS LA CUISINE IMMACULÉE DE TANYA HOUGHTON-Miller, je fixais d'un regard vide sa machine à café aux mille boutons, qui valait sans doute deux fois plus cher que ma voiture, et repassai dans ma tête pour la énième fois les événements de la semaine passée.

—Il était environ minuit et demi. Je lui ai donné vingt livres pour le taxi et lui ai demandé de me laisser sa clé. J'ai supposé qu'elle était rentrée chez vous.

J'avais la nausée. Je fis les cent pas le long du bar, l'esprit en ébullition.

—J'aurais dû vérifier. Mais elle allait et venait à sa guise. Et on… on s'était disputées.

Sam, immobile devant la porte, se frottait le front.

—Et aucune de vous n'a reçu de nouvelles d'elle depuis.

—Je lui ai envoyé quatre ou cinq messages restés sans réponse, dis-je. J'ai pensé qu'elle m'en voulait encore.

Tanya ne nous avait pas offert de café. Elle se dirigea jusqu'à l'escalier d'un pas tranquille pour jeter un coup d'œil à l'étage, puis consulta sa montre, comme si elle attendait qu'on s'en aille. Elle ne ressemblait pas à une mère qui venait de découvrir que sa fille avait fugué. De temps en temps, j'entendais le vrombissement étouffé d'un aspirateur.

— Madame Houghton-Miller, est-ce que quelqu'un ici a eu de ses nouvelles ? Pouvez-vous voir sur votre téléphone si elle a lu vos messages ?

— Je vous l'ai dit, répliqua-t-elle d'une voix étrangement calme. Je vous ai prévenue qu'elle était comme ça. Mais vous n'avez pas voulu m'écouter.

— Je crois qu'on…, commença Sam.

Elle leva la main pour l'interrompre.

— Ce n'est pas la première fois, déclara-t-elle. Oh, non. Elle a déjà disparu pendant des jours, quand elle était censée être à l'internat. Je les en tiens pour responsables, évidemment. Ils étaient supposés savoir exactement où elle se trouvait, à tout moment. Quand ils nous ont appelés, elle avait déjà disparu depuis quarante-huit heures, et on a dû aller voir la police. Apparemment, une fille du dortoir avait menti pour la couvrir. Comment ils ont pu mettre tant de temps à comprendre ce qui se tramait, ça dépasse mon entendement ; surtout avec les frais exorbitants qu'ils nous facturaient. Francis voulait les poursuivre en justice. Il a dû quitter sa réunion annuelle du conseil d'administration pour régler cette histoire. J'étais extrêmement embarrassée.

À l'étage, un grand fracas retentit et un enfant se mit à crier. Aussitôt, Tanya trottina jusqu'au pied de l'escalier.

— Lena ! cria-t-elle. Emmenez-les au parc, pour l'amour du ciel !

Puis elle revint dans la cuisine et reprit son discours :

— Elle boit, vous savez. Elle se drogue. Elle m'a volé une paire de boucles d'oreilles en diamant. Elle refuse de l'avouer, mais je sais que c'est elle. Elles valaient plusieurs milliers de livres. J'ignore ce qu'elle en a fait. Elle a aussi embarqué un appareil photo numérique.

Je repensai à mes bijoux disparus, et ma gorge se noua.

— Alors, oui. Tout ceci est très prévisible. Je vous avais prévenue. Et maintenant, si vous voulez bien m'excuser, je dois vraiment aller m'occuper des garçons. Ils ont une journée difficile.

— Mais vous allez avertir la police, n'est-ce pas ? Elle a seize ans, et elle a disparu depuis presque dix jours.

— Ça ne les intéressera pas. Pas quand ils sauront qui elle est. Expulsée de deux écoles pour absentéisme. Interpellation pour possession de drogues dures. Ivresse sur la voie publique. Vol à l'étalage. Comment dit-on ? Ma fille a « une réputation ». Je vous le dis franchement, même si la police la retrouve et la ramène ici, elle repartira dès que ça lui chantera.

Un câble semblait s'être serré autour de ma poitrine, m'empêchant de respirer. Où était-elle allée ? Ce garçon que j'avais vu traîner en bas de chez moi avait-il un rapport là-dedans ? Ou les fêtards qui l'accompagnaient ce fameux soir ? Comment avais-je pu être aussi négligente ?

— Signalons quand même sa disparition. Elle est encore mineure.

— Non. Je ne veux pas que la police s'en mêle. Francis doit gérer une situation épineuse à son travail en ce moment. Il se bat pour garder sa place au conseil d'administration, et si ses collègues ont vent de cette affaire, ce sera fini pour lui.

Sam serra la mâchoire.

— Madame Houghton-Miller, déclara-t-il au bout de quelques instants, votre fille est vulnérable. Je pense vraiment qu'il est temps de demander de l'aide.

— Si vous les appelez, je leur répéterai simplement ce que je viens de vous expliquer.

— Madame Houghton-Miller…

— Combien de fois l'avez-vous rencontrée, monsieur Fielding ? cracha-t-elle en s'appuyant contre la cuisinière. Vous la connaissez mieux que moi, c'est ça ? Vous avez passé des nuits sans sommeil à attendre qu'elle rentre à la maison ? Vous avez dû expliquer son attitude à des professeurs et des policiers ? Présenter vos excuses à des vendeurs pour les articles qu'elle a volés ? Renflouer sa carte de crédit ?

— Les enfants les plus difficiles sont souvent ceux qui sont le plus en danger.

— Ma fille est une manipulatrice hors pair. Elle doit être chez un de ses amis. Comme toujours. Je vous garantis que dans un jour ou deux elle va débarquer ici en pleine nuit, ivre morte. À moins qu'elle vienne gratter à la porte de Louisa. Quelqu'un la laissera entrer, elle sera désolée et terriblement triste, et puis quelques jours plus tard elle ramènera chez vous un groupe d'amis ou volera un truc. Et une fois de plus, elle sera désolée. Et ainsi de suite.

Elle repoussa en arrière les cheveux blonds qui lui tombaient sur le visage. Elle et Sam se regardèrent longuement.

— Je suis une thérapie pour faire face au chaos que ma fille a semé dans ma vie, monsieur Fielding. C'est déjà assez dur de m'occuper de ses frères et de leurs… problèmes. Mais un des enseignements qu'on apprend en thérapie, c'est qu'il arrive un moment où on doit penser à soi-même. Lily est assez grande pour prendre ses propres décisions…

— C'est une enfant, l'interrompis-je.

— Oh, oui. C'est vrai. Une enfant que vous avez jetée dehors à minuit passé.

Tanya Houghton-Miller soutint mon regard avec la suffisance d'une personne qui vient de prouver qu'elle a raison.

— Rien n'est tout noir ni tout blanc, reprit-elle. Même si on le voudrait bien.

— Vous n'êtes même pas un peu inquiète, pas vrai ? demandai-je.

— Franchement, non. J'ai vécu ça trop souvent.

Je voulus rétorquer, mais elle ne m'en laissa pas le temps :

— Vous souffrez d'un sacré syndrome du sauveur, pas vrai, Louisa ? Eh bien, sachez que ma fille n'a pas besoin d'être sauvée. Et même si c'était le cas, on ne peut pas dire que vous ayez été très efficace pour le moment.

Sam avait posé son bras sur mes épaules avant même que je puisse riposter. Ma réplique se forma, cinglante, dans ma bouche, mais Tanya s'était déjà détournée.

— Viens, dit Sam en me poussant dans le couloir. On s'en va.

Pendant des heures, nous parcourûmes en moto le West End, ralentissant sans cesse pour scruter des groupes de jeunes filles gloussantes et titubantes et, plus discrètement, dévisager des sans-abri. Puis, après nous être garés, je visitai avec Sam des recoins sombres sous des ponts, demandai aux passants s'ils n'avaient pas vu l'adolescente dont j'avais la photo sur mon téléphone. Nous allâmes à la boîte de nuit où elle m'avait emmenée danser, puis à quelques autres que Sam savait être des repaires notoires de mineurs alcoolisés. Nous passâmes devant des arrêts de bus et des fast-foods, et plus nous avancions, plus je nous trouvais ridicules de chercher à la retrouver au milieu des milliers de gens qui circulaient dans les rues fourmillantes du centre de Londres. Elle pouvait être n'importe où. Elle semblait s'être volatilisée. Je lui envoyai deux nouveaux messages, pour lui dire que nous la cherchions partout, et lorsque nous revînmes à mon appartement, Sam appela plusieurs hôpitaux afin de s'assurer qu'elle n'y avait pas été admise.

Enfin, nous nous assîmes sur mon petit canapé et mangeâmes quelques toasts. Il me prépara une tasse de thé, et nous restâmes un moment assis en silence.

— J'ai l'impression d'être la pire mère au monde. Et je n'en suis même pas une.

Il se pencha en avant, les coudes sur les genoux.

— Ce n'est pas ta faute.

— Si. Quel genre de personne met à la porte une gamine de seize ans au beau milieu de la nuit, sans prendre la peine de vérifier où elle va ? Ce n'est pas parce qu'elle a déjà fugué qu'elle s'en sortira cette fois-ci, tu es d'accord avec moi ? Ça va faire comme pour ces ados qui disparaissent et dont plus personne n'entend parler jusqu'à ce qu'un chien déterre leur cadavre dans les bois.

— Louisa.

— J'aurais dû être plus forte. J'aurais dû mieux la comprendre. J'aurais dû me rendre compte à quel point elle souffre. Souffrait.

Oh, bon sang, s'il lui est arrivé malheur, je ne me le pardonnerai jamais. Et quelque part, un innocent promeneur n'a pas idée que sa vie va bientôt virer au cauchemar…

—Louisa, dit Sam en posant la main sur ma jambe. Arrête. Tu tournes en boucle. Aussi énervante qu'elle soit, il est tout à fait possible que Tanya Houghton-Miller ait raison, et que Lily rentre chez elle ou sonne à ta porte d'ici quelques heures. Et on se sentira idiots d'avoir paniqué, et puis on oubliera ce qui s'est passé jusqu'à ce que ça recommence.

—Mais pourquoi elle ne répond pas au téléphone ? Elle doit bien savoir que je m'inquiète.

—C'est peut-être exactement pour ça qu'elle t'ignore. Elle s'amuse peut-être à te faire un peu flipper. Écoute, on ne peut rien faire de plus ce soir. Et je dois y aller. Je commence tôt demain.

Il alla déposer les assiettes dans l'évier et s'appuya contre les éléments de cuisine.

—Désolée, dis-je. Ce n'est pas vraiment la meilleure façon de démarrer une relation.

—Ah, c'est une relation, maintenant ?

Je me sentis rougir.

—Ce n'est pas ce que…

—Je plaisante, m'interrompit-il d'une voix douce en m'attirant contre lui. J'aime beaucoup tes tentatives désespérées de me convaincre que tu te sers de moi uniquement pour le sexe.

Il sentait bon. Même quand il dégageait une vague odeur de produit anesthésiant, il sentait bon. Il m'embrassa dans les cheveux.

—On va la retrouver, promit-il en s'en allant.

Lorsqu'il fut parti, je montai sur le toit. Je restai assise dans le noir, à respirer l'odeur du jasmin qui grimpait le long de la paroi du réservoir d'eau, caressant doucement les petites têtes violettes des aubriettes qui dégringolaient des pots en terre cuite. Mon regard se perdit au-delà du parapet, vers les rues clignotantes de la ville, et mes jambes ne tremblèrent même pas. J'envoyai à Lily un nouveau SMS, puis me préparai à me coucher. Le silence qui régnait dans l'appartement semblait vouloir se refermer sur moi.

Je vérifiai mon téléphone pour la millionième fois, puis ma boîte mail, au cas où. Rien. Mais j'avais reçu un bref message de Nathan :

Félicitations ! Le vieux Gopnik m'a annoncé ce matin qu'il a l'intention de t'engager ! On se revoit à NY !

Chapitre 19

Lily

Peter attend encore. Par la fenêtre, elle le voit appuyé contre sa voiture. Il l'aperçoit, fait un grand geste et articule : « Je veux mon argent. »

Lily ouvre la fenêtre et jette un coup d'œil de l'autre côté de la rue, là où Samir est en train de sortir un cageot d'oranges.

— Fous-moi la paix, Peter.

— Tu sais ce qui va arriver…

— Je t'ai déjà donné assez. Laisse-moi tranquille, OK ?

— Mauvaise réponse, Lily.

Il hausse un sourcil et attend juste assez pour qu'elle se sente mal à l'aise. Lou doit rentrer dans une demi-heure. Il traîne ici tellement souvent qu'elle est sûre qu'il connaît ses horaires. Finalement, il s'installe dans sa voiture et démarre. En s'éloignant, il sort son téléphone par la fenêtre. Un message :

Mauvaise réponse, Lily.

Le jeu de la bouteille. Un jeu en apparence tellement innocent. Avec quatre filles de son lycée, elle avait profité d'une permission pour partir à Londres. Elles avaient volé du rouge à lèvres chez Boots, acheté des minijupes à Top Shop et s'étaient rendues en boîte de nuit, où elles étaient entrées gratuitement parce qu'elles étaient jeunes et jolies. À l'intérieur, entre deux rhums Coca, elles avaient rencontré Peter et ses amis.

Elles avaient fini la soirée dans un appartement à Marylebone, à 2 heures du matin. Elle ne se souvenait pas vraiment comment elles avaient atterri là. Tout le monde était assis en cercle, fumait et buvait. Elle avait dit « oui » à tout ce qu'on lui avait proposé. Un CD de Rihanna dans la chaîne hi-fi. Un pouf bleu qui sentait le désodorisant d'atmosphère. Nicole avait vomi dans la salle de bains, cette idiote. Le temps avait passé ; 2 h 30, 3 h 17, 4 heures... Elle avait perdu le compte. Puis quelqu'un avait suggéré une partie d'Action ou Vérité.

La bouteille tournait, calée sur un cendrier, projetant mégots et cendres sur le tapis. La vérité d'une fille qu'elle ne connaissait pas : pendant les vacances, l'an dernier, elle avait fait l'amour au téléphone avec son ex pendant que sa grand-mère dormait dans le lit d'à côté. Les autres reculèrent, arborant des mines horrifiées. Lily éclata de rire.

Pendant tout ce temps, Peter l'avait regardée. Au début, elle s'était sentie flattée : c'était de loin le plus beau garçon de la soirée. Un homme, même. Quand il la regardait, elle refusait de baisser les yeux. Elle ne voulait pas se comporter comme les autres filles.

— Tourne !

Elle avait haussé les épaules quand la bouteille s'était arrêtée sur elle.

— Action, dit-elle. Toujours.

— Lily ne dit jamais non, ricana Jemima.

À présent, elle se demande s'il n'y avait pas eu un sous-entendu dans la façon dont elle avait regardé Peter en prononçant ces mots.

— OK. Tu sais ce que ça signifie.

— Sérieusement ?

— Tu ne peux pas faire ça ! s'écria Pippa en se couvrant le visage, comme toujours lorsqu'elle voulait se donner des airs dramatiques.

— Vérité, alors.

— Non, je déteste la vérité.

Et puis quoi ? Elle savait que ces garçons allaient se dégonfler.

— Où ça ? Ici ? demanda-t-elle d'un air nonchalant.

— Oh, bordel.

— Fais tourner la bouteille, dit un garçon.

Elle ne ressentit pas la moindre nervosité. Elle était un peu ivre et, de toute façon, elle aimait assez rester là, impassible, pendant que les autres filles tapaient des mains et glapissaient comme des idiotes. Elles étaient tellement fausses. Ces filles, qui étaient prêtes à écharper leur adversaire sur le terrain de hockey, qui savaient parler politique et discutaient sans cesse de leurs futures carrières dans le droit ou la biologie marine, devenaient de stupides dindes gloussantes dès qu'un garçon se tenait dans la pièce ; elles se recoiffaient et se remettaient du rouge à lèvres, comme si elles avaient spontanément oublié tout ce qui faisait d'elles des personnes intéressantes.

— Peter…

— Oh, merde. Pete, mec. C'est toi.

Les garçons se mirent tous à siffler et fanfaronner pour cacher leur déception, ou peut-être leur soulagement. Peter se leva. Ses yeux de chat croisèrent les siens. Il n'était pas comme les autres : son accent trahissait des origines plus modestes.

— Ici ?

— Peu importe, répondit-elle en haussant les épaules.

— À côté, dit-il en désignant la porte de la chambre.

Elle enjamba sans trébucher les pieds des autres filles, et ils passèrent dans la pièce voisine. L'une de ses camarades lui attrapa la cheville et lui conseilla de ne pas y aller, mais Lily la repoussa. Elle se déhanchait d'un air bravache, sentant tous les regards posés sur elle.

Action. Toujours action.

Peter ferma la porte derrière lui, et elle parcourut la pièce des yeux. Le lit était tout froissé, recouvert d'une housse de couette aux motifs hideux qui n'avait visiblement pas été lavée depuis des lustres et dégageait une vague odeur musquée. Une pile de linge sale traînait dans un coin, et un cendrier plein était posé à côté du lit.

La pièce devint soudain très silencieuse. Les voix au-dehors s'étaient tues.

Elle leva le menton et repoussa les cheveux qui lui étaient tombés sur le front.

— Tu veux vraiment que je fasse ça ? demanda-t-elle.

Il esquissa alors un lent sourire moqueur.

— Je savais que tu allais te dégonfler.

— Qui a dit que je me dégonflais ?

Mais elle ne voulait pas le faire. Elle ne voyait plus son beau visage ; tout ce qu'elle voyait, c'était cette lueur froide dans son regard, ce rictus déplaisant. Il posa la main sur sa braguette.

Ils restèrent immobiles un instant.

— Ce n'est pas grave si tu ne veux pas le faire. On ira retrouver les autres et dire que tu t'es dégonflée.

— Je n'ai rien dit de tel.

— Alors tu dis quoi ?

Elle n'arrivait plus à réfléchir. Un bourdonnement sourd résonnait dans son crâne. Elle regrettait d'être venue.

Il bâilla avec exagération.

— Je commence à m'ennuyer, Lily.

Quelqu'un frappa frénétiquement à la porte.

— Lily ! dit la voix de Jemima. Lily… Tu n'es pas obligée de le faire. Viens. On peut rentrer, si tu veux.

— « Tu n'es pas obligée de le faire, Lily », la singea-t-il.

Elle fit le calcul. Quel était le pire scénario ? Deux minutes, ce n'était rien à l'échelle d'une vie. Elle n'allait pas se dégonfler. Elle allait lui montrer. Elle allait leur montrer à tous.

Il tient une bouteille de Jack Daniel's dans une main. Elle la lui prend, la débouche et en boit deux longues gorgées, les yeux plongés dans les siens. Puis elle lui rend le whisky et pose les doigts sur sa ceinture.

« Des photos, ou c'est comme si ce n'était pas arrivé. »

Malgré le sang qui bat dans ses oreilles, elle entend les cris et les sifflets des garçons de l'autre côté de la porte. Il l'agrippe trop fort par les cheveux, il lui fait mal. Mais il est déjà trop tard. Beaucoup trop tard.

Elle entend le déclic d'un appareil photo juste au moment où elle lève la tête.

Une paire de boucles d'oreilles. Cinquante livres en liquide. Cent livres. Plusieurs semaines plus tard, les exigences continuent d'affluer. Il lui envoie des messages :

Je me demande ce qui se passerait si je mettais ça sur Facebook...

Elle a envie de pleurer quand elle voit la photo. Il la lui renvoie sans cesse : son visage, ses yeux injectés de sang, ses joues tachées de mascara. Ce sexe dans sa bouche. Quand Louisa rentre, elle doit cacher son téléphone sous les coussins du canapé. Il est devenu radioactif, un objet toxique qu'elle est obligée de garder près d'elle.

Je me demande ce que vont penser tes amis.

Ensuite, les autres filles ne lui avaient plus adressé la parole. Elles savaient ce qu'elle avait fait, puisque Peter avait montré la photo à tout le monde après être sorti de la chambre en refermant ostensiblement sa braguette. Elle devait faire comme si elle s'en fichait. Les filles l'avaient dévisagée un instant avant de détourner les yeux. Dès qu'elle avait croisé leur regard, elle avait su que leurs récits de fellation et de parties de jambes en l'air avec des petits amis que personne n'avait jamais vus n'étaient que des histoires. Elles étaient fausses. Elles avaient menti sur toute la ligne.

Personne ne l'avait trouvée courageuse. Personne ne l'avait admirée de ne pas s'être dégonflée. Elle n'était que Lily la salope, la « suceuse de bite ». Rien que d'y penser, elle avait mal au ventre. Elle avait bu encore plus de whisky et leur avait dit à tous d'aller se faire foutre.

Retrouve-moi au McDonald's de Tottenham Court Road.

À ce moment-là, sa mère avait déjà changé les serrures de la maison familiale. Lily ne pouvait plus se servir de son propre argent. Ils avaient bloqué son compte bancaire.

Je n'ai plus rien.

Tu me prends pour un con, petite fille riche ?

Sa mère n'avait jamais aimé les boucles d'oreilles Mappin & Webb. Lily avait espéré qu'elle ne remarquerait même pas leur disparition. Elle avait sauté au cou de Francis Tête-de-Nœud lorsqu'il lui en avait fait cadeau, mais Lily l'avait entendue marmonner peu après qu'elle ne comprenait pas ce qu'il lui avait pris de lui offrir des diamants en forme de cœur alors que tout le monde savait que c'était vulgaire, et qu'un modèle pendant aurait flatté l'ovale de son visage.

Peter avait regardé les boucles scintillantes comme si elle venait de lui tendre une poignée de piécettes, puis les avait fourrées dans sa poche. Il avait commandé un hamburger, et elle remarqua qu'il avait un peu de mayonnaise collée au coin de la bouche. Elle avait la nausée chaque fois qu'elle le voyait.

— Tu as envie que je te présente mes potes ?

— Non.

— Tu veux boire un verre ?

Elle secoua la tête.

— C'est fini. C'était la dernière fois. Ces boucles d'oreilles valent plusieurs milliers de livres.

— Je veux du cash la prochaine fois, répliqua-t-il avec une grimace. Je sais où tu habites, Lily. Je ne plaisante pas.

Elle sentait que jamais elle ne se libérerait de son emprise. Il lui envoyait des messages à toute heure du jour et de la nuit, la réveillait, l'empêchait de dormir. Cette photo, encore et encore. Lily la voyait en négatif, imprimée sur ses rétines. Elle cessa d'aller au lycée. Elle se soûlait avec des inconnus, sortait danser alors qu'elle n'en avait plus envie depuis longtemps. Elle faisait tout pour ne pas rester seule avec ses pensées, avec l'incessant bip de son téléphone. Elle s'était réfugiée là où elle pensait être à l'abri et il l'avait trouvée. Il avait laissé sa voiture garée devant chez Louisa pendant des heures; un avertissement silencieux. Elle songea même parfois à en parler à Louisa. Mais que pourrait faire la jeune femme? Elle était déjà une catastrophe ambulante. Alors Lily ouvrait la bouche pour parler, mais aucun son n'en sortait. Et puis Louisa se mettait à jacasser sur une éventuelle rencontre avec sa grand-mère, ou lui demandait si elle avait déjà mangé, et Lily se rendait compte qu'elle était seule.

Parfois, elle restait allongée tout éveillée et se demandait ce qui se serait passé si son père avait été là. Il serait sorti, aurait empoigné Peter par le col et lui aurait dit de ne jamais plus s'approcher de sa fille. Puis il l'aurait prise dans ses bras et lui aurait dit que tout allait bien, qu'elle était en sécurité.

Sauf qu'il n'aurait jamais fait ça. Parce qu'il n'était qu'un tétraplégique en colère qui n'avait même pas voulu vivre. Il aurait vu les photos et l'aurait regardée d'un air dégoûté.

Et elle n'aurait pas pu le lui reprocher.

La dernière fois, quand elle n'avait rien pu lui apporter, Peter lui avait crié dessus sur le trottoir derrière Carnaby Street, l'avait traitée de « sale pute qui ne sert à rien ». Il était arrivé en voiture, et elle avait bu deux doubles whiskys parce qu'elle avait peur de le voir. Quand il s'était mis à hurler en l'accusant de mentir, elle s'était mise à pleurer.

— Louisa m'a foutue dehors. Ma mère m'a foutue dehors. Je n'ai plus rien.

Les gens passaient en hâte, évitant de la regarder. Personne ne s'arrêta. Personne ne tenta d'intervenir, parce qu'un homme qui engueulait une fille bourrée à Soho un vendredi soir, cela n'avait rien d'extraordinaire. Peter poussa un juron et tourna les talons, comme s'il allait partir, mais elle savait qu'il n'en ferait rien.

À cet instant, une grosse berline noire s'arrêta au milieu de la rue et recula pour s'immobiliser à sa hauteur. La vitre électrique descendit en bourdonnant.

— Lily ?

Elle mit quelques secondes à le reconnaître. M. Garside, un collègue de Tête-de-Nœud. Son chef ? Un partenaire ? Il la regarda elle, puis Peter.

— Est-ce que ça va ?

Elle jeta un coup d'œil à Peter, puis hocha la tête.

Il ne la croyait pas. Elle le lisait sur son visage. Il se gara sur le bord de la route, devant la voiture de Peter, et s'avança lentement vers eux dans son costume sombre. Il dégageait une autorité naturelle, comme si rien ni personne ne pouvait s'opposer à lui. Elle se souvint que sa mère lui avait un jour raconté qu'il possédait un hélicoptère.

— Tu veux que je te ramène chez toi, Lily ?

Peter leva la main qui tenait son téléphone, d'à peine quelques centimètres. Pour l'intimider. Alors elle ouvrit la bouche et déballa la vérité :

— Il a une photo compromettante de moi sur son portable et menace de la montrer à tout le monde. Il me demande de l'argent, mais je n'en ai plus. Je lui ai donné tout ce que j'avais, je n'ai plus rien. S'il vous plaît, aidez-moi.

Peter ouvrit de grands yeux. Il ne s'était pas attendu à cela. Mais elle se fichait éperdument des conséquences. Elle était désespérée, épuisée, et elle ne voulait plus porter ce fardeau toute seule.

M. Garside considéra longuement Peter. Ce dernier se raidit et se redressa, comme s'il envisageait de se sauver.

— Est-ce vrai ? demanda M. Garside.

— Ce n'est pas un crime d'avoir des photos de filles nues sur son téléphone, ricana Peter, qui n'en menait pas large.

— J'en suis bien conscient. En revanche, c'est un délit de s'en servir pour extorquer de l'argent.

La voix de M. Garside était basse et calme, comme s'il était parfaitement normal de discuter de chantage au milieu de la rue. Il glissa la main dans la poche intérieure de sa veste.

— Combien vous faudra-t-il pour disparaître ?

— Quoi ?

— Votre téléphone. Combien en voulez-vous ?

Le souffle de Lily se bloqua dans sa gorge. Elle regardait les deux hommes alternativement. Peter, quant à lui, dévisageait son interlocuteur d'un air abasourdi.

— Je vous offre de l'argent en échange de votre portable. Sur la base qu'il contienne la seule copie de cette photo, bien entendu.

— Il n'est pas à vendre.

— Alors je vous informe, jeune homme, que je vais contacter la police et vous identifier grâce à votre plaque minéralogique. Et j'ai beaucoup d'amis flics. Des amis très haut placés, conclut-il en lui adressant un sourire glacial.

De l'autre côté de la rue, un groupe de fêtards sortait d'un restaurant en riant. Peter regarda Lily, puis M. Garside. Il leva le menton.

— Cinq mille.

M. Garside sortit son portefeuille de sa poche.

— Non, je ne crois pas, répliqua-t-il.

Il tendit une liasse de billets.

— Je crois que ceci suffira. Il me semble que vous avez déjà été amplement rétribué. Le téléphone, s'il vous plaît ?

Peter semblait hypnotisé. Il hésita une fraction de seconde, puis donna l'appareil à M. Garside. Tout simplement. Ce dernier vérifia que la carte SIM s'y trouvait bien, le glissa dans sa poche et ouvrit la portière de sa voiture à l'intention de Lily.

— Je crois qu'il est temps d'y aller, Lily.

Elle monta à bord, comme une enfant docile, et entendit le claquement feutré de la portière qu'on refermait derrière elle. Puis ils étaient partis, glissant souplement sur le bitume de la rue étroite, laissant derrière eux un Peter choqué – elle le voyait dans le rétroviseur – comme si lui non plus n'arrivait pas à croire ce qui s'était passé.

— Tu vas bien ? demanda M. Garside sans la regarder.

— Est-ce que… est-ce que c'est fini ?

Il jeta un coup d'œil dans sa direction, puis se concentra de nouveau sur la route.

— Je pense, oui, acquiesça-t-il.

Elle n'en revenait pas. La menace qui avait plané sur elle pendant des semaines ne pouvait pas avoir été écartée si aisément. Lily se tourna vers son sauveur, soudain inquiète.

— S'il vous plaît, n'en parlez pas à maman et Francis.

Il fronça légèrement les sourcils.

— Si c'est ce que tu veux vraiment.

— Merci, murmura-t-elle avec un long soupir de soulagement.

Il lui tapota le genou.

— Mauvaise fille, dit-il. Tu dois faire attention à mieux choisir tes fréquentations, Lily.

Avant même qu'elle remarque réellement sa présence, il retira sa main et la posa sur le levier de vitesse.

Il n'avait même pas bronché lorsqu'elle avait avoué n'avoir nulle part où aller. Il l'avait conduite dans un hôtel de Bayswater et avait parlé à voix basse à la réceptionniste, qui avait tendu à Lily une clé de chambre. Elle était soulagée qu'il n'ait même pas envisagé de l'emmener chez lui : elle ne voulait pas avoir à s'expliquer auprès d'une autre personne.

— Je repasse te prendre demain, quand tu auras dessoûlé, annonça-t-il en glissant son portefeuille dans la poche de sa veste.

Ne prenons pas de décision hâtive, Lily. Ni toi ni moi n'avons envie que je montre cette vilaine photo de toi à tes parents, n'est-ce pas ? Dieu seul sait ce qu'ils en penseraient.

Elle voulut répliquer, mais les mots restèrent bloqués dans sa gorge.

Il tapota le couvre-lit à côté de lui.

— À ta place, je réfléchirais bien avant de prendre une décision. Bon, pourquoi ne pas…

Lily tira violemment son bras en arrière pour se libérer. Une seconde plus tard, elle avait ouvert en grand la porte de la chambre et courait dans le couloir de l'hôtel, son sac volant derrière elle.

Le soir, Londres fourmillait de vie. Des files de voitures dépassaient impatiemment des bus de nuit, des taxis zigzaguaient dans les embouteillages, des hommes en costume rentraient chez eux ou travaillaient dans des bureaux en verre à mi-chemin entre la terre et le ciel, ignorant les femmes de ménage qui s'affairaient en silence autour d'eux. Lily marchait la tête baissée, son sac à dos sur l'épaule. Lorsqu'elle s'arrêta pour manger dans un fast-food encore ouvert, elle s'assura que sa capuche cachait ses yeux et qu'elle avait un journal gratuit pour faire semblant de lire : il y avait toujours quelqu'un pour s'asseoir à votre table et essayer de faire la conversation.

« Allez, ma belle. C'est juste pour lier connaissance. »

Tout le samedi, elle avait rejoué dans sa tête les événements de la veille. Qu'avait-elle fait ? Quels signaux avait-elle envoyés ? Y avait-il une part d'ombre en elle qui incitait les hommes à la traiter comme une traînée ? Les mots qu'il avait employés lui avaient donné envie de pleurer. Elle se tassa sous sa capuche. Elle le détestait. Elle se détestait.

Elle se servit de sa carte d'étudiante et traîna dans le métro jusqu'à ce que l'ambiance devienne fébrile et alcoolisée. Elle se sentit alors plus en sécurité au niveau du sol. Elle passa le reste du temps à déambuler : sous les néons scintillants de Piccadilly, le long des trottoirs couverts de poussière de plomb de Marylebone Road, devant les bruyants bars de nuit de Camden… Elle marchait à grands pas, comme si elle avait un but précis, et ne ralentit l'allure que lorsque ses pieds commencèrent à lui faire mal sur le bitume implacable de la ville.

Lorsqu'elle fut trop épuisée, elle se résigna à demander des faveurs. Elle passa une nuit chez son amie Nina, mais cette dernière lui posa beaucoup trop de questions, et les échos de sa conversation avec ses parents au rez-de-chaussée pendant qu'elle prenait un bain afin d'enlever la crasse de ses cheveux l'emplirent d'un cruel sentiment de solitude. Elle s'en alla juste après le petit déjeuner, même si la mère de Nina lui avait proposé, l'air inquiet, de rester encore un peu. Elle passa les deux nuits suivantes sur le canapé d'une fille qu'elle avait rencontrée en boîte, mais celle-ci était en colocation avec trois hommes, et Lily ne se sentit pas assez en confiance pour dormir ; jusqu'à l'aube, elle resta assise, tout habillée, les genoux serrés sur sa poitrine, à regarder une télévision muette. Elle passa une nuit dans un foyer de l'Armée du salut, à écouter deux nanas se disputer à côté d'elle, se cramponnant à son sac à dos sous sa couverture. Ils lui avaient dit qu'elle pouvait prendre une douche, mais elle préférait éviter de laisser ses affaires dans un casier pendant qu'elle se lavait. Elle but sa soupe et repartit. La plupart du temps, elle marchait et dépensait dans des cafés ce qui lui restait de monnaie. Elle se sentait de plus en plus épuisée et affamée, jusqu'à n'être plus en mesure de réfléchir ni de réagir rapidement lorsque des types faisaient des réflexions dégradantes sur son passage, ou qu'un serveur lui disait qu'elle avait assez fait durer cette tasse de thé et qu'il était temps de partir, jeune fille.

Et pendant toute son errance, elle se demandait ce que pensaient ses parents à cet instant précis, et ce que M. Garside raconterait en leur montrant les photos. Elle se représentait l'expression sidérée de sa mère, le hochement de tête désabusé de Francis…

Elle avait été stupide.

Elle aurait dû voler le téléphone et l'écraser d'un coup de talon.

Elle n'aurait jamais dû monter dans l'appartement de ce garçon, se conduire comme une imbécile et foutre sa vie en l'air. En général, c'était à ce stade de sa réflexion qu'elle se remettait à pleurer, qu'elle tirait sa capuche sur son visage et…

Chapitre 20

— ELLE A QUOI ?

Dans le silence de Mme Traynor, je percevais son incrédulité.

— Vous avez essayé de l'appeler ?

— Elle ne répond pas.

— Et elle n'a pas contacté ses parents ?

Je fermai les yeux. J'avais longuement redouté cette conversation.

— Apparemment, elle n'en est pas à son coup d'essai. Mme Houghton-Miller est persuadée que Lily va revenir d'une minute à l'autre.

Mme Traynor sembla mettre un instant à digérer l'information. Puis :

— Mais vous n'êtes pas de son avis.

— Il y a quelque chose qui ne va pas, madame Traynor. Je sais que je ne suis pas sa mère, mais je… Peu importe. Je vais repartir quadriller les rues à sa recherche. Je préfère m'activer inutilement plutôt que de ne rien faire. Je voulais seulement vous tenir au courant.

Mme Traynor resta silencieuse un moment. Puis elle me demanda, d'une voix calme mais étrangement déterminée :

— Louisa, avant de raccrocher, pourriez-vous me donner le numéro de téléphone de Mme Houghton-Miller ?

Je pris un congé maladie, remarquant distraitement que le « je vois » très froid de Richard Percival semblait beaucoup plus menaçant que ses reproches habituels. J'imprimai quelques portraits – la photo de profil Facebook de Lily, et un selfie qu'elle avait pris de nous deux – et passai la matinée à parcourir en voiture le centre de Londres. Je m'arrêtais en double file, feux de détresse allumés, et entrais dans des pubs, des fast-foods et des boîtes de nuit où des agents d'entretien levaient les yeux de leurs corvées pour m'observer d'un air suspicieux.

— Avez-vous vu cette jeune fille ?

— Vous êtes qui ?

— Avez-vous vu cette fille ?

— Vous êtes de la police ? Je ne veux pas de problèmes.

Certains parurent trouver amusant de faire durer le suspense.

Oh, cette fille-là ! Une petite brune ? Ouais… c'était quoi son nom ?… Non. Jamais vue.

Personne ne semblait l'avoir aperçue. Plus je parcourais les rues, plus je désespérais. Londres était la ville idéale pour disparaître. Une métropole grouillante d'activité où l'on pouvait se glisser dans un million de portes d'entrée, se mêler à des foules innombrables. Je levais les yeux sur les tours d'immeubles et me demandais si, à cet instant, elle était tranquillement couchée en pyjama sur le canapé de quelqu'un. Lily n'avait aucun scrupule à arrêter un inconnu dans la rue et ne craignait pas de demander des faveurs ; elle pouvait donc être avec n'importe qui.

Et pourtant.

Je ne savais pas vraiment ce qui me poussait à continuer. Peut-être ma rage froide contre Tanya Houghton-Miller et sa nonchalance parentale. Peut-être mon sentiment de culpabilité pour avoir échoué à accomplir la mission que je reprochais à Tanya de ne pas avoir remplie. Ou peut-être était-ce seulement parce que je ne savais que trop bien à quel point une jeune fille pouvait se sentir seule et vulnérable.

La plupart du temps, cependant, c'était Will qui me motivait. Je marchais, conduisais et interrogeais les passants tout en tenant avec lui d'interminables conversations mentales. Lorsque ma hanche commençait à me faire souffrir, je m'asseyais un moment dans ma voiture et mangeais des sandwichs rassis et des barres chocolatées de station-service après avoir avalé des antalgiques afin de pouvoir continuer.

Où a-t-elle pu aller, Will?

Qu'est-ce qu'elle a pu faire?

Mais aussi : *Je suis désolée. Je t'ai déçu.*

J'envoyai un SMS à Sam.

Des nouvelles?

À lui parler tout en ayant des discussions avec Will dans ma tête, je me sentais étrangement infidèle. Et je ne savais pas exactement lequel des deux j'avais l'impression de tromper.

Non. J'ai appelé tous les hôpitaux de Londres. Et toi?

Un peu fatiguée.

La hanche?

Rien qui puisse résister à quelques Nurofen.

Tu veux que je passe te voir après le boulot?

Je crois que j'ai seulement besoin de continuer à chercher.

Ne va nulle part où je n'irais pas. Bisous.

Très drôle. Bisous.

— Tu as essayé les hôpitaux? me demanda ma sœur, qui m'appelait depuis la fac en profitant de sa pause d'un quart d'heure entre deux cours intitulés respectivement *Finances publiques : les dessous cachés de l'impôt sur le revenu* et *TVA : une perspective européenne.*

— D'après Sam, pas une seule fille répondant à son nom n'a été admise dans les CHU de Londres. Il a des collègues dans toute la ville qui la cherchent.

Je jetai un coup d'œil derrière moi, comme si je m'attendais à ce que Lily surgisse à cet instant de la foule.

— Ça fait longtemps que vous cherchez?

— Quelques jours.

Je ne précisai pas que j'avais à peine dormi au cours de cette dernière semaine.

— J'ai… euh… j'ai pris un congé, ajoutai-je.

— J'en étais sûre ! Je savais qu'elle allait t'attirer des ennuis ! Ton chef t'a accordé ce congé sans faire de difficultés ? Et d'ailleurs, où en es-tu avec cet autre travail ? Celui de New York ? Tu as passé l'entretien ? Pitié, ne me dis pas que tu as oublié !

Je mis une bonne minute à comprendre ce à quoi elle faisait allusion.

— Oh. Ça. Ouais. Je l'ai eu.

— Tu quoi ?

— Nathan m'a dit qu'ils allaient me confier le poste.

Westminster était plein de touristes, qui s'arrachaient des babioles multicolores à l'effigie de l'Union Jack et tendaient vers le palais leurs téléphones portables et appareils photo hors de prix. Je regardai un agent de la circulation s'avancer vers moi et me demandai soudain si une loi antiterroriste m'interdisait de stationner là où je m'étais garée. Je levai une main pour signaler que je m'apprêtais à partir.

Il y eut un bref silence à l'autre bout du fil.

— Une minute… Tu n'es pas en train de me dire que tu…

— Je n'ai pas le temps d'y penser pour le moment, Treen. Lily a disparu. Je dois la retrouver.

— Louisa ? Écoute-moi une minute ! Tu dois accepter ce poste !

— Quoi ?

— C'est la chance de ta vie ! Si tu savais ce que je serais prête à donner pour avoir l'occasion de partir à New York… avec l'assurance d'y trouver un travail ? Et un logement ? Et toi, tu n'as « pas le temps d'y penser pour le moment » ?

— C'est plus compliqué que ça.

L'agent de la circulation se dirigeait définitivement vers moi.

— Oh, mon Dieu. C'est ça. C'est exactement de ça que j'essayais de te parler. Chaque fois qu'on t'offre une chance d'aller de l'avant, tu sabotes ton avenir. C'est comme si... comme si tu n'en avais pas vraiment envie.

— Lily a disparu, Treen, répétai-je.

— Une gamine de seize ans que tu connais à peine, avec deux parents et au moins deux grands-parents pour s'occuper d'elle, s'est barrée pour quelques jours comme elle l'a déjà fait auparavant. Comme des tas d'ados le font d'ailleurs. Et tu te sers de ça comme excuse pour renoncer à un job en or ? Oh, bordel ! Tu n'as même pas envie d'y aller, je me trompe ?

— Qu'est-ce que c'est censé vouloir dire ?

— C'est beaucoup plus facile pour toi de garder ce petit boulot déprimant et de passer ton temps à te plaindre. C'est beaucoup plus facile de rester ici sans prendre le moindre risque et de te persuader que tu ne peux rien changer à ton sort.

— Mais je ne peux pas partir maintenant !

— C'est à toi de décider de ton destin, Lou ! Mais tu te conduis comme si tu passais ton temps à subir des événements échappant complètement à ton contrôle. Qu'est-ce qu'il y a ? Tu te sens coupable ? Tu as l'impression d'être redevable à Will ? Est-ce que c'est une sorte de pénitence ? Foutre ta vie en l'air parce que tu n'as pas pu sauver la sienne ?

— Tu ne comprends pas.

— Au contraire. Je te comprends mieux que tu ne te comprends toi-même. Tu n'es pas responsable de sa fille, tu m'entends ? Tu n'es responsable de rien de tout ça. Et si tu ne pars pas à New York – une opportunité dont j'ose à peine parler parce que ça me donne des envies de fratricide – je ne t'adresserai plus jamais la parole. Plus jamais.

L'agent de la circulation se trouvait juste derrière ma vitre. Je la baissai en esquissant la mimique universelle de la personne qui ne peut pas raccrocher immédiatement, car sa sœur est en train de lui passer un savon au téléphone. Il tapota sa montre, et je hochai la tête d'un air rassurant.

— C'est tout simple, Lou. Réfléchis. Lily n'est pas ta fille.

Je regardai fixement mon portable, remerciai l'agent, puis remontai ma vitre. À cet instant, une phrase résonna dans ma tête : *Je ne suis pas sa vraie fille.*

Je tournai au coin et me garai à côté d'une station-service afin de consulter le vieil annuaire corné qui traînait à l'arrière de ma voiture. Je m'efforçai de me souvenir du nom de rue que Lily avait mentionné. Pyemore, Pyecrust, Pyecroft Road. De l'index, je parcourus la distance jusqu'à St John's Wood ; était-ce à quinze minutes de marche ? Ce devait être ça.

Je pris mon téléphone pour chercher son nom de famille associé au nom de la rue. Il était là. Numéro cinquante-six. L'estomac noué d'excitation, je remis le moteur en marche et repris la route.

Bien que distantes d'à peine un kilomètre, la maison de la mère de Lily et celle de son ancien beau-père n'auraient pas pu être plus différentes. Alors que la rue des Houghton-Miller était uniformément bâtie d'imposants édifices aux façades de stuc blanc ou de briques rouges, le quartier de Martin Steele semblait résolument prolétaire ; les prix de l'immobilier y grimpaient pourtant en flèche, mais l'aspect extérieur des maisons semblait refuser de refléter cet état de fait.

Je roulais lentement, passai devant des voitures bâchées et une poubelle renversée, et trouvai enfin une place où me garer non loin d'une petite maison de style victorien, du genre de celles qui s'alignaient, toutes identiques, partout dans Londres. Je l'observai un instant et remarquai au passage la peinture écaillée de la porte d'entrée et l'arrosoir d'enfant posé sur le perron.

Faites qu'elle soit là, priais-je. *En sécurité entre ces murs.*

Je sortis de voiture, verrouillai la portière et m'avançai vers le perron.

À l'intérieur, j'entendais le son d'un piano, un accord brisé répété inlassablement, des voix étouffées. J'hésitai, rien qu'un instant, puis pressai le bouton de la sonnette et entendis la musique s'arrêter brusquement.

Des pas dans le couloir, puis la porte s'ouvrit. Un homme d'une quarantaine d'années, chemise de bûcheron, jean et barbe naissante, se tenait devant moi.

— Oui ?

— Je me demandais... est-ce que Lily est ici ?

— Lily ?

Je souris et tendis la main.

— Vous êtes bien Martin Steele ?

Il me dévisagea un instant avant de répondre :

— Possible. Et vous, vous êtes ?

— Une amie de Lily. Je... j'essaie de la contacter depuis plusieurs jours, et je me suis dit qu'elle pourrait être ici. Ou que vous sauriez peut-être où elle se trouve.

— Lily ? répéta-t-il, sourcils froncés. Lily Miller ?

— Elle-même.

Il se frotta le menton et jeta un coup d'œil par-dessus son épaule.

— Vous voulez bien attendre ici une minute ? demanda-t-il.

Il disparut au bout du couloir, et je l'entendis donner des instructions à la personne qui était au piano. Lorsqu'il revint vers moi, une gamme retentissait, d'abord hésitante, puis de plus en plus assurée.

Martin Steele laissa la porte d'entrée entrebâillée derrière lui. Il baissa la tête un instant, comme s'il s'efforçait de comprendre ce que je venais de lui demander.

— Je suis désolé, dit-il enfin, je suis un peu perdu. Vous êtes une amie de Lily Miller ? Et vous êtes venue ici parce que...

— Parce que Lily m'a dit qu'elle était déjà venue vous voir. Vous êtes... étiez... son beau-père, non ?

— Techniquement non, mais oui. Il y a longtemps.

— Et vous êtes musicien ? Vous l'avez connue toute petite ? Vous êtes restés en contact : elle m'a dit que vous étiez encore très proches. Et à quel point ça agaçait sa mère.

— Mademoiselle…

— Clark. Louisa Clark.

— Mademoiselle Clark. Louisa. La dernière fois que j'ai vu Lily Miller, elle avait cinq ans. Quand on a rompu, Tanya a estimé qu'il valait mieux pour tout le monde qu'on ne se voie plus.

Je le regardais fixement.

— Vous êtes en train de me dire qu'elle n'est jamais venue ici ?

Il réfléchit un instant.

— Si, une fois, il y a quelques années, mais ce n'était pas le bon moment. On venait d'avoir un bébé avec ma femme, et elle a débarqué au beau milieu d'un cours et, pour être franc, je n'ai pas bien compris ce qu'elle attendait de moi.

— Et vous ne l'avez jamais revue depuis ? Vous ne lui avez pas reparlé ?

— En dehors de cette fois-là, non. Est-ce qu'elle va bien ? Est-ce qu'elle s'est attiré des ennuis ?

À l'intérieur, le piano jouait toujours. *Do ré mi fa sol la si do. Do si la sol fa mi ré do.*

— Non, tout va bien, mentis-je en agitant vaguement la main, déjà prête à m'en aller. Je me suis trompée. Pardon pour le dérangement.

Je passai une nouvelle soirée à parcourir en voiture les rues de Londres, ignorant les appels de ma sœur et les mails de Richard Percival, marqués URGENT et PERSONNEL. Je conduisis jusqu'à l'épuisement, jusqu'à me rendre compte que je revenais à des endroits que j'avais déjà visités, jusqu'à ne plus avoir de monnaie pour payer l'essence.

Je rentrai chez moi peu après minuit, me promettant déjà de repartir avec ma carte bancaire après avoir bu une tasse de thé et reposé mes yeux pendant une demi-heure. J'enlevai mes chaussures et me préparai des tartines que je fus incapable de manger. J'avalai deux antalgiques et m'allongeai sur le canapé, le cerveau en ébullition. Qu'avais-je raté ? Il devait bien exister un indice. Mon esprit était épuisé, mon estomac noué en permanence. Quelles rues avais-je omis de visiter ? Avait-elle quitté Londres ?

Je n'avais pas le choix Nous devions informer la police. Il valait mieux passer pour une idiote qui s'inquiétait pour rien plutôt qu'attendre et s'exposer à ce qu'il lui arrive quelque chose de grave. Je fermai les yeux cinq minutes.

Trois heures plus tard, la sonnerie de mon portable me réveilla. Je me levai d'un bond, désorientée. Puis je baissai les yeux sur l'écran lumineux posé à côté de moi et décrochai d'une main fébrile.

— Allô ?

— On l'a retrouvée.

— Quoi ?

— C'est Sam. On a trouvé Lily. Tu viens ?

Dans la cohue nocturne qui avait suivi la défaite de l'équipe d'Angleterre au football, avec la mauvaise humeur ambiante et les accidents liés à l'alcool qui s'en étaient suivis, personne n'avait prêté attention à la mince silhouette qui dormait dans un coin, couchée en travers de deux chaises, le visage dissimulé sous sa capuche. Ce ne fut que lorsque l'infirmière d'accueil se mit à passer de patient en patient afin de s'assurer qu'ils seraient bien tous pris en charge que quelqu'un réveilla la jeune fille. Celle-ci avoua alors avec réticence qu'elle était là pour se mettre à l'abri du froid et de la pluie.

L'infirmière était en train de l'interroger lorsque Sam, qui s'occupait d'une vieille dame souffrant de difficultés respiratoires, l'avait reconnue. Il avait discrètement demandé au personnel d'accueil de ne pas la laisser partir et s'était dépêché de sortir m'appeler avant qu'elle l'aperçoive. Il m'expliqua tout cela tandis que nous entrions en hâte dans le service des urgences. L'espace d'attente avait enfin commencé à se désengorger, les enfants fiévreux installés dans des box avec leurs parents et les ivrognes renvoyés chez eux. À cette heure de la nuit, seuls restaient les accidentés de la route et les victimes d'agression à l'arme blanche.

— Ils lui ont fait une tasse de thé. Elle est à bout de forces.

Je devais avoir l'air particulièrement inquiète à cet instant, car il ajouta :

— Ça va. Ils ne vont pas la laisser filer.

Je longeai le couloir éclairé au néon, moitié marchant, moitié courant. Sam me suivait à grands pas.

Elle était là. Elle me parut minuscule et bien plus fluette qu'auparavant. Les cheveux tressés à la hâte, elle serrait entre ses doigts minces un gobelet en plastique. Une infirmière, assise à côté d'elle, parcourait distraitement une pile de dossiers ; dès qu'elle nous aperçut, elle adressa à Sam un chaleureux sourire et se leva pour s'éloigner. Les ongles de Lily, remarquai-je, étaient noirs de crasse.

— Lily ? dis-je.

Ses yeux sombres, cernés d'ombres mauves, croisèrent les miens.

— Que… qu'est-ce qui t'est arrivé ? bafouillai-je.

Elle me regarda, puis Sam, avec un air effrayé.

— On t'a cherchée partout. On était… Mon Dieu, Lily ! Tu étais où ?

— Désolée, murmura-t-elle.

Je secouai la tête. Je voulais lui dire que ce n'était pas grave. Que rien n'était grave, du moment qu'elle était en sécurité.

Je tendis les bras. Elle me dévisagea, fit un pas en avant et vint doucement se blottir contre moi. Je l'étreignis et sentis ses sanglots muets peu à peu devenir miens. Je n'étais plus capable que de remercier une divinité inconnue et de répéter ces mots en silence : *Will. Will… on l'a retrouvée.*

Chapitre 21

Le premier soir, je laissai mon lit à Lily. Elle dormit quatorze heures d'affilée. Elle s'éveilla au matin pour boire un bol de soupe et prendre un bain, puis se recoucha pour encore huit bonnes heures. Je dormis sur le canapé, la porte d'entrée verrouillée. Je n'osais pas sortir, ni même bouger, de peur qu'elle ne disparaisse. Sam passa nous voir deux fois, avant et après le travail, pour apporter du lait et s'assurer qu'elle allait bien. Nous discutâmes à voix basse dans l'entrée, comme si nous parlions d'une invalide.

J'appelai Tanya Houghton-Miller afin de lui annoncer que sa fille était en sécurité.

— Je vous l'avais dit ! s'écria-t-elle d'un ton triomphant. Vous n'avez pas voulu m'écouter.

Je raccrochai avant qu'elle – ou moi – puisse ajouter autre chose.

Je téléphonai ensuite à Mme Traynor, qui poussa un long soupir de soulagement avant de rester silencieuse un moment.

— Merci, dit-elle enfin d'une voix tremblante. Quand puis-je venir la voir ?

Je finis par ouvrir le mail que m'avait envoyé Richard Percival.

Les trois avertissements d'usage vous ayant été adressés, nous considérons qu'étant donné vos absences ainsi que votre incapacité à satisfaire les exigences de votre contrat, votre poste au *Shamrock and Clover* est libéré dès à présent.

Il exigeait que je rapporte l'uniforme (« y compris la perruque ») dans les meilleurs délais.

Sans quoi le remboursement de sa pleine valeur marchande vous sera demandé.

J'ouvris un autre mail de Nathan.

Qu'est-ce que tu fous ? Tu as reçu mon dernier message ?

Je songeai à l'offre d'emploi de M. Gopnik et refermai mon ordinateur en soupirant.

Le troisième jour, je m'éveillai sur le canapé pour découvrir que Lily avait disparu. Aussitôt, mon cœur fit un bond. Puis j'aperçus la fenêtre de l'entrée, grande ouverte. Je grimpai l'escalier de secours et la trouvai assise sur le toit, le regard perdu à l'horizon. Elle portait son pantalon de pyjama, que j'avais lavé, avec le pull gigantesque de Will.

— Bonjour, dis-je en traversant le toit pour la rejoindre.

— Tu as à manger dans ton frigo, fit-elle remarquer.

— C'est Sam l'Ambulancier.

— Et tu as arrosé toutes les plantes.

— Ça aussi, c'était surtout lui.

Elle hocha la tête, comme si elle s'y était attendue. Je m'assis à côté d'elle sur le banc et nous partageâmes un long silence complice, respirant l'odeur fraîche de la lavande dont les bourgeons venaient d'éclore. Le petit jardin semblait à présent exploser d'une vie tapageuse : les pétales et les feuilles murmurantes apportaient couleur, mouvement et parfum à cette morne étendue d'asphalte grise.

— Désolée d'avoir squatté ton lit.

— Tu en avais plus besoin que moi.

— Tu as rangé toutes tes belles fringues dans ta penderie, dit-elle en repliant les jambes sous elle avant de ramener ses cheveux derrière son oreille.

Elle était toujours très pâle.

— Oui, j'imagine que tu m'as convaincue de ne plus les cacher dans des cartons.

Elle me jeta un regard en coin, et un sourire triste se dessina sur ses lèvres. Je sentis mon cœur se serrer. La journée promettait d'être torride : les sons qui montaient de la rue étaient comme étouffés par la chaleur. On la sentait déjà se glisser par les interstices des fenêtres. Au pied de l'immeuble, un camion-poubelle avançait lentement le long du trottoir, accompagné de son fracas habituel.

— Lily, demandai-je à voix basse une fois que le bruit se fut éloigné, qu'est-ce qui t'arrive ? Je sais que je n'ai aucune légitimité pour te poser des questions et que je ne suis pas ta mère ni rien, mais je vois bien que ça ne va pas et je… J'ai le sentiment que… qu'on est un peu de la même famille toutes les deux, et je voudrais que tu me fasses confiance. Je veux que tu saches que tu peux me parler si tu en as envie.

Elle garda les yeux baissés sur ses mains.

— Je ne vais pas te juger. Je ne vais rien répéter à personne. Je veux seulement… Eh bien, je voudrais que tu saches que si tu te confies à quelqu'un, ça te fera du bien. Je te le promets. Tu te sentiras mieux.

— Qui a dit ça ?

— Moi. Tu peux tout me dire, Lily. Vraiment.

Elle me regarda un instant, puis détourna la tête.

— Tu ne comprendrais pas, murmura-t-elle.

Alors, je sus.

La rue en dessous de nous était devenue étrangement silencieuse, ou peut-être était-ce moi qui n'entendais plus rien au-delà des quelques centimètres qui nous séparaient.

— Je vais te raconter une histoire, déclarai-je. Il n'y a qu'une seule personne qui la connaît, parce que c'est une histoire dont je n'ai pu me résoudre à parler pendant des années. Mais en parler a tout changé de la façon dont je percevais le monde, et même dont je me percevais moi-même. Alors voilà : tu n'es pas obligée de me raconter quoi que ce soit, mais je vais quand même te faire confiance et te raconter mon histoire, juste au cas où ça pourrait t'aider.

J'attendis quelques secondes, mais Lily ne protesta pas, ne leva pas les yeux au ciel, ne soupira même pas que ça allait être chiant. Elle entoura ses genoux de ses bras et m'écouta. Elle m'écouta lui parler de cette adolescente qui, par un beau soir d'été, avait un peu trop fait la fête dans un endroit qu'elle croyait sûr, entourée de ses amies et de gentils garçons qu'elle croyait bien élevés et respectueux des règles. Je lui racontai à quel point la soirée avait été folle et amusante pour la jeune fille, jusqu'à ce qu'après quelques verres elle se rende compte que presque toutes ses amies s'en étaient allées, que les éclats de rire étaient devenus durs et que c'était d'elle qu'on riait. Je retraçai, sans trop entrer dans les détails, comment cette soirée s'était finie : sa sœur qui l'avait raccompagnée à la maison en silence, ses chaussures perdues, ses secrètes contusions, ce gros trou noir en lieu et place de ses souvenirs, et ces sombres réminiscences qui lui rappelaient chaque jour qu'elle avait été stupide et irresponsable, et que ce qui lui était arrivé était entièrement sa faute. Enfin, je lui expliquai comment, pendant des années, elle avait laissé cette pensée influer sur ce qu'elle faisait, où elle allait, ce dont elle se croyait capable… Alors que tout ce qu'il lui aurait fallu, c'était quelqu'un pour lui dire ces simples mots : « Non. Ce n'était pas ta faute. Ce n'était vraiment pas ta faute. »

Je me tus. Lily me regardait toujours. Son expression était indéchiffrable.

— Je ne sais pas ce qui t'est arrivé, Lily, ajoutai-je prudemment. Ça n'a peut-être strictement rien à voir avec ce que je t'ai raconté. Je voulais seulement que tu saches qu'il n'y a rien dont tu ne puisses me parler. Et rien de ce que tu feras ne pourra me convaincre de te mettre à nouveau à la porte.

Elle se taisait toujours. Je me perdis dans la contemplation de la terrasse, prenant bien soin de ne pas la brusquer.

— Tu sais, repris-je, ton père m'a dit un jour une vérité que je n'ai jamais oubliée : « Tu ne dois pas laisser cet événement prendre le pas sur ce que tu es. »

— Mon père, répéta-t-elle en levant le menton.

Je hochai la tête.

— Quoi qu'il se soit passé, même si tu n'as pas envie de m'en parler, il faut que tu comprennes qu'il avait raison. Ces dernières semaines, ces derniers mois, ne peuvent pas suffire à définir qui tu es. Du peu que je connais de toi, je sais que tu es une jeune fille brillante, drôle, gentille et très intelligente, et que si tu arrives à dépasser ce qui t'est arrivé, un avenir incroyable s'ouvrira à toi.

— Comment tu pourrais savoir ça ?

— Parce que tu lui ressembles. Tu portes même son pull, répondis-je doucement.

Elle posa son visage sur son bras, songeuse, la laine de sa manche caressant sa joue. Quant à moi, je me calai au fond du banc. Je me demandai si j'avais bien fait d'évoquer Will. Peut-être étais-je allée trop loin.

Mais à cet instant, Lily prit une profonde inspiration et, d'une voix basse et monocorde, me raconta tout. Elle me parla du garçon, de Garside, d'une photo sur un portable et des jours qu'elle avait passés à errer comme une ombre sous les néons de la ville. Tout en parlant, elle se mit à pleurer et se recroquevilla sur elle-même, le visage chiffonné comme celui d'une toute petite fille. Alors je m'approchai d'elle et la serrai contre moi. Je caressai ses cheveux pendant qu'elle parlait toujours, trop vite, les mots brouillés, entrecoupés de hoquets. Lorsqu'elle en arriva au dernier jour, elle était blottie contre moi, avalée par le pull de Will, engloutie par la peur, la culpabilité, la tristesse.

— Je suis désolée, dit-elle entre deux sanglots. Je suis désolée.

— Il n'y a rien, absolument rien dont tu doives être désolée.

Ce soir-là, Sam vint nous rendre visite. Il se montra enjoué et agréable, et parla à Lily comme si de rien n'était. Quand elle déclara qu'elle n'avait pas envie de sortir, il nous prépara des pâtes à la crème, au bacon et aux champignons, et nous regardâmes tous les trois une comédie au sujet d'une famille perdue dans la jungle. Nous nous sentions nous-mêmes presque comme une famille. Je souriais, riais et préparais du thé, mais intérieurement je frémissais d'une colère que je n'osais pas exprimer.

Dès que Lily partit se coucher, j'entraînai Sam vers l'escalier de secours. Nous grimpâmes sur le toit, où j'étais certaine de ne pas être entendue, et lorsqu'il fut installé sur le petit banc en fer forgé, je lui répétai ce que Lily m'avait raconté à cet endroit précis, à peine quelques heures auparavant.

— Elle pense que ça va la poursuivre le restant de sa vie. Il a toujours ce téléphone, Sam.

Je ne savais pas si j'avais déjà été aussi furieuse. Toute la soirée, devant les jacasseries de la télévision, j'avais revu sous une nouvelle lumière les événements des semaines passées : toutes les fois où ce garçon avait traîné devant l'immeuble, la façon dont Lily avait caché son portable sous les coussins du canapé, sa manière de tressaillir lorsqu'elle recevait un message. Je songeai à ces mots qu'elle avait bafouillés ; son soulagement quand elle s'était crue sauvée, puis l'horreur qui avait suivi. Je pensai à l'arrogance de cet homme, qui avait repéré une jeune fille en détresse et cherché à en profiter.

Sam me fit signe de m'asseoir, mais j'étais incapable de rester en place. Je faisais les cent pas sur la terrasse, les poings serrés, le cou tendu. J'avais envie de jeter des objets dans le vide. J'avais envie d'aller trouver M. Garside. Sam se leva et se plaça derrière moi pour me masser les épaules. Probablement afin que je me tienne tranquille.

— J'ai envie de le tuer, déclarai-je.

— Ça peut s'arranger.

Je me tournai vers lui pour m'assurer qu'il plaisantait, et ressentis une légère pointe de déception en voyant que c'était le cas.

Un vent glacé soufflait sur la nuit, et je regrettais de ne pas avoir apporté de veste.

— On devrait peut-être simplement signaler ça à la police. C'est du chantage, non ?

— Il se contentera de nier. Il existe un tas d'endroits où cacher un téléphone. Et si sa mère a dit vrai à son sujet, la parole de Lily ne vaudra rien face à celle d'un prétendu pilier de la communauté. C'est pour ça que ces gens-là s'en tirent toujours.

— Mais comment lui reprendre ce portable ? Elle sera incapable d'aller de l'avant tant qu'elle saura qu'il se cache dans les parages, avec cette photo d'elle.

Je frissonnai. Sam enleva sa veste afin de la poser sur mes épaules. Enveloppée dans sa chaleur résiduelle, je m'efforçai de ne pas avoir l'air trop reconnaissante.

— On ne peut pas débarquer à son bureau, les parents de Lily l'apprendraient. Est-ce qu'on peut lui envoyer un mail ? Pour lui dire de le renvoyer, sinon…

— Je doute qu'il coopère. Il ne répondra probablement même pas : son message pourrait servir de preuve contre lui.

— Oh, c'est sans espoir ! soupirai-je. Tu crois qu'on pourra la convaincre qu'il a au moins autant intérêt qu'elle à oublier ce qui s'est passé ? Parce que c'est le cas, non ? Il se débarrassera peut-être lui-même du téléphone…

— Et tu crois vraiment qu'elle se contentera de ça ?

— Non, répondis-je en me frottant les yeux. Je ne supporte pas l'idée qu'il s'en sorte. Cette ordure malfaisante en limousine…

Je m'approchai du bord et me perdis dans la contemplation de la ville. Désespérée, j'eus une vision de l'avenir : Lily, sauvage et sur la défensive, essayant sans cesse d'échapper aux démons de son passé. Ce téléphone était la clé de sa vie future.

Réfléchis, m'intimai-je. *Pense à ce que Will aurait fait.*

Il n'aurait pas laissé cet homme gagner. Je devais réfléchir comme lui. Je regardais les voitures rouler au pas devant la porte de mon immeuble. Je songeai au gros véhicule noir de M. Garside, voguant tranquillement dans les rues de Soho. Je songeai à un homme qui avançait avec aisance dans l'existence, certain que rien ne changerait jamais.

— Sam ? demandai-je soudain. Est-ce que tu peux te procurer un médicament capable de provoquer un arrêt cardiaque ?

Il resta silencieux un moment.

— Pitié, dis-moi que tu plaisantes ! répondit-il enfin.

— Non. Écoute. J'ai eu une idée.

D'abord, elle ne dit rien.

— Tu ne courras aucun risque, assurai-je. Et comme ça, personne n'en saura rien.

Ce qui me touchait le plus, c'était qu'elle ne m'ait pas posé la question qui me tourmentait depuis que j'avais expliqué mon plan à Sam.

Comment peux-tu avoir la certitude que ça fonctionnera ?

— J'ai tout préparé, mignonne, ajouta Sam.

— Mais personne d'autre ne sait...

— Rien. Simplement qu'il te harcèle.

— Tu ne vas pas t'attirer des ennuis ?

— Ne t'en fais pas pour moi.

Elle tira sur sa manche, puis murmura :

— Et vous ne me laisserez pas seule avec lui ?

— Pas une seconde.

Elle se mordit la lèvre, puis leva les yeux sur Sam, et sur moi. Et une tension sembla s'apaiser en elle.

— D'accord, dit-elle.

J'achetai un téléphone prépayé pas cher, puis appelai le bureau du beau-père de Lily et obtins le numéro de portable de M. Garside en racontant à sa secrétaire que j'avais rendez-vous avec lui. Ce soir-là, en attendant l'arrivée de Sam, j'envoyai un SMS à Garside :

M. Garside. Je suis désolée de vous avoir frappé. J'ai flippé.
Je veux tout arranger. L.

Il attendit une demi-heure avant de répondre, probablement pour lui laisser le temps de s'inquiéter.

Pourquoi devrais-je te parler, Lily ? Tu as été très grossière envers moi après toute l'aide que je t'ai apportée.

— Enfoiré, marmonna Sam.

Je sais. Je suis désolée. Mais j'ai besoin de votre aide.

On n'a rien sans rien, Lily.

Je sais. C'est juste que vous m'avez fait un choc. J'ai eu besoin de temps pour réfléchir. Il faut qu'on se voie. Je vous donnerai ce que vous voulez, mais vous devrez d'abord me restituer le téléphone.

Je ne crois pas que tu sois en posture de marchander, Lily.

Sam leva les yeux vers moi. Je lui rendis son regard, puis tapai ma réponse :

Même pas… si je suis vraiment une très mauvaise fille ?

Une pause.

Là, tu m'intéresses.

Sam et moi échangeâmes un regard.

— J'ai un peu envie de vomir, déclarai-je.

Demain soir. Je vous enverrai l'adresse une fois que je serai sûre que mon amie sera bien sortie.

Lorsque nous fûmes certains qu'il ne répondrait pas, Sam glissa le téléphone dans sa poche, là où Lily ne pourrait pas le voir. Puis il me serra longuement contre lui.

Le lendemain, j'avais les nerfs à fleur de peau. Et ce n'était rien à côté de Lily. Nous picorâmes notre petit déjeuner, puis je laissai

Lily fumer dans l'appartement. J'étais presque tentée de l'imiter. Nous regardâmes un film et bâclâmes quelques corvées, et à 19 h 30, lorsque Sam arriva, ma tête bourdonnait tant que je pouvais à peine parler.

— Tu lui as envoyé l'adresse ? demandai-je.

— Ouais.

— Fais voir.

Le SMS contenait simplement l'adresse de mon appartement, avec un *L* en guise de signature.

Garside avait répondu :

J'ai une réunion en ville, je serai là peu après 20 heures.

— Ça va ? me demanda Sam.

Mon estomac se noua. J'avais du mal à respirer.

— Je n'ai pas envie de t'attirer des ennuis, répondis-je. Je veux dire… et si tu te fais prendre ? Tu risques de perdre ton travail.

— Ça n'arrivera pas.

— Je n'aurais pas dû te mêler à cette histoire. Tu as été tellement gentil, et en échange, je te mets en danger.

— Tout va bien se passer. Respire.

Il m'adressait un sourire rassurant, mais je crus deviner une légère tension dans son regard.

Soudain, il jeta un coup d'œil par-dessus mon épaule. Je me retournai. Lily portait un tee-shirt noir, un short en jean et un collant foncé, et elle s'était maquillée de manière à avoir l'air à la fois très belle et très jeune.

— Ça va, ma chérie ?

Elle hocha la tête. Sa peau, habituellement d'une couleur légèrement olivâtre, comme celle de Will, était inhabituellement pâle. Par contraste, ses yeux semblaient immenses.

— Tout va bien se passer, ça ne devrait pas durer plus de cinq minutes, affirma Sam d'une voix calme et confiante. Lou t'a tout bien expliqué ?

Nous avions répété la scène une bonne dizaine de fois. Je voulais qu'elle atteigne un point où elle ne se bloquerait pas, où elle serait capable de dire ses répliques sans y penser.

— Je sais ce que j'ai à faire.

— Bien, dit-il en tapant dans ses mains. Huit heures moins le quart. Préparons-nous !

Garside était ponctuel, il fallait bien lui accorder cela. À 20 h 01, la sonnerie de l'interphone retentit. Lily prit une profonde inspiration, et je lui serrai la main pour l'encourager. Puis elle répondit à l'interphone.

— Oui. Oui, elle est sortie. Montez.

Il ne sembla pas lui venir à l'esprit qu'il pourrait s'agir d'un piège.

Lily lui ouvrit. Seule moi, par l'entrebâillement de la porte de ma chambre, pus voir à quel point sa main tremblait lorsqu'elle tourna la clé dans la serrure.

Garside se passa une main dans les cheveux et parcourut l'entrée d'un bref regard avant de glisser ses clés de voiture dans la poche intérieure de son costume gris. Je ne pouvais pas m'empêcher de le regarder : sa chemise hors de prix, ses yeux perçants et avides qui semblaient scanner l'appartement. Je serrai les dents. Quel genre d'homme se permettait de harceler ainsi une jeune fille de quarante ans sa cadette ? De faire chanter l'enfant d'un de ses collègues ?

Il paraissait mal à l'aise.

— Je me suis garé à l'arrière. C'est un endroit sûr ?

— Je crois.

— Tu crois ?

Il recula d'un pas. Encore un qui considérait sa voiture comme une extension de lui-même.

— Et ton amie ? ajouta-t-il. Celle qui habite ici. Elle ne risque pas de rentrer ?

Je retins mon souffle. Derrière moi, je sentis la main rassurante de Sam se poser en bas de mon dos.

—Oh. Non. Tout va bien, répondit-elle avec un sourire. Elle ne rentrera pas avant des lustres. Entrez donc. Vous voulez boire quelque chose, monsieur Garside ?

Il la regarda comme s'il la voyait pour la première fois.

—Toujours aussi formelle, dit-il.

Il fit un pas en avant et, enfin, referma la porte d'entrée derrière lui.

—Tu as du whisky ?

—Je vais voir. Venez.

Elle pénétra dans la cuisine, et il la suivit en enlevant sa veste. Lorsqu'ils passèrent dans le salon, Sam sortit de ma chambre et traversa le couloir de son pas lourd afin de verrouiller de l'intérieur la porte d'entrée. Puis il glissa les clés cliquetantes dans sa poche.

Garside, inquiet, se retourna et l'aperçut. Donna venait de le rejoindre. Ils étaient là, en uniforme, debout devant la porte. Il les regarda, puis regarda Lily. Il semblait hésiter sur la conduite à tenir.

—Bonjour, monsieur Garside, dis-je en sortant à mon tour de derrière la porte. Je crois que vous avez quelque chose à rendre à mon amie.

À cet instant, il se mit à suer à grosses gouttes. Je ne savais même pas qu'une telle réaction était physiquement possible. Il chercha Lily du regard, mais cette dernière avait profité de la confusion pour se glisser derrière moi.

Sam fit un pas en avant. M. Garside mesurait une bonne tête de moins que lui.

—Le téléphone, s'il vous plaît, dit-il.

—Vous ne pouvez pas me menacer.

—On ne vous menace pas, rétorquai-je, le cœur battant. On voudrait juste récupérer ce portable.

—Vous me menacez rien qu'en bloquant la porte.

—Oh non, monsieur ! répliqua Sam. Vous menacer consisterait à mentionner le fait que, si ma collègue et moi le décidions, nous pourrions vous plaquer au sol et vous injecter une dose de dihypranol, qui ralentirait votre rythme cardiaque jusqu'à provoquer l'infarctus. Ça, ce serait une vraie menace. D'autant plus que personne n'irait douter de la parole des ambulanciers qui ont essayé de vous sauver. Et que le dihypranol fait partie des rares médicaments qui ne laissent aucune trace dans l'organisme.

Donna, les bras croisés, secoua tristement la tête.

— C'est terrible, soupira-t-elle, ces hommes d'affaires qui tombent comme des mouches, passé cinquante ans.

— Toutes sortes de soucis de santé. Ils boivent trop, mangent trop gras, ne font pas assez de sport.

— Je suis sûre que celui-ci n'est pas comme ça.

— C'est ce que tu crois. Mais comment en avoir le cœur net ?

M. Garside semblait avoir rétréci d'une bonne dizaine de centimètres.

— Et n'envisagez même pas de menacer Lily. On sait où vous habitez, monsieur Garside. Tous mes collègues disposent de cette information en cas de besoin. Vous ne croirez jamais tout ce qui peut vous arriver quand vous vous mettez à dos un ambulancier.

— C'est un scandale !

Il tentait à présent de faire le brave, pâle comme un linge.

— Oui. En effet, répliquai-je en tendant la main. Le téléphone, s'il vous plaît.

Une nouvelle fois, Garside parcourut la pièce du regard. Puis, enfin, il sortit le portable de sa poche et me le tendit.

Je le jetai à Lily.

— Tiens Lily, vérifie.

Je détournai les yeux pendant qu'elle s'exécutait.

— Supprime la photo, lui dis-je.

Lorsque je pivotai vers elle, elle hocha faiblement la tête. Sam lui fit signe de lui lancer le portable, puis le jeta par terre et l'écrasa à coups de talon, faisant voler en éclats la coque en plastique. Il mit une telle violence dans son geste que le sol trembla. Je me surpris à tressaillir, tout comme M. Garside, chaque fois que la lourde botte s'abattait sur l'appareil.

Enfin, Sam s'arrêta pour ramasser avec précaution la petite carte SIM, qui avait glissé sous le radiateur. Il l'examina un instant.

— C'était la seule copie ? demanda-t-il à Garside.

Ce dernier hocha la tête. La sueur maculait le col de sa chemise.

— Bien sûr que c'est la seule copie, intervint Donna. Un citoyen aussi respectable que lui ne prendrait pas un tel risque. Imaginez un peu ce que dirait la famille de M. Garside si son petit secret était révélé ?

— Vous avez eu ce que vous vouliez, dit Garside, les lèvres serrées. Laissez-moi partir.

— Non. J'aimerais ajouter quelque chose, rétorquai-je d'une voix tremblante de rage contenue. Vous êtes un individu pathétique et sordide, et si je…

La bouche de M. Garside se tordit en un rictus méprisant. C'était le genre d'homme qui ne s'était jamais une seule fois dans sa vie senti menacé par une femme.

— Oh, fermez-la, espèce de folle…

Un éclair dur traversa le regard de Sam, qui se précipita en avant. Aussitôt, je tendis le bras pour le retenir. Je ne me souviens pas d'avoir jeté mon autre poing en arrière. En revanche, je me souviens de la douleur dans mes phalanges lorsqu'elles entrèrent en contact avec le visage de Garside. Ce dernier tituba en arrière et heurta la porte d'entrée. Je trébuchai, surprise par la puissance de l'impact. Lorsqu'il se redressa, je fus choquée de voir du sang s'écouler de son nez.

— Laissez-moi sortir, siffla-t-il entre ses doigts. Tout de suite !

Sam me regarda d'un air ahuri, puis déverrouilla la porte. Donna s'écarta pour laisser sortir Garside. Lorsqu'il passa devant elle, elle se pencha sur lui :

— Vous êtes sûr que vous ne voulez pas qu'on vous fasse un pansement avant de partir ?

Garside s'éloigna d'un pas mesuré, mais dès que la porte se fut refermée derrière lui, nous l'entendîmes courir dans le couloir. Nous restâmes là en silence jusqu'à ce que les bruits de ses pas s'éteignent au loin, puis nous poussâmes un soupir de soulagement.

— Joli coup de poing, Cassius, fit remarquer Sam au bout d'une minute. Tu veux que je jette un coup d'œil à ta main ?

Je ne pus lui répondre. J'étais pliée en deux et jurais en silence.

— Ça fait toujours plus mal qu'on le croit, dit Donna en me tapotant le dos. Ne t'en fais pas, ma chérie, ajouta-t-elle à l'intention de Lily. Quoi qu'il ait pu te dire, ce vieil homme n'est rien du tout. Il est parti.

— Il ne reviendra pas, assura Sam.

— Il s'est bien chié dessus, s'esclaffa Donna. Je crois qu'il ne voudra plus t'approcher à moins d'un kilomètre. Oublie-le.

Elle serra un instant Lily dans ses bras, comme on pourrait le faire avec un enfant qui vient de subir une chute de vélo, puis me tendit les morceaux du téléphone brisé.

— Bon. J'ai promis à mon père de passer le voir avant le boulot, déclara-t-elle. À plus tard !

Puis, après un geste d'adieu, elle s'en alla, ses bottes claquant joyeusement dans le couloir.

Sam se mit à fouiller sa trousse médicale à la recherche d'un bandage pour ma main. Avec Lily, je revins dans le salon. Elle s'effondra sur le canapé.

— Tu as été géniale, lui dis-je.

— Et toi, tu as envoyé du lourd, répliqua-t-elle.

J'examinai mes doigts ensanglantés. Lorsque je relevai les yeux, un sourire s'esquissait sur ses lèvres.

— Il ne l'a pas vu venir.

— Moi non plus. C'est la première fois que je frappe quelqu'un. D'ailleurs, ajoutai-je en reprenant mon sérieux, ne te sens pas obligée de suivre mon exemple.

— Je ne t'ai jamais considérée comme un exemple à suivre, Lou.

Elle sourit, presque avec réticence, lorsque Sam entra dans la pièce avec des bandes stériles et une paire de ciseaux.

— Ça va, Lily ? demanda-t-il en haussant les sourcils.

Elle hocha la tête.

— Bien. Alors si on passait à quelque chose de plus intéressant ? Qui aime les spaghettis carbonara ?

Lorsque Lily quitta la pièce, il poussa un profond soupir avant de contempler longuement le plafond, comme s'il cherchait à reprendre son calme.

— Quoi ? demandai-je.

— Heureusement que tu l'as frappé en premier. J'ai bien cru que j'allais le tuer.

Quelques heures plus tard, lorsque Lily fut couchée, je rejoignis Sam dans la cuisine. Pour la première fois depuis des semaines, la paix régnait dans mon foyer.

— Elle est déjà plus heureuse, dis-je. Bon, elle a critiqué mon nouveau dentifrice et a laissé sa serviette traîner par terre, mais de sa part c'est plutôt bon signe.

Il acquiesça, puis vida l'évier. J'étais contente de l'avoir chez moi. Je me sentais bien. Je le regardai un instant, me demandant quel effet cela me ferait de m'avancer vers lui pour glisser les bras autour de sa taille.

— Merci, dis-je sans bouger. Pour tout.

Il se tourna vers moi en s'essuyant les paumes sur un torchon.

— Tu t'en es bien sortie toi aussi, ma petite boxeuse.

D'une main, il m'attira vers lui. Nous nous embrassâmes. Il y avait quelque chose de si délicieux dans ses baisers… Leur douceur à côté de la force brute qu'il dégageait… Je me perdis en lui un moment. Mais…

— Quoi ? demanda-t-il en reculant. Qu'est-ce qui ne va pas ?

— Tu vas trouver ça bizarre.

— Euh… Plus bizarre que ce qui s'est passé ce soir ?

— Je n'arrête pas de penser à ce dihypranol. Combien il en faudrait pour tuer vraiment quelqu'un ? Est-ce que c'est un produit que tu as souvent sur toi ? Ça me semble… vraiment… risqué.

— Tu n'as pas à t'inquiéter.

— C'est toi qui le dis. Mais et si quelqu'un t'en voulait vraiment ? Il pourrait en mettre dans ta nourriture ? Est-ce que des terroristes pourraient s'en emparer ? De quelle quantité auraient-ils besoin ?

— Lou. Ça n'existe pas.

— Quoi ?

— J'ai tout inventé. Le dihypranol n'existe pas. Et le plus drôle, c'est que je n'ai jamais vu un médicament fonctionner aussi bien, ajouta-t-il en s'esclaffant devant mon air abasourdi.

Chapitre 22

Je fus la dernière arrivée à la réunion du cercle. Ma voiture avait refusé de démarrer, et j'avais dû attendre le bus. Lorsque j'entrai dans la salle paroissiale, on venait de refermer la boîte à biscuits, signe que les choses sérieuses allaient commencer.

— Aujourd'hui, nous allons parler de foi en l'avenir, déclara Marc.

Je murmurai une excuse et m'assis.

— Oh, et nous n'aurons qu'une heure à cause d'une réunion d'urgence des scouts. Je suis désolé.

Marc nous gratifia tous les uns après les autres de son fameux regard empathique. Il se servait souvent de son regard empathique. Parfois, il m'observait si longtemps que je me demandais si j'avais une tache sur le nez. Il baissa les yeux, comme pour remettre de l'ordre dans ses pensées… ou peut-être pour relire un texte préparé à l'avance.

— Lorsqu'un être aimé nous est arraché, on a souvent beaucoup de mal à faire des projets. Parfois, les gens perdent foi en l'avenir ou deviennent superstitieux.

— J'ai cru que j'allais mourir, dit Natasha.

— Tu vas mourir, rétorqua William.

— Tu ne nous aides pas vraiment, William, intervint Marc.

— Non. Honnêtement, pendant les dix-huit mois qui ont suivi la mort d'Olaf, j'ai cru que j'avais le cancer. Je suis allée chez le médecin une bonne dizaine de fois, persuadée que j'étais malade. Une tumeur cérébrale, un cancer du pancréas, de l'utérus, ou même du petit doigt.

— Un cancer du petit doigt, ça n'existe pas, objecta William.

— Qu'est-ce que tu en sais ? répliqua sèchement Natasha. Tu as réponse à tout, William, mais des fois tu ferais mieux de la fermer. Ça devient vraiment fatigant d'entendre tes commentaires sarcastiques dès que quelqu'un ouvre la bouche. J'ai cru que j'avais un cancer du petit doigt. Mon généraliste m'a envoyée faire des examens, et il s'est avéré que je n'avais rien. Alors oui, c'était sûrement une peur irrationnelle, mais tu n'es pas obligé de critiquer tout ce que je dis parce que, quoi que tu en penses, tu ne sais pas tout. OK ?

Un bref silence s'ensuivit.

— En fait, dit William, je travaille dans une unité oncologique.

— Il n'empêche, rétorqua-t-elle après une fraction de seconde de réflexion, que tu es insupportable. Un agitateur. Un casse-pieds.

— C'est vrai, admit William.

Natasha gardait les yeux rivés au sol. Ou peut-être le faisions-nous tous. Je n'en savais rien, car j'étais trop occupée à contempler mes pieds. Elle prit un instant sa tête entre ses mains, puis le regarda bien en face.

— Non, ce n'est pas vrai, William. Je suis désolée. J'ai passé une mauvaise journée. Je ne voulais pas t'agresser comme ça.

— D'accord, mais on ne peut tout de même pas attraper un cancer du petit doigt, insista William.

— Donc…, dit Marc tandis que nous nous efforcions tous d'ignorer les jurons que marmonnait Natasha. Je me demandais si certains d'entre vous en étaient arrivés à avoir des projets à long terme. Où vous voyez-vous dans cinq ans ? Qu'envisagez-vous de faire de votre vie ? Parvenez-vous à imaginer l'avenir ?

— Je serais plus heureux si mon service trois pièces fonctionnait correctement, déclara Fred.

— C'est le sexe en ligne, c'est trop de pression pour lui ? demanda Sunil.

— On peut dire que c'était une véritable arnaque ! s'écria Fred. Sur le premier site, j'ai passé deux semaines à échanger des messages avec une nana de Lisbonne – un vrai canon –, mais quand j'ai proposé qu'on se voie, elle a essayé de me vendre un appartement en Floride. Après ça, quelqu'un m'a envoyé un message privé pour me prévenir qu'il s'agissait en fait d'un cul-de-jatte portoricain qui s'appelait Ramirez.

— Et les autres sites ?

— La seule femme qui a accepté de me rencontrer ressemblait à ma grand-tante Elsie, qui rangeait ses clés dans sa culotte. Elle était tellement vieille que j'ai presque été tenté de vérifier.

— N'abandonne pas, Fred, dit Marc. Tu ne cherches peut-être pas aux bons endroits.

— Mes clés ? Oh, non. Je les accroche toujours à côté de la porte.

Daphne avait pris la décision de partir quelques années à l'étranger :

— Il fait froid ici. C'est mauvais pour mes articulations.

Leanne déclara qu'elle espérait terminer son master de philosophie. Nous échangeâmes des regards délibérément inexpressifs, de façon à dissimuler que nous la prenions tous pour une caissière de supermarché. Ou peut-être une équarrisseuse.

D'abord, Sunil ne voulut pas parler. Puis il avoua que dans cinq ans il se voyait marié.

— J'ai l'impression de m'être replié sur moi-même ces deux dernières années, comme si je refusais de laisser quiconque m'approcher à cause de ce qui s'est passé. Vous comprenez, à quoi ça sert de s'attacher à quelqu'un si c'est pour le perdre ensuite ? Mais l'autre jour, j'ai commencé à réfléchir à ce que j'attendais de la vie, et je me suis rendu compte qu'il me manquait une femme à aimer. Parce qu'il faut aller de l'avant, non ? Il faut se construire un avenir.

Jamais je n'avais entendu un tel discours de sa part.

— C'est très positif, Sunil, le félicita Marc. Merci de ton témoignage.

J'écoutai Jake parler de ses projets d'université et me demandai distraitement où en serait son père. Toujours à porter le deuil de sa femme ? Ou installé, heureux, avec une nouvelle compagne ? Je penchais pour la deuxième option. Puis je songeai à Sam et me demandai si ce que nous vivions était ou non une relation de couple. Parce qu'il y avait relation et relation. En méditant cette idée, je m'aperçus que s'il m'avait posé la question, je n'aurais même pas su dire dans quelle catégorie nous nous trouvions. Je ne pus m'empêcher de penser que cette histoire avec Lily nous avait peut-être liés un peu trop vite, comme les mauvaises colles à prise rapide. Concrètement, qu'avions-nous en commun à part une chute du haut d'un immeuble ?

L'avant-veille, je m'étais rendue à la station d'ambulances pour attendre Sam, et Donna était restée bavarder avec moi quelques minutes pendant qu'il rassemblait ses affaires.

— Ne déconne pas avec lui.

Je me tournai vers elle. Je n'étais pas certaine d'avoir bien entendu. Elle se frotta le nez, puis reprit :

— Il est cool. Pour un grand crétin. Et il t'aime beaucoup.

Je ne sus que répondre.

— Je t'assure, poursuivit-elle. Il me parle de toi. Et il ne parle jamais de personne. Ne le lui répète pas. C'est juste que… c'est un mec bien. Je voulais que tu le saches.

— Je viens de me rendre compte d'une chose, dit Daphne. Tu n'as pas ta tenue de danseuse.

Un murmure parcourut l'assemblée.

— Tu as eu une promotion ?

— Oh, dis-je, arrachée à mes pensées. Non. Je me suis fait virer.

— Tu travailles où maintenant ?

—Nulle part. Pour le moment.

—Mais ta tenue…

Je portais une petite robe noire avec un col blanc.

—Oh. Ça. Ce n'est qu'une vieille robe.

—Je me disais que tu travaillais peut-être encore dans un bar à thème. Habillée en secrétaire. Ou alors en soubrette.

—Tu ne t'arrêtes jamais, Fred?

—Vous ne comprenez pas. À mon âge, la phrase: «Tu t'en sers ou tu la perds» prend tout son sens. Je n'ai peut-être plus qu'une vingtaine d'érections avant de casser ma pipe.

—Il y en a ici qui n'ont jamais eu autant.

Nous marquâmes une pause, le temps que Fred et Daphne cessent de glousser.

—Et ton avenir? On dirait que ta situation change en ce moment, dit Marc.

—Eh bien… On m'a proposé un nouveau poste.

—Vraiment?

Quelques applaudissements retentirent. Je me sentis rougir.

—Oh, je ne vais pas l'accepter, mais ce n'est pas grave. Je sens que j'ai tourné une page, rien qu'en ayant reçu cette offre.

—De quel travail s'agissait-il? s'enquit William.

—Oh, un boulot à New York.

Ils me regardèrent tous avec des yeux ronds.

—On t'a offert un travail à New York?

—Oui.

—Un travail payé?

—Avec un logement, répondis-je à voix basse.

—Et tu ne serais plus obligée de porter cette affreuse jupe verte?

—Je ne crois pas que mon uniforme soit une raison suffisante pour émigrer, m'esclaffai-je.

Personne ne rit.

—Oh, allez…, dis-je.

Ils me regardaient toujours fixement. Leanne avait même la bouche légèrement entrouverte.

— New York, New York ?

— Vous ne connaissez pas toute l'histoire. Je ne peux pas y aller. Je dois m'occuper de Lily.

— La fille de ton ancien employeur, dit Jake en fronçant les sourcils.

— Il n'était pas seulement mon employeur, mais oui.

— Elle n'a pas de famille ici ? demanda Daphne.

— C'est compliqué.

Marc posa son bloc-notes sur ses genoux.

— Qu'est-ce que tu penses avoir appris de ces séances, Louisa ? demanda-t-il.

J'avais reçu un colis de New York : des formulaires de l'immigration et de l'assurance maladie, ainsi qu'une épaisse feuille de papier à lettres couleur crème sur laquelle Leonard M. Gopnik m'offrait d'une manière très formelle de travailler pour sa famille. Je m'étais enfermée dans la salle de bains pour lire et relire le dossier, convertir le salaire en livres sterling, soupirer un peu puis me jurer de ne pas chercher l'adresse sur Google.

Après avoir cherché l'adresse sur Google, j'avais résisté à l'impulsion de me coucher par terre en chien de fusil. Puis je m'étais ressaisie, m'étais levée et avais tiré la chasse d'eau (au cas où Lily se serait demandé ce que je fabriquais), m'étais lavé les mains (par habitude) et avais emporté le tout dans ma chambre pour le fourrer dans le tiroir sous mon lit.

Cette nuit-là, Lily avait frappé à ma porte peu après minuit.

— Je peux rester ici ? Je n'ai vraiment pas envie de retourner chez ma mère.

— Tu peux rester tant que tu veux.

Elle s'était allongée de l'autre côté du lit et s'était roulée en boule. Je la regardai dormir un moment, puis posai la couette sur elle.

La fille de Will avait besoin de moi. C'était aussi simple que ça. Et quoi que ma sœur en dise, j'avais une dette envers lui. J'avais trouvé un moyen de ne pas me sentir entièrement inutile. Je pouvais toujours faire quelque chose pour lui.

Et ce courrier me prouvait que j'étais capable de décrocher un emploi correct. C'était un progrès. J'avais des amis, et même une sorte de petit ami. Ça aussi, c'était un réel progrès.

J'ignorai les appels manqués de Nathan et supprimai ses messages vocaux. Je lui expliquerais tout dans un jour ou deux.

Sam devait me rendre visite le mardi soir. À 19 heures, il m'envoya un SMS pour m'annoncer qu'il serait en retard. Il m'en envoya un autre à 20 h 15 pour me dire qu'il ne savait pas à quelle heure il pourrait se libérer. J'avais été à plat toute la journée, à combattre l'apathie qui accompagnait la perte de mon activité, à m'inquiéter pour mes factures en retard, coincée dans mon appartement avec une jeune fille qui n'avait nulle part où aller et que je ne voulais pas laisser seule. À 21 h 30, la sonnerie de l'interphone retentit. Sam était en bas, toujours vêtu de son uniforme. Je lui ouvris et sortis dans le couloir pour l'accueillir, refermant la porte derrière moi. Il émergea de la cage d'escalier et s'avança dans ma direction, la tête basse. Il était épuisé et semblait étrangement troublé.

—Je pensais que tu ne viendrais plus. Qu'est-ce qui s'est passé ? Tu vas bien ?

—Je passe en commission disciplinaire.

—Quoi ?

—Une autre équipe a vu mon ambulance garée en bas de l'immeuble le soir où on a coincé Garside. Ils en ont parlé au central. Je n'ai pas pu leur expliquer ce que nous faisions là alors qu'il n'y avait eu aucun appel.

—Et alors ?

—J'ai raconté des conneries, j'ai dit que quelqu'un nous avait arrêtés sur la route pour nous demander de l'aide. Et que c'était en fait une blague. Donna m'a soutenu, heureusement. Mais ils ne sont pas ravis.

— Ce n'est pas dramatique, si ?

— Non, sauf qu'une infirmière des urgences a demandé à Lily d'où elle me connaissait et qu'elle a répondu que je l'avais ramenée chez elle un soir où elle rentrait de boîte.

Je plaquai ma main sur ma bouche, catastrophée.

— Qu'est-ce que ça veut dire ?

— Ils discutent de mon cas. Mais je risque d'être suspendu. Ou pire.

— C'est notre faute, Sam. Je suis désolée.

— Elle ne pouvait pas savoir, assura-t-il.

Je voulus le serrer contre moi, le prendre dans mes bras, appuyer mon front contre le sien. Mais soudain, quelque chose me retint. Une image de Will, qui s'était imposée d'elle-même à mon esprit : il se détournait de moi, intouchable dans sa douleur. J'hésitai. Puis, une fraction de seconde trop tard, je tendis la main pour la poser sur celle de Sam. Il vit mon geste, fronça légèrement les sourcils, et j'eus la sensation déconcertante qu'il avait lu dans mes pensées.

— Tu peux toujours démissionner et partir élever tes poulets. Construire ta maison. Tu peux choisir ! Un homme comme toi peut faire tout ce qu'il veut.

Je m'entendais parler, je savais que j'en faisais trop. Il esquissa un demi-sourire sans conviction. Il ne quittait pas des yeux ma main, toujours posée sur la sienne. Nous restâmes là un instant sans bouger, gênés.

— Je ferais bien d'y aller, dit-il. Oh. Quelqu'un a déposé ça près de la porte d'entrée, ajouta-t-il en me tendant un colis. Je me suis dit qu'il n'allait pas durer longtemps.

— Viens à l'intérieur, s'il te plaît, dis-je en prenant le paquet. Laisse-moi te préparer un bon petit plat raté.

J'avais le sentiment de l'avoir abandonné.

— Je ferais mieux de renter.

Et il repartit comme il était venu, sans me laisser le temps de protester.

Par la fenêtre, je le regardai marcher d'un pas raide vers sa moto et sentis comme un nuage noir passer au-dessus de mon crâne.

Ne t'attache pas trop.

Puis je me souvins du conseil de Marc à la fin de la dernière séance : « Votre esprit en proie à l'anxiété ne fait que répondre à des pics de cortisol. Il est parfaitement naturel d'avoir peur de s'attacher à quelqu'un. »

Parfois, j'avais l'impression qu'un petit ange et un petit démon se querellaient en permanence de part et d'autre de ma tête, comme dans les dessins animés.

Dans le salon, Lily se détourna de la télévision.

— C'était Sam l'Ambulancier ?

— Ouais.

À cet instant, elle aperçut le colis.

— C'est quoi ?

— Oh. C'était dans le hall de l'immeuble. Il est à ton nom.

Elle observa longuement le paquet d'un air suspicieux, comme si elle s'attendait encore à une mauvaise surprise. Puis elle arracha les couches d'emballage pour découvrir un album photo relié de cuir. Sur la couverture était inscrit « Pour Lily (Traynor) ».

Elle l'ouvrit lentement. Et là, sur la première page couverte de papier de soie, était collée l'image en noir et blanc d'un bébé. En dessous se trouvait une note manuscrite :

Ton père pesait 4,2 kg. J'étais absolument furieuse contre lui d'être aussi gros, car on m'avait promis un joli petit bébé ! Il était très en colère et m'a privée de sommeil pendant des mois. Mais quand il souriait… Les vieilles dames traversaient la rue pour venir lui pincer les joues (il avait horreur de ça, bien entendu).

Je m'assis à côté d'elle. Lily tourna deux pages, et Will apparut vêtu de l'uniforme et de la casquette bleu roi de son école primaire. Il regardait l'appareil photo d'un air boudeur. En dessous, on pouvait lire :

Will détestait tant cette casquette qu'il la cacha dans le panier du chien. La deuxième, il la « perdit » au fond d'une mare. La troisième fois, son père le priva d'argent de poche, mais il se contenta de vendre des cartes de football. Même à l'école, ils ne parvinrent pas à l'obliger à la porter ; je crois qu'il a été en retenue toutes les semaines jusqu'à ses treize ans.

Lily se passa la main sur le front.

— Je lui ressemblais quand j'étais petite.

— Normal, répliquai-je. C'est ton père.

Elle s'autorisa un petit sourire, puis tourna la page suivante.

— Regarde. Regarde celle-là.

Sur cette photo, il souriait directement à l'objectif. C'était la photo des vacances au ski, celle qui se trouvait dans sa chambre lors de notre première rencontre. Je regardai son beau visage, et une vague de tristesse bien trop familière me submergea. Puis, soudain, Lily éclata de rire.

— Regarde ! Regarde un peu celle-là !

Will, le visage couvert de boue après un match de rugby. Et une autre où, déguisé en diable, il sautait du haut d'une meule de foin. Une page entière de bêtises : Will en petit farceur, rieur, humain. Je songeai à la page photocopiée que Marc m'avait fait parvenir lorsque j'avais raté la semaine de l'idéalisation.

Il est important de ne pas changer en saint l'être cher que nous avons perdu. Personne ne peut marcher dans l'ombre d'un saint.

Je voulais que tu voies ton père avant son accident. Il était follement ambitieux et très professionnel, bien sûr, mais je me souviens aussi de ces fois où il tombait de sa chaise à force de rire, où il dansait avec le chien, où il rentrait à la maison couvert de bleus après s'être laissé entraîner dans un défi ridicule. Un jour, il a enfoncé la tête de sa sœur dans un gâteau aux cerises (photo de droite) simplement parce qu'elle lui avait dit qu'il n'en serait pas capable. J'ai essayé de le réprimander, car j'avais mis des heures à faire ce gâteau, mais on ne pouvait jamais lui en vouloir bien longtemps.

C'était vrai.

Lily parcourut les autres photographies, toutes soigneusement annotées. Le Will qu'elle découvrait n'était pas un entrefilet dans un journal, une notice nécrologique, un cliché solennel illustrant un triste destin ; c'était un homme. Un homme vivant, un homme en trois dimensions. Je regardai chaque photo, la gorge nouée, déglutissant à grand-peine.

Soudain, une carte glissa d'entre les pages et tomba par terre. Je la ramassai et lus les deux lignes qui y étaient inscrites.

— Elle veut venir te voir.

Lily eut du mal à détacher son regard de l'album.

— Qu'est-ce que tu en penses, Lily ? Tu es partante ?

Elle mit un moment à m'entendre.

— Je ne crois pas, répondit-elle. C'est gentil de sa part, mais…

L'humeur avait changé. Elle referma l'album, le posa doucement à côté d'elle et se tourna de nouveau vers la télévision. Quelques minutes plus tard, sans dire un mot, elle vint s'asseoir près de moi et posa la tête sur mon épaule.

Ce soir-là, lorsque Lily fut partie se coucher, j'envoyai un mail à Nathan.

Je suis désolée, je ne peux pas l'accepter. C'est une longue histoire, mais la fille de Will vit chez moi et il s'est passé beaucoup de choses. Je ne peux pas la laisser seule ici. Je vais essayer de t'expliquer en quelques mots…

Pour terminer, j'écrivais :
Merci d'avoir pensé à moi.

J'envoyai également un mail à M. Gopnik afin de le remercier pour son offre et lui expliquer que, suite à un changement de situation, je devais malheureusement renoncer à ce travail. Je voulus en écrire davantage, mais l'angoisse qui me nouait l'estomac semblait avoir absorbé toute mon énergie.

J'attendis une heure, mais ni l'un ni l'autre ne répondit. Lorsque je revins dans le salon vide pour éteindre les lumières, l'album photo avait disparu.

Chapitre 23

— Tiens, tiens… Voilà l'employée du mois.

Je posai sur le comptoir le sac contenant mon uniforme et ma perruque. À l'heure du petit déjeuner, les tables du *Shamrock and Clover* étaient toutes occupées ; un homme d'affaires d'une quarantaine d'années, un peu grassouillet, déjà ivre, me regardait d'un air vaseux, serrant son verre entre ses mains potelées. Vera, à l'autre bout de la salle, repoussait rageusement les chaises et les pieds des clients afin de passer le balai. À ses gestes, on aurait presque pu croire qu'elle chassait des souris.

Je portais une chemise bleue de coupe masculine – je me sentais plus sûre de moi dans des vêtements d'homme – et remarquai distraitement qu'elle était presque de la même teinte que celle de Richard.

— Richard… Je voulais vous parler de ce qui s'est passé la semaine dernière.

Autour de nous, l'aéroport se remplissait de vacanciers en week-end prolongé : des familles flanquées de bambins braillards se substituaient aux habituels costumes-cravates. Derrière la caisse, une nouvelle banderole annonçait : « Prenez un bon départ ! Café, croissant, et un petit verre pour la route ! » Le pas brusque, les sourcils froncés sous l'effet de la concentration, Richard passa de l'autre côté du comptoir et posa sur un plateau des tasses de café fumant et des barres de céréales.

— Pas la peine, répliqua-t-il. L'uniforme est propre ?

Il attrapa le sac en plastique et en sortit ma robe verte. Il l'examina avec soin sous le néon, une grimace aux lèvres, comme s'il pensait y trouver des taches suspectes. Je m'attendais presque à ce qu'il la renifle.

— Bien sûr qu'il est propre, répondis-je.

— Il doit pouvoir être porté par une nouvelle employée.

— Je l'ai lavé hier, répliquai-je d'un ton sec.

Je remarquai soudain que les haut-parleurs diffusaient en fond sonore une nouvelle version de *Cornemuses celtiques*. Moins de harpe. Plus de flûte.

— Bien. Il y a quelques papiers à remplir. Je vais les chercher dans mon bureau, vous pourrez les signer ici. Et ce sera tout.

— On pourrait peut-être faire ça dans un endroit un peu plus… privé ?

Richard Percival ne me regarda même pas.

— Pas le temps, désolé. J'ai un millier de choses à faire, et j'ai une employée en moins aujourd'hui.

Il passa devant moi l'air affairé, comptant à voix haute les sachets de chips restants.

— Six… Sept… Vera, pouvez-vous servir ce monsieur, s'il vous plaît ?

— Euh… oui, c'est de ça que je voulais vous parler. Je me demandais si vous n'auriez pas moyen de…

— Huit… Neuf… La perruque.

— Quoi ?

— Où est-elle ?

— Oh. La voilà.

Je sortis la perruque de mon sac. Je l'avais brossée avant de la mettre dans un sachet à part.

— Vous l'avez lavée ?

— La perruque ?

— Oui. Ce n'est pas hygiénique si quelqu'un la met sans que vous l'ayez lavée au préalable.

— Elle est faite en fibres synthétiques d'encore moins bonne qualité que les cheveux d'une fausse Barbie. Je me suis dit qu'elle risquait de fondre dans un lave-linge.

— Elle n'est pas en état d'être portée par votre future remplaçante. Je vais devoir vous la facturer.

Je le regardai, bouche bée.

— Vous me faites payer la perruque ?

Il la souleva, puis la remit dans son sachet.

— Vingt-huit livres quarante. Bien entendu, je vous donnerai un reçu.

— Oh, mon Dieu. Vous allez vraiment me faire payer la perruque.

J'éclatai de rire. Là, au milieu de cet aéroport bondé et de ces avions qui décollaient, je songeai à ce qu'était devenue ma vie depuis que je travaillais pour cet homme. Je sortis mon porte-monnaie de ma poche.

— Très bien, dis-je. Vingt-huit livres quarante, c'est ça ? Vous savez quoi, je vais arrondir à trente livres. Pour les frais administratifs.

— Vous n'avez pas à…

Je comptai les billets à haute voix et les posai violemment sur le bar devant lui.

— Vous savez quoi, Richard ? J'aime travailler. Si vous aviez regardé cinq minutes au-delà de vos foutus objectifs, vous auriez vu que j'étais motivée. J'ai bossé dur. J'ai porté votre horrible uniforme, même s'il me rendait les cheveux électriques et que les gamins dansaient derrière moi dans la rue. J'ai fait tout ce que vous m'avez demandé, même nettoyer les toilettes des hommes, alors que je suis à peu près sûre que ça ne figurait pas sur mon contrat et que, selon le Code du travail, vous auriez au moins dû me fournir une combinaison antibactérienne et un masque à gaz. J'ai fait des heures supplémentaires pendant que vous cherchiez de nouveaux barmans parce que vous avez réussi à vous mettre à dos tous les membres du personnel qui ont passé cette porte. Je suis même allée jusqu'à vendre vos cacahuètes grillées qui sentent la pisse !

» Mais je ne suis pas un automate. Je suis un être humain et j'ai une vie. Alors oui, pendant quelques jours, j'ai eu des responsabilités qui m'ont empêchée d'être l'employée modèle que vous auriez voulu avoir et que j'aurais voulu être. Je suis venue ici aujourd'hui pour demander à récupérer mon poste… ou plutôt pour vous supplier de me le rendre, car j'ai toujours des responsabilités et que j'ai besoin d'un travail. Mais je viens de comprendre que je ne veux pas de celui-ci. Je préfère encore travailler gratuitement et nettoyer des chiottes plutôt que de passer un jour de plus sous vos ordres dans ce minable établissement à cornemuse.

» Alors merci, Richard. Vous venez de me pousser à prendre la première décision positive depuis longtemps. Vous pouvez donc vous mettre ce travail au même endroit que ces cacahuètes, conclus-je en repoussant la perruque vers lui. Oh, et ce truc que vous faites avec vos cheveux ? Cette tonne de gel, et le haut tout lisse ? Ignoble. Ça vous donne l'air d'un Action Man.

Le client assis sur le tabouret de bar voisin applaudit. Machinalement, Richard posa la main sur sa tête.

Je jetai un coup d'œil au client, puis me retournai vers Richard :

— En fin de compte, oubliez ce que j'ai dit au sujet de votre coiffure. C'était méchant.

Sur ces mots, je m'en allai.

Je traversais le hall de l'aéroport d'un pas vif, le cœur toujours battant, lorsque je l'entendis :

— Louisa ! Louisa !

Richard courait vers moi. J'envisageai de l'ignorer, mais me résolus finalement à m'immobiliser devant la boutique de parfums.

— Quoi ? demandai-je. J'ai oublié une miette de cacahuète ?

Il s'arrêta, essoufflé. Il examina un instant la vitrine de la boutique, comme pour se donner le temps de réfléchir. Puis il se tourna face à moi.

— Vous avez raison, déclara-t-il. OK ? Vous avez raison.

Je le regardai avec des yeux ronds.

— Le *Shamrock and Clover*. C'est un endroit horrible. Et je ne suis sans doute pas le meilleur manager qui soit. Mais vous devez savoir que pour la moindre petite instruction que je vous ai donnée, mes chefs me serrent la vis vingt fois plus fort. Ma femme m'en veut parce que je ne suis jamais à la maison. Les fournisseurs me détestent, car je dois réduire leurs marges toutes les semaines à cause de la pression des actionnaires. Mon directeur régional me reproche de ne pas atteindre mes objectifs et me menace de me muter dans un vieux pub miteux du pays de Galles si je ne trouve pas très vite une solution pour arranger ça. Et là, ma femme me quittera pour de bon. Et franchement, je ne pourrai pas lui en vouloir.

» J'ai horreur de diriger des employés. J'ai les aptitudes sociales d'un lampadaire, c'est pour ça que je n'arrive à garder personne. Si Vera est restée, c'est seulement parce qu'elle a la peau plus épaisse qu'un rhinocéros, sans compter que je la soupçonne de briguer mon poste. Alors voilà… Je suis désolé. En fait, j'aimerais vraiment vous rendre votre emploi parce que, quoi que j'aie pu vous dire tout à l'heure, vous étiez très bonne. Les clients vous aimaient beaucoup.

Il poussa un soupir et parcourut des yeux la foule qui nous entourait.

— Mais vous savez quoi, Louisa ? ajouta-t-il. Vous devriez fuir tant que vous le pouvez encore. Vous êtes jolie, intelligente, travailleuse… Vous êtes capable de trouver un bien meilleur emploi que celui-là. Si je n'avais pas un prêt immobilier, un bébé en route et les mensualités d'une saleté de Honda Civic qui me donne l'impression d'avoir cent vingt ans, croyez-moi, je me tirerais d'ici plus vite qu'un de ces avions.

Sur ces mots, il me tendit une fiche de paie.

— Vos congés payés. Maintenant, partez. Je suis sérieux, Louisa. Partez.

Je baissai les yeux sur la petite enveloppe marron. Autour de nous, les passagers se déplaçaient au ralenti, s'arrêtaient devant les vitrines des boutiques, cherchaient leurs passeports, sans prêter attention les uns aux autres. Alors je sus ce qui, fatalement, allait se produire.

— Richard ? Merci, mais… est-ce que je peux quand même récupérer mon poste ? Rien que pour quelque temps ? J'en ai vraiment besoin.

Il me regarda comme s'il n'arrivait pas à en croire ses oreilles. Puis il soupira.

— Si vous pouviez me dépanner quelques mois, ça m'ôterait une sacrée épine du pied. Je suis vraiment dans la merde en ce moment. En fait, si vous pouviez commencer dès maintenant, ça me permettrait d'aller chez mon grossiste chercher les nouveaux sous-bocks.

Nous échangeâmes nos places ; une petite valse de déception mutuelle.

— Je vais appeler chez moi, annonçai-je.

Nous nous regardâmes encore un moment, puis il me tendit le sac en plastique qui contenait mon uniforme.

— Tenez, dit-il. Vous allez en avoir besoin.

Une sorte de routine s'installa entre Richard et moi. Il me traitait avec un peu plus de respect : il ne me demandait de nettoyer les toilettes des hommes que les jours où Noah, le nouveau technicien de surface, n'était pas là, et s'interdisait la moindre remarque lorsqu'il estimait que je passais trop de temps à parler aux clients (même si le malaise se lisait clairement sur son visage). En retour, j'étais enjouée, ponctuelle, et faisais de mon mieux pour inciter les clients à la consommation. Je me sentais étrangement responsable de ses cacahuètes.

Un jour, il me prit à part pour m'annoncer que, même si c'était peut-être un peu prématuré, ses chefs souhaitaient promouvoir un employé au rang de sous-directeur et qu'il avait très envie d'appuyer ma candidature. (« Je ne peux pas courir le risque de soutenir celle de Vera. Elle serait capable de verser du détergent dans mon thé pour prendre ma place. ») Je le remerciai et tâchai de paraître plus heureuse que je l'étais en réalité.

Pendant ce temps, Lily était allée demander du travail à Samir. Celui-ci lui avait proposé de la prendre pour un essai d'une demi-journée si elle acceptait de travailler gratuitement. Je lui avais servi un café à 7 h 30 et l'avais mise dehors, toute prête et bien habillée, à 7 h 55. En rentrant ce soir-là, j'appris qu'elle avait décroché le poste… pour 2,73 livres de l'heure, le salaire le plus bas que Samir pouvait légalement lui verser. Elle avait passé le plus gros de la journée à déplacer des cageots dans l'arrière-boutique et à coller des étiquettes sur des boîtes de conserve à l'aide d'une machine qui datait de Mathusalem pendant que Samir et son cousin regardaient un match de foot sur leur tablette. Elle était épuisée et couverte de poussière, mais étrangement heureuse.

— Si je tiens un mois, il a dit qu'il envisagerait de me mettre à la caisse.

Comme j'avais mon jeudi après-midi de libre, nous en profitâmes pour nous rendre chez les parents de Lily à St John's Wood. J'attendis dans la voiture pendant qu'elle entrait récupérer quelques vêtements ainsi que la reproduction de Kandinsky qu'elle m'avait promise. Elle ressortit vingt minutes plus tard, l'air furieux, le visage fermé. Tanya la suivit sous le porche, les bras croisés, et regarda sa fille ouvrir le coffre de ma voiture pour y jeter un sac plein à craquer et y poser, un peu plus soigneusement, le poster roulé. Puis Lily s'assit sur le siège passager et garda les yeux fixés droit devant elle sur la rue déserte. Lorsque Tanya rentra enfin, je crus vaguement la voir s'essuyer les yeux.

Je mis la clé dans le contact.

— Quand je serai grande, déclara Lily d'une voix un peu tremblante, je refuse de ressembler à ma mère.

J'attendis un instant, puis démarrai. Nous roulâmes en silence jusque chez moi.

Ça te dit un ciné ce soir ? J'ai besoin de m'évader un peu.

Je n'ai pas très envie de laisser Lily seule.

Emmène-la avec toi alors.

Je ne préfère pas. Désolée, Sam. Bisous.

Ce soir-là, je retrouvai Lily sur l'escalier de secours. Elle leva la tête en m'entendant ouvrir la fenêtre et agita sa cigarette.

— Je me suis dit que ce n'était pas sympa de continuer à fumer chez toi, vu que tu ne fumes pas.

Je sortis prudemment par la fenêtre et m'assis à côté d'elle sur les marches métalliques. En dessous de nous, le parking cuisait doucement dans la torpeur du mois d'août. L'odeur du bitume brûlant s'élevait dans l'air tranquille. Des basses résonnaient, provenant d'une voiture au capot relevé. Je fermai les yeux et m'appuyai confortablement sur les marches, qui avaient absorbé la chaleur d'un mois entier d'après-midi ensoleillés.

— Je croyais que ça arrangerait tout, dit Lily.

Je rouvris les paupières.

— Je croyais que si j'arrivais à me débarrasser de Peter, tous mes problèmes seraient réglés. Je m'étais dit qu'en retrouvant mon père j'aurais enfin l'impression de me sentir chez moi quelque part. Maintenant, Peter n'est plus là, Garside non plus, je connais mon père et je t'ai rencontrée, toi. Mais je ne ressens pas du tout ce que j'espérais.

Je m'apprêtai à lui dire de ne pas être bête et à lui faire remarquer qu'elle avait déjà bien remonté la pente en très peu de temps, qu'elle venait de décrocher son premier job et qu'un brillant avenir l'attendait ;

bref les réponses standard d'un adulte raisonnable. Mais ces phrases me semblèrent soudain condescendantes et vides de sens.

Au bout de la rue, un groupe d'employés de bureau s'était rassemblé autour d'une table en fer, à l'arrière du bar. Plus tard, en soirée, l'endroit serait bourré de hipsters et de cadres de la City qui se déverseraient sur le trottoir avec leurs boissons, leurs appels tapageurs résonnant jusque dans ma chambre par la fenêtre ouverte.

— Je vois ce que tu veux dire, répondis-je. Moi aussi, après la mort de ton père, j'ai attendu de me sentir à nouveau normale. Je mène une existence routinière. J'ai toujours un boulot de merde. J'habite dans cet appartement où je ne me sentirai jamais vraiment chez moi. J'ai frôlé la mort, mais je ne peux pas dire que ça m'a apporté plus de sagesse ou de joie de vivre. Je fais partie d'un groupe de soutien aux personnes en deuil où tout le monde est aussi perdu que moi. Je n'ai rien accompli.

Lily réfléchit un instant.

— Tu m'as aidée, dit-elle enfin.

— C'est à peu près la seule chose à laquelle je peux me raccrocher en ce moment.

— Et tu as un copain.

— Ce n'est pas mon copain.

— Mais bien sûr, Louisa.

Nous observâmes quelques minutes en silence les voitures qui bouchonnaient vers la City. Lily aspira une dernière bouffée de sa cigarette, puis l'écrasa sur la marche.

— C'est mon prochain projet, déclarai-je.

Elle eut l'élégance de prendre un air coupable.

— Je sais. Je vais arrêter. Promis.

Derrière les toits, le soleil avait commencé à décliner, sa lumière orange diffuse dans l'air pollué de la ville.

— Tu sais, Lily, certaines choses prennent plus de temps que d'autres. Mais je crois qu'on va y arriver.

Elle me prit par le bras et posa sa tête sur mon épaule. Nous regardâmes le soleil se coucher lentement et les ombres de plus en plus longues ramper vers nous. Je songeai à l'horizon des immeubles de New York et me dis que personne n'était vraiment libre. Il me semblait que toute liberté – physique, spirituelle – ne s'obtenait qu'en sacrifiant quelque chose ou quelqu'un.

Le soleil disparut et le ciel arbora peu à peu une teinte bleu pétrole. Lorsque enfin nous nous levâmes, Lily lissa sa jupe puis contempla longuement le paquet de clopes qu'elle tenait. Et soudain, d'un geste brusque, elle sortit les cigarettes restantes et les coupa en deux avant de les lancer en l'air, confettis de tabac et de papier blanc. Elle me regarda d'un air de triomphe et leva la main.

—Voilà. Je suis officiellement une zone non-fumeurs.

—Juste comme ça ?

—Pourquoi pas ? Tu as dit que ça pourrait prendre plus de temps que ce qu'on croyait ? Eh bien, c'est ma première étape. Et la tienne, ce sera quoi ?

—Houla... Je pourrai peut-être convaincre Richard d'arrêter de me faire porter cette abominable perruque en nylon.

—Super idée ! J'aimerais bien arrêter de me prendre une décharge chaque fois que je touche une poignée de porte dans ton appart.

Son sourire était contagieux. Je lui pris le paquet de cigarettes vide avant qu'elle ait la fâcheuse idée de le lancer à son tour sur le parking, puis reculai afin de la laisser rentrer par la fenêtre. Soudain, elle s'arrêta pour se tourner vers moi, comme prise d'une pensée subite.

—Tu sais, déclara-t-elle, tomber amoureuse d'un autre homme ne veut pas dire que tu aimes moins mon père. Tu n'es pas obligée de rester triste simplement pour le garder dans ton cœur.

Je la regardai, les yeux ronds.

—Moi, ce que j'en dis..., conclut-elle en haussant les épaules avant d'enjamber l'appui de fenêtre.

Le lendemain, je découvris au réveil que Lily était déjà partie travailler. Elle m'avait laissé un mot pour m'annoncer qu'elle apporterait du pain à midi, car nous n'avions plus grand-chose à manger. J'avais bu une tasse de café, pris mon petit déjeuner et enfilé un jogging pour aller marcher (Marc : « Le sport est aussi bon pour l'esprit que pour le corps ! ») quand mon portable se mit à sonner… un numéro que je ne connaissais pas.

— Allô !

Je mis une bonne minute à identifier sa voix.

— Maman ?

— Regarde par la fenêtre !

Je traversai le salon et jetai un coup d'œil dans la rue. Debout sur le trottoir, ma mère me faisait de grands signes de la main.

— Que… qu'est-ce que tu fais là ? Où est papa ?

— À la maison.

— Grand-père va bien ?

— Très bien, oui.

— Mais tu ne viens jamais seule à Londres ! Tu ne vas même pas jusqu'à la station-service sans papa pour t'accompagner.

— Justement, il était temps d'y remédier, tu ne crois pas ? Je peux monter ? Je ne voudrais pas user tout le forfait de mon nouveau téléphone.

Je déverrouillai la porte du bas et parcourus en hâte le salon afin de résorber le gros du désordre. Lorsqu'elle arriva dans le couloir, j'étais là, les bras grands ouverts, prête à l'accueillir.

Elle portait son plus beau K-way, avec son sac en bandoulière (« Comme ça, c'est plus dur pour les voleurs de l'attraper. ») et ses cheveux ondulaient joliment sur sa nuque. Elle était rayonnante, les lèvres soulignées d'un rouge corail, et serrait dans une main le vieux répertoire de la famille.

— Je n'arrive pas à croire que tu sois là !

— N'est-ce pas merveilleux ? J'en ai presque la tête qui tourne. J'ai dit à un jeune homme dans le métro que c'était la première fois en trente ans que je prenais les transports en commun sans personne pour me tenir la main, et il est parti s'asseoir quatre sièges plus loin. J'ai cru mourir de rire. Tu veux bien mettre une bouilloire à chauffer ?

Elle s'assit, enleva son coupe-vent et parcourut la pièce des yeux.

— Eh bien… Ce vert sur les murs est… un choix intéressant.

— Une idée de Lily.

Je me demandai, l'espace d'une seconde, si son arrivée n'était pas qu'une vaste plaisanterie. Je voyais déjà mon père surgir à ma porte d'entrée en s'esclaffant de ma bêtise pour avoir cru que Josie serait capable de voyager par ses propres moyens. Je posai une tasse devant elle.

— Je ne comprends pas, dis-je. Pourquoi tu es venue sans papa ?

Elle but une gorgée de thé.

— Oh, il est délicieux ! Tu as toujours fait un très bon thé.

Elle reposa sa tasse sur la table, prenant soin de glisser en dessous un petit livre de poche.

— Eh bien, reprit-elle, je me suis réveillée ce matin en pensant à toutes les corvées qui m'attendaient : lancer une lessive, nettoyer les vitres, changer les draps de grand-père, acheter du dentifrice… Et soudain, je me suis dit : « Non. Je ne peux pas. Je ne vais pas perdre un si beau samedi à refaire les mêmes choses que je fais depuis trente ans. Je vais partir à l'aventure. »

— À l'aventure ?

— Alors j'ai pensé qu'on pourrait aller voir un spectacle.

— Un spectacle ?

— Oui. Un spectacle. Louisa, tu t'es changée en perroquet ou quoi ? D'après Mme Cousins, de la compagnie d'assurances, il y a un kiosque à Leicester Square où on peut acheter des billets à prix réduit pour les spectacles du soir. Je me demandais si tu voudrais m'accompagner.

— Et Treena ?

— Oh, elle était occupée, répondit maman avec un geste vague de la main. Alors, qu'est-ce que tu en dis ? On va s'acheter des billets ?

— Je dois prévenir Lily.

— Vas-y. Je finis mon thé, tu te passes un coup de peigne et on fonce ! J'ai un ticket à la journée pour le métro. Je peux y entrer et en sortir autant de fois que je veux !

Nous prîmes des billets à moitié prix pour *Billy Elliot*. C'était ça ou une tragédie russe, et maman avait déclaré qu'elle ne savait plus que penser des Russes depuis qu'on lui avait servi une soupe de betterave froide en voulant lui faire croire que c'était ainsi qu'ils la mangeaient.

Pendant tout le spectacle, elle resta captivée. De temps en temps, elle me donnait de légers coups de coude afin de me murmurer des commentaires à l'oreille :

— Je me souviens de la grève des mineurs, Louisa. C'était très dur pour ces familles pauvres. Margaret Thatcher ! Tu te rappelles d'elle ? Oh, quelle femme horrible ! Cela dit, elle avait très bon goût en matière de sacs à main.

Lorsque le jeune Billy prit son envol, poussé par son ambition, elle se mit à pleurer en silence à côté de moi, un mouchoir blanc pressé contre son nez.

En regardant le professeur de danse du garçon, Mme Wilkinson, une femme qui n'avait jamais eu le courage de quitter sa ville natale, je m'efforçai de ne pas songer à ma propre existence. J'avais un travail et une sorte de petit ami, et j'étais en train de regarder un spectacle musical à Londres un samedi après-midi. J'additionnai ces faits dans ma tête comme s'ils représentaient autant de minuscules victoires contre un ennemi invisible.

Nous ressortîmes, étourdies et émotionnellement épuisées, clignant des yeux dans la lumière de l'après-midi.

— Très bien, dit maman en calant fermement son sac à main sous son bras (certaines habitudes étaient tenaces). Maintenant, un thé dans un hôtel. Viens. Ce sera une journée inoubliable.

Nous ne pûmes entrer dans un quatre étoiles, mais dénichâmes un joli petit établissement non loin de Haymarket, avec une sélection de thés que maman approuva. Elle demanda une table en milieu de salle et s'amusa à commenter l'allure de tous les clients qui entraient : leur tenue, leur air « exotique », leur bêtise de venir accompagnés d'enfants en bas âge ou de petits chiens qui ressemblaient à des rats.

— Regarde-nous ! s'écriait-elle de temps à autre, dès qu'un silence s'installait. N'est-ce pas merveilleux ?

Nous commandâmes un thé English Breakfast (Maman : « C'est juste une façon snob de dire du thé noir, hein ? Ce n'est pas encore un de ces thés avec des goûts bizarres ? ») avec son « Plateau de mignardises » et dégustâmes de minuscules sandwichs sans croûte, de petits gâteaux emballés de papier doré et des miniscones, loin d'être aussi savoureux que ceux de maman. Cette dernière s'enthousiasma pendant une bonne demi-heure au sujet de *Billy Elliot* et insista pour que nous organisions ce genre d'excursion une fois par mois avec le reste de la famille. Elle était persuadée que mon père adorerait cela si nous parvenions à le convaincre de venir.

— Comment va papa ? demandai-je.

— Oh, très bien. Tu connais ton père.

Je voulus poser la question, mais je n'osai pas. Lorsque je levai les yeux de mon assiette, elle m'observait de son regard perçant.

— Et non, Louisa, je ne m'épile toujours pas les jambes. Et non, il n'est pas content. Mais il y a pire dans la vie.

— Il n'a rien dit quand tu es partie ce matin ?

Elle laissa échapper un petit rire, qu'elle dissimula par une quinte de toux.

— Il n'a pas cru que j'allais oser. Je lui ai parlé de mon projet en lui apportant son thé, et il s'est mis à rire. Pour être honnête, ça m'a tellement agacée que je me suis habillée et suis partie sans le prévenir.

— Tu ne lui as rien dit ? m'écriai-je.

— Je lui en avais déjà parlé. Il a passé la journée à laisser des messages sur mon portable, cet idiot.

Elle jeta un coup d'œil à l'écran, puis remit soigneusement l'appareil dans sa poche.

Abasourdie, je la regardai planter délicatement sa fourchette dans un scone. Elle en prit une bouchée, les yeux fermés pour savourer le goût.

— C'est tout simplement délicieux.

— Maman, tu n'as pas l'intention de divorcer ?

À ces mots, elle écarquilla les yeux.

— Divorcer ? Je suis une bonne catholique, Louisa. Nous ne divorçons pas. Nous nous contentons de faire souffrir nos hommes pour l'éternité.

Je payai l'addition et nous passâmes dans les toilettes des dames, une salle immense carrelée de marbre brun et ornée de somptueux bouquets, surveillée par une employée silencieuse debout à côté des lavabos. Maman se lava les mains deux fois, puis huma une à une les diverses lotions alignées devant le miroir.

— Je ne devrais pas dire ça étant donné mon opposition au patriarcat, déclara-t-elle soudain, mais j'aimerais qu'une de vous deux se trouve un mari.

— J'ai rencontré quelqu'un, annonçai-je sans réfléchir.

Elle se tourna vers moi, un flacon à la main.

— Quoi ?

— Il est ambulancier.

— Mais c'est formidable ! Un ambulancier ! C'est presque aussi utile qu'un plombier. Quand est-ce que tu nous le présentes ?

J'hésitai.

— Que je vous le présente ? Je ne suis pas sûre que ce soit…

— Que ce soit quoi ?

— Eh bien… Ça me paraît un peu prématuré. Je ne suis pas sûre que ce soit le genre de…

Ma mère ouvrit son tube de rouge à lèvres et se concentra sur son reflet.

— Tu ne le fréquentes que pour le sexe, c'est ça ? demanda-t-elle.

— Maman ! m'offusquai-je en jetant un coup d'œil gêné à l'employée de l'hôtel.

— Alors qu'est-ce que tu voulais dire ?

— Je ne suis pas sûre d'être prête pour une vraie relation de couple.

— Pourquoi ? Qu'est-ce que tu fais d'autre en ce moment ? Ces ovaires ne peuvent pas se mettre au congélateur, tu sais.

— Au fait, pourquoi Treena n'est pas venue ? demandai-je, pressée de changer de sujet.

— Elle n'a pas trouvé de baby-sitter pour Thom.

— Tu disais qu'elle était occupée.

Maman me fusilla du regard, puis serra les lèvres et referma d'un coup sec son tube de rouge.

— Elle a l'air un peu fâchée contre toi en ce moment, Louisa. Est-ce que vous vous êtes disputées toutes les deux ? demanda-t-elle, me sondant de sa perspicacité maternelle à laquelle rien ne pouvait échapper.

— Je ne sais pas pourquoi elle se sent toujours obligée d'avoir un avis sur tout ce que je fais, répliquai-je du ton boudeur d'une gamine de douze ans.

Elle me jeta un regard lourd de sens.

Alors je lui racontai tout. Je m'assis sur le lavabo en marbre et maman prit le fauteuil, et je lui parlai de mon offre d'emploi et des raisons qui m'avaient poussée à la rejeter ; je lui parlai de Lily, qui avait disparu, que nous avions retrouvée, et qui commençait tout juste à reprendre une vie normale.

— On progresse : j'ai arrangé une nouvelle rencontre entre elle et Mme Traynor. Mais Treena refuse de comprendre, alors que si Thom vivait la même galère, elle serait la première à dire que je ne peux pas lui tourner le dos.

J'étais soulagée de me confier à ma mère. Elle, entre tous, était en mesure de comprendre ce genre de responsabilité.

Elle me regarda un instant sans mot dire.

— Jésus, Marie, Joseph ! Tu as perdu l'esprit ?

— Quoi ?

— Un emploi à New York avec un logement et tout ce qu'il faut, et toi tu restes ici pour travailler dans ce café minable à l'aéroport ? Vous entendez ça ? ajouta-t-elle en prenant à témoin l'employée de l'hôtel. Ça, c'est ma fille ? Mon Dieu, je me demande bien ce qu'elle a fait du cerveau qu'elle a reçu à la naissance !

— Ce n'est pas bon, répondit la jeune femme en secouant lentement la tête.

— Maman ! J'ai pris la bonne décision !

— Pour qui ?

— Pour Lily !

— Tu crois vraiment que personne d'autre à part toi n'aurait été en mesure d'aider cette adolescente ? Est-ce que tu as au moins parlé à ce type de New York pour lui demander si tu pouvais repousser de quelques semaines ton arrivée là-bas ?

— Ce n'est pas possible.

— Qu'est-ce que tu en sais ? Si tu n'as pas demandé un délai, c'est sûr que tu ne l'obtiendras pas. Je n'ai pas raison ?

La préposée acquiesça.

— Oh, bonté divine ! Quand j'y pense…

La jeune femme tendit une serviette à ma mère, qui s'éventa vigoureusement avec.

— Écoute-moi bien, Louisa. J'ai une fille très intelligente coincée à la maison avec un enfant parce qu'elle a pris une mauvaise décision dans sa vie ; j'adore Thom, mais franchement j'ai envie de m'arracher le cœur quand je pense à ce que Treena aurait pu devenir si elle avait eu ce garçon un peu plus tard. Moi, je suis coincée à la maison à m'occuper de ton père et de ton grand-père, et ça me convient très bien : je commence à trouver ma voie. Mais toi, tu dois avoir plus d'ambition que ça, tu m'entends ? Tu ne peux pas te contenter de billets de théâtre à moitié prix et d'une bonne tasse de thé de temps en temps. Tu dois vivre ta vie à fond ! Tu es la seule de la famille à en avoir la possibilité, bon sang ! Alors quand j'apprends que tu viens de gâcher une telle opportunité pour une gamine que tu connais à peine...

— J'ai pris la bonne décision, maman.

— Peut-être. Ou peut-être qu'il n'y avait même pas de décision à prendre.

— Quand on ne demande pas, on n'obtient rien, déclara la préposée.

— Tu vois ! Elle, elle a compris ! Tu dois immédiatement recontacter cet Américain pour lui demander s'il y a moyen que tu commences un peu plus tard... Et ne me regarde pas comme ça, Louisa ! Je n'ai pas été assez sévère avec toi. Je ne t'ai pas poussée quand j'aurais dû le faire. Tu dois te sortir de ce cul-de-sac et commencer à vivre.

— Le poste n'est plus disponible, maman.

— Plus disponible, tu parles ! Est-ce que tu lui as posé la question, au moins ?

Je fis « non » de la tête.

Maman poussa un grand soupir d'agacement et rajusta son foulard autour de son cou. Elle sortit de son portefeuille deux pièces de deux livres et les fourra dans la paume de la préposée de l'hôtel.

— Je dois vous dire, vous avez fait un merveilleux travail ! On pourrait manger sur ce carrelage. Et l'odeur est tout simplement divine.

La préposée lui adressa un chaleureux sourire et, prise d'une idée subite, leva un index. Elle jeta un coup d'œil dans le couloir, puis sortit un trousseau de clés et partit ouvrir un minuscule placard de stockage. Lorsqu'elle revint quelques secondes plus tard, elle déposa dans les mains de ma mère un petit pain de savon parfumé.

Maman huma son odeur avec délice.

— C'est paradisiaque, soupira-t-elle. Un petit morceau de paradis.

— Pour vous.

— Pour moi ?

La femme referma les doigts de maman sur le savon.

— Oh, vous êtes adorable. Puis-je vous demander votre nom ?

— Maria.

— Maria, je m'appelle Josie. La prochaine fois que je viendrai à Londres, je passerai faire un tour dans vos toilettes. Tu vois, Louisa ? Qui sait ce qui peut arriver quand on s'évade un peu ? N'est-ce pas une belle aventure ? J'ai même reçu un merveilleux cadeau de la part de ma nouvelle copine !

Elles se serrèrent les mains avec ferveur, comme de vieilles amies qui s'apprêtent à se séparer. Puis nous quittâmes l'hôtel.

Je ne pouvais pas lui dire. Je ne pouvais pas lui avouer que ce travail me hantait chaque jour, dès l'instant du réveil et jusqu'à l'heure du coucher. Malgré tout ce que je pouvais prétendre, je savais que je regretterais amèrement d'avoir laissé filer cette occasion de partir vivre et travailler à New York. J'avais beau me répéter qu'il y en aurait d'autres, je savais que je sentirais toujours peser sur moi le poids de ces remords, où que j'aille, comme un sac à main bon marché que j'aurais acheté par erreur.

Et bien entendu, après l'avoir raccompagnée à la gare où elle reprit le train pour aller retrouver mon père décontenancé et furibond, longtemps après que j'eus fait une salade à Lily à partir des restes que Sam avait laissés au frigo, lorsque je vérifiai mes mails ce soir-là, j'avais reçu un message de Nathan :

> Je ne peux pas dire que je suis d'accord avec toi, mais je comprends. J'imagine que Will aurait été fier de toi. Tu es quelqu'un de bien, Clark.

Chapitre 24

Voici ce que j'avais appris du rôle de parent sans réellement en être un moi-même : quoi qu'on fasse, on a toujours tort. En étant cruel ou négligent, on laisse des stigmates à l'enfant qu'on élève. En étant aimant et encourageant, en le félicitant pour ses plus infimes réussites – se lever à l'heure, ou ne pas fumer pendant une journée entière – on le blessait d'une tout autre manière. J'avais également appris à mes dépens qu'en étant un parent « non officiel », toutes ces règles s'appliquaient sans vous faire bénéficier pour autant de l'autorité naturelle que vous croyez vous revenir de droit à partir du moment où vous prenez soin d'une jeune personne et pourvoyez à ses besoins.

Toutes ces informations en tête, lors de mon jour de congé, j'annonçai à Lily que nous allions déjeuner et la fis monter en voiture. Tout allait probablement très mal se passer, mais au moins nous serions deux pour y faire face.

Lily était si absorbée par l'écran de son téléphone, ses écouteurs vissés dans les oreilles, qu'elle mit bien quarante minutes avant de regarder par la vitre. Lorsque nous passâmes devant un panneau de direction, elle fronça les sourcils.

— Ce n'est pas le chemin pour aller chez tes parents, dit-elle.

— Je sais.

— Alors on va où ?

— Je te l'ai dit. Déjeuner.

Lorsqu'elle m'eut dévisagée assez longtemps pour comprendre que je n'en dirais pas plus, elle se tourna vers la fenêtre et bougonna :

— Ce que tu peux être chiante, des fois.

Une demi-heure plus tard, nous nous garâmes devant le *Crown and Garter*, un hôtel de briques rouges perdu au milieu d'un hectare de parc boisé, à vingt minutes au sud d'Oxford. Un territoire neutre, c'était le meilleur moyen d'aller de l'avant. Lily sortit de voiture et claqua sa portière assez fort pour me signifier que la situation la contrariait toujours.

Je l'ignorai, me remis une touche de rouge à lèvres et entrai dans le restaurant. Lily me suivit.

Mme Traynor était déjà là, assise à une table. Lorsque Lily l'aperçut, elle laissa échapper un grognement.

— Il faut vraiment qu'on refasse ça ?

— Les gens changent, répliquai-je en la poussant en avant.

— Lily.

Mme Traynor se leva. De toute évidence, elle était passée chez le coiffeur : sa coupe et son brushing étaient impeccables. Elle s'était également un peu maquillée et ressemblait de nouveau à la Mme Traynor que j'avais connue : une femme maîtresse d'elle-même, qui comprenait que si les apparences n'étaient pas tout, elles constituaient au moins la base d'un premier jugement.

— Bonjour, madame Traynor.

— Bonjour, marmonna Lily.

Elle ne tendit pas la main et s'assit à côté de moi.

Mme Traynor prit note de son attitude, lui adressa un bref sourire et appela le serveur.

— Ce restaurant faisait partie des préférés de ton père, expliqua-t-elle en posant sa serviette sur ses genoux. Lors des rares occasions où j'ai pu le convaincre de quitter Londres, c'est ici que nous nous retrouvions. On y mange très bien.

Je parcourus le menu – « quenelles de turbot avec leur frangipane de moules et langoustines, magret de canard fumé au chou noir de Toscane et couscous israélien » – et priai pour que Mme Traynor, qui avait eu l'idée de ce restaurant, ait également la bonne idée de régler l'addition.

— La décoration est un peu chargée, fit remarquer Lily sans même lever la tête.

Je jetai un coup d'œil à Mme Traynor.

— Will disait exactement la même chose, répliqua cette dernière sans se démonter. Mais la nourriture y est savoureuse. Je crois que je vais prendre la caille.

— Et moi le loup de mer, déclara Lily en faisant claquer la couverture en cuir de son menu.

Je parcourus des yeux la liste des plats. Je ne reconnaissais rien. Qu'était-ce donc que ce « chou-navet » ? Et ce « ravioli d'amourettes et fenouil marin » ? Je me demandai s'il était possible de commander un vulgaire sandwich.

— Avez-vous choisi ? demanda le serveur, qui venait d'apparaître derrière moi.

J'attendis que les autres aient récité leurs choix. Puis je repérai un plat qui me sembla sans danger :

— Puis-je avoir les joues de bœuf confites ?

— Avec les gnocchis et les asperges ? Certainement, madame.

Nous échangeâmes des banalités en attendant les hors-d'œuvre. J'appris à Mme Traynor que je travaillais toujours à l'aéroport, mais que j'avais une promotion en perspective, essayant de faire passer cela pour un réel choix de carrière plutôt que pour un appel à l'aide. Je lui racontai également que Lily s'était trouvé un travail ; lorsqu'elle entendit la nature exacte de cet emploi, Mme Traynor ne frémit pas d'horreur, comme je l'avais redouté. Au contraire, elle hocha la tête.

— Ce choix me semble judicieux, affirma-t-elle. C'est une bonne chose de se salir les mains lorsqu'on débute dans la vie active.

— Il n'y a pas de possibilité d'évolution, répliqua Lily d'un ton ferme. À part pouvoir s'occuper de la caisse.

— Pas plus qu'en livrant les journaux, rétorqua Mme Traynor. Mais ton père a fait ça pendant deux ans avant de quitter l'école. Ça instille une bonne éthique professionnelle.

— Et les gens ont toujours besoin de boîtes de saucisses de Francfort, ajoutai-je.

— Oh, vraiment ? dit Mme Traynor, l'air brièvement atterré.

Nous regardâmes de nouveaux clients s'asseoir à la table voisine. Une dame âgée fut installée sur sa chaise avec force tapage par deux hommes plus jeunes, probablement ses fils ou des neveux.

— Nous avons reçu votre album photo, annonçai-je.

— Ah oui ? Je m'étais posé la question. Est-ce que... est-ce qu'il t'a plu, Lily ?

Le regard de l'ado se posa sur elle l'espace d'une fraction de seconde.

— C'était très gentil, merci, dit-elle.

— J'ai voulu te faire découvrir une autre facette de Will, expliqua Mme Traynor en prenant une gorgée de son verre d'eau. Parfois, j'ai l'impression que l'homme qu'il a été de son vivant a été entièrement oblitéré par la façon dont il nous a quittés. Je voulais te montrer qu'il était bien plus qu'un handicapé en chaise roulante.

Il régna un bref silence.

— C'était très gentil, merci, répéta Lily.

Nos plats arrivèrent, et Lily redevint silencieuse. Les serveurs nous tournaient autour d'un air affairé, remplissant les verres d'eau dès que leur niveau baissait d'un centimètre. Une planche de pain nous fut présentée, puis retirée, puis de nouveau présentée cinq minutes plus tard. Peu à peu, le restaurant s'emplissait de convives semblables à Mme Traynor : bien habillés, à l'élocution impeccable, et qui mangeaient sûrement des quenelles de turbot tous les jours.

Mme Traynor me demanda des nouvelles de ma famille et parla de mon père en des termes très chaleureux :

— Il a accompli un travail formidable au château.

— Ce doit être étrange pour vous de ne plus y retourner, déclarai-je avant de grimacer intérieurement, certaine d'avoir franchi une ligne invisible.

Mme Traynor se contenta de regarder longuement la nappe devant elle.

— C'est étrange, en effet, admit-elle en hochant la tête, le sourire un peu plus crispé qu'auparavant.

La conversation se poursuivit ainsi pendant les hors-d'œuvre (saumon fumé pour Lily, salade pour Mme Traynor et moi), avançant par à-coups, comme la conduite saccadée des jeunes automobilistes. Ce fut avec soulagement que je vis le serveur s'approcher avec nos plats, mais mon sourire disparut lorsqu'il posa mon assiette devant moi. Cela ne ressemblait pas à du bœuf. On aurait dit des espèces de disques mous et maronnasses, noyés dans une épaisse sauce brune.

— Je suis désolée, dis-je au serveur, j'ai commandé un plat de bœuf.

— Ce sont des joues de bœuf, madame.

Nous regardâmes un instant mon assiette, et mon estomac effectua un petit salto arrière.

— Oh, oui, bien sûr. Des joues de bœuf. Merci.

Je souris à Mme Traynor et me mis à mâchonner mes gnocchis.

Nous mangeâmes presque en silence. Mme Traynor et moi commencions à manquer de sujets de conversation. Lily parlait peu et toujours pour lancer des piques, comme si elle cherchait à mettre à l'épreuve la patience de sa grand-mère. Elle jouait avec sa nourriture, en adolescente réticente emmenée contre son gré dans un restaurant trop chic à son goût. Pour ma part, je mangeais mon plat à petites bouchées, m'efforçant tant bien que mal d'ignorer la consistance gélatineuse des morceaux de viande.

Pour finir, nous commandâmes le café. Lorsque le serveur fut reparti, Mme Traynor ôta sa serviette de ses genoux et la posa sur la table.

— Je ne peux plus continuer, dit-elle.

Lily leva la tête. Elle me regarda, puis reporta son attention sur Mme Traynor.

— Les plats sont très bons et c'est bien gentil de vous entendre parler de vos activités respectives, mais ce n'est pas ça qui nous fera avancer.

Je me demandai si elle allait partir, si le comportement de Lily avait fini par l'excéder. Je lus la surprise sur le visage de Lily et compris qu'elle se posait les mêmes questions que moi. Cependant, Mme Traynor repoussa sa tasse et sa soucoupe pour se pencher en avant sur la table.

— Lily, dit-elle, je ne suis pas venue pour tenter de t'impressionner avec un déjeuner sophistiqué. Je suis venue te dire que j'étais désolée. Il est difficile d'expliquer dans quel état j'étais le jour où tu as sonné à ma porte, mais tu n'es pas responsable de la malheureuse tournure de cette entrevue, et je voulais te présenter mes excuses pour avoir rendu aussi... décevante ta rencontre avec cette branche de ta famille.

Le serveur s'approcha avec le café, et Mme Traynor leva la main pour l'arrêter sans même se tourner vers lui :

— Pourriez-vous nous laisser cinq minutes, s'il vous plaît ?

Il se retira prestement avec son plateau. Je n'osais esquisser un geste. Mme Traynor, le visage tendu, la voix pressante, poursuivit :

— Lily, j'ai perdu mon fils, ton père. À vrai dire, je l'avais probablement déjà perdu longtemps avant sa mort. Son décès a détruit tout ce sur quoi se fondait mon existence : mon rôle de mère, ma famille, ma carrière, et même ma foi. Je me suis sentie tomber dans un puits sans fond et sans lumière. Mais quand j'ai découvert qu'il avait une fille – et que j'avais une petite-fille – je me suis dit que tout n'était peut-être pas perdu.

Elle déglutit avec peine, puis reprit :

— Je ne vais pas te dire que tu m'as rendu une partie de lui, parce que ce ne serait pas juste envers toi. Tu es, je l'ai très bien compris, une personne à part entière. Tu m'as apporté une toute nouvelle personne à aimer. J'espère que tu sauras me donner une seconde chance, Lily. Parce que j'aimerais vraiment… non, nom d'un chien, j'adorerais passer du temps avec toi. Louisa m'a dit que tu avais un caractère bien affirmé. Eh bien, sache que c'est de famille. Alors nous allons probablement parfois nous voler dans les plumes, comme avec ton père.

Elle se tut un instant, puis attrapa la main de Lily pour la serrer dans la sienne.

— Je suis si heureuse de te connaître. Ta simple existence a tout changé. Ma fille, ta tante Georgina, prend l'avion le mois prochain pour te rencontrer. Elle m'a déjà demandé si nous pourrions venir toutes les deux à Sidney pour passer quelques jours chez elle. J'ai une lettre d'elle à ton intention dans mon sac. Je sais que nous ne pourrons jamais compenser l'absence de ton père, ajouta-t-elle en baissant la voix, et je sais que je ne suis pas… Je sais que je ne suis pas encore sortie de… Mais… Crois-tu… Crois-tu que tu pourrais trouver en toi une petite place pour une grand-mère un peu difficile ?

Lily la regardait fixement.

— Pourrais-tu au moins… essayer ?

La voix de Mme Traynor se brisa sur ces derniers mots. Un long silence s'installa. Les battements de mon cœur résonnaient à mes oreilles. Lily me regarda. Puis, au bout d'un moment qui sembla durer une éternité, elle se tourna vers Mme Traynor.

— Est-ce que… est-ce que vous voulez bien que je vienne chez vous ?

— Si tu veux, oui. Oui, avec grand plaisir.

— Quand ?

— Quand peux-tu venir ?

J'avais toujours vu Camilla Traynor parfaitement maîtresse d'elle-même, mais à cet instant son visage se décomposa. Sa main libre glissa sur la table. Après une seconde d'hésitation, Lily la prit dans la sienne. Elles se serrèrent les doigts avec ferveur, comme les deux survivantes d'un naufrage. Derrière elles, le serveur, son plateau à bout de bras, semblait se demander si le moment était venu de refaire son apparition.

— Je la ramène demain après-midi.

Dans le parking, Lily était restée en retrait non loin de la voiture de Mme Traynor. Elle avait mangé deux desserts – son fondant au chocolat et le mien, car j'avais perdu l'appétit – et examinait tranquillement la ceinture de son jean.

— Vraiment ? demandai-je.

Je ne savais pas à laquelle des deux je posais la question. J'étais terriblement consciente de la fragilité de cette nouvelle « entente cordiale ».

— Tout va bien se passer.

— Je ne travaille pas demain, Louisa, cria Lily. Le cousin de Samir fait les dimanches.

Je me sentais presque coupable à l'idée de les laisser, même si Lily semblait aux anges. Je voulais lui recommander de ne pas fumer, de ne pas dire de gros mots, ou même lui demander si elle ne voulait pas reporter cette visite à une autre fois, mais elle me fit un signe de la main avant de s'installer sur le siège passager de la Golf de Mme Traynor, sans même se retourner vers moi.

Les dés étaient jetés.

— Madame Traynor ? Puis-je vous demander quelque chose ?

Elle s'arrêta.

— Appelez-moi Camilla. Je pense que vous et moi avons dépassé ces formalités, ne croyez-vous pas ?

— Camilla. Avez-vous parlé à la mère de Lily ?

— Ah. Oui, je lui ai parlé, répondit-elle en se penchant pour arracher un petit brin de mauvaise herbe qui poussait au milieu d'une bordure. Je lui ai dit que j'espérais passer du temps avec Lily à l'avenir. Et que j'étais parfaitement consciente de ne pas être un exemple d'instinct maternel à ses yeux, mais que, franchement, ni elle ni moi n'avions été des mères parfaites et qu'il lui incombait, pour une fois, de faire passer le bonheur de sa fille avant le sien.

J'en restai bouche bée.

— « Incomber » est le mot juste, déclarai-je lorsque j'eus retrouvé l'usage de la parole.

— N'est-ce pas ? dit-elle en se redressant, une lueur de malice dans le regard. Les Tanya Houghton-Miller de ce monde ne me font pas peur. Je crois que Lily et moi allons nous entendre à merveille.

Je m'apprêtai à rejoindre ma voiture, mais cette fois, ce fut Mme Traynor qui m'arrêta.

— Merci, Louisa, dit-elle en posant sa main sur la mienne.

— Je n'ai rien…

— Si. Je suis parfaitement consciente de vous devoir beaucoup. J'espère un jour pouvoir vous rendre la pareille.

— Oh, c'est inutile. Tout va bien.

Elle chercha à croiser mon regard, puis m'adressa un petit sourire. Son rouge à lèvres, remarquai-je, était parfaitement appliqué.

— Je vous appellerai demain avant de venir vous ramener Lily.

Sur ces mots, Mme Traynor cala son sac sous son bras et s'en alla vers sa voiture, où Lily l'attendait.

Je regardai la Golf disparaître au loin. Puis j'appelai Sam.

Une buse planait paresseusement au-dessus des champs, ses ailes immenses comme suspendues dans le bleu chatoyant du ciel. J'avais proposé à Sam de l'aider à finir de monter un mur, mais nous n'avions posé qu'une seule rangée de briques. La chaleur était si suffocante qu'il avait suggéré de prendre une pause pour boire une bonne bière fraîche, et nous avions fini, sans trop savoir comment, couchés dans l'herbe à regarder le ciel sans jamais trouver l'énergie de nous relever. Je lui avais raconté l'histoire des joues de bœuf, et il était parti d'un fou rire. À présent, j'étais étendue à côté de lui, écoutant le chant des oiseaux et le doux murmure de la brise dans les hautes herbes, regardant le soleil qui poursuivait sa course tranquille vers l'horizon. Soudain, je me rendis compte que lorsque je cessais de songer avec horreur que Lily avait peut-être déjà prononcé l'expression « coincée du cul », la vie pouvait être douce.

— Parfois, les jours comme aujourd'hui, je me dis que je pourrais arrêter la construction de la maison, chuchota Sam. Je pourrais juste m'allonger dans un champ jusqu'à devenir un vieux croûton.

— Bonne idée, répliquai-je en mâchouillant un brin d'herbe. Sauf que la douche à l'eau de pluie te semblera nettement moins agréable cet hiver.

Il rit sous cape.

J'étais venue directement chez lui en quittant le restaurant, inexplicablement troublée par la soudaine absence de Lily. Je ne voulais pas rentrer dans mon appartement vide. Quand je m'étais garée à l'entrée du terrain de Sam, j'étais restée assise un moment dans la voiture, à écouter les cliquetis du moteur qui refroidissait. Je l'avais observé, heureux d'être seul, maniant tranquillement les briques et le mortier, essuyant la sueur de son front à l'aide de son tee-shirt délavé. J'avais alors senti une tension en moi se relâcher. Il ne fit aucune allusion à nos dernières conversations maladroites, et je lui en fus reconnaissante.

Un nuage solitaire dérivait sur l'azur éclatant. Sam serra sa jambe contre ma cuisse. Ses pieds semblaient mesurer deux fois la taille des miens.

— Je me demande si Mme T. a ressorti ses photos. Pour Lily.

— Ses photos ?

— Des photos encadrées. Je t'en ai parlé : elle n'avait pas une seule photo de Will dans son salon la fois où je suis allée chez elle avec Lily. Ça m'a étonnée quand elle a envoyé l'album. Je me suis longtemps demandé si elle ne les avait pas toutes détruites.

Sam resta silencieux, pensif.

— C'est étrange, repris-je. Mais quand j'y pense, moi non plus je n'ai pas de photos de Will encadrées chez moi. Ça nécessite peut-être un peu de temps avant de… d'être de nouveau capable de les sentir te regarder. Tu as mis combien de temps à remettre la photo de ta sœur à côté de ton lit ?

— Je ne l'ai jamais enlevée. J'aime l'avoir là, surtout qu'elle ressemble à… à ce qu'elle était. Elle était dure avec moi. La grande sœur typique. Alors quand j'ai l'impression de déconner, je regarde sa photo et j'entends sa voix : « Sam, espèce de crétin, bouge-toi un peu le cul ! » Et, tu sais, c'est bon pour Jake de voir des photos d'elle. Il a besoin de savoir qu'il a parfaitement le droit de parler de sa mère.

— J'en mettrai peut-être une chez moi alors. Lily sera contente d'avoir une photo de son père à l'appart.

Les poules étaient en liberté. À quelques pas de nous, deux d'entre elles s'ébattaient dans un tas de terre. Elles faisaient gonfler leurs plumes en se trémoussant, soulevant de petits nuages de poussière. Les volailles avaient, semblait-il, chacune une personnalité différente. Il y avait la brune autoritaire, l'affectueuse à la crête tachetée, la poule naine qu'on devait récupérer dans l'arbre tous les soirs pour la remettre dans l'enclos…

— Tu crois que je devrais lui envoyer un message ? Pour lui demander comment ça se passe ?

— À qui ?

— À Lily.

— Laisse-les vivre. Tout va bien se passer.

— Je sais que tu as raison. C'est bizarre. Je l'ai bien regardée au restaurant, et je me suis vraiment rendu compte à quel point elle ressemble à Will. Je crois que Mme Traynor – Camilla – l'a remarqué, elle aussi. Elle n'arrêtait pas de cligner des yeux en observant les petites manières de Lily, comme si ça faisait remonter en elle tout un tas de souvenirs. À un moment, Lily a haussé un sourcil, et on est toutes les deux restées scotchées. Elle a pris exactement la même expression que lui.

— Du coup, tu veux faire quoi ce soir ?

— Oh… Je m'en fiche. Je te laisse décider.

Je m'étirai. L'herbe me chatouillait le cou.

— Je pourrais rester allongée là, ajoutai-je. Et si jamais tu tombais sur moi par accident, ça ne me dérangerait absolument pas.

J'attendis qu'il éclate de rire, mais il resta sérieux.

— Est-ce qu'on peut… parler de nous ? s'enquit-il enfin.

— De nous ?

Il arracha un brin d'herbe, qu'il coinça entre ses dents.

— Oui. Je me demandais ce que tu… ce que tu penses de notre relation.

— Tu en parles comme d'un problème de maths…

— Je voudrais seulement m'assurer qu'il n'y a plus de malentendus entre nous, Lou.

Je le regardai jeter son brin d'herbe et en prendre un nouveau.

— Je crois que tout se passe bien, répondis-je. Je ne vais plus t'accuser d'avoir un enfant que tu négliges, ni de multiplier les conquêtes.

— Mais tu es toujours sur la réserve.

C'était dit gentiment, mais j'eus l'impression de recevoir un coup de poing dans le ventre.

Je me redressai sur le coude pour mieux le regarder.

— Je suis là, non ? répliquai-je. Tu es la première personne que j'appelle à la fin de ma journée de travail. On se voit dès qu'on en a l'occasion. Ce n'est pas ce que j'appelle « rester sur la réserve ».

— Oui. On se voit, on couche ensemble, on se fait de bons repas.

— Je pensais que c'était la relation rêvée de tous les hommes.

— Je ne suis pas « tous les hommes », Lou.

Nous nous observâmes en silence pendant une minute. Le sentiment de bien-être que j'éprouvais quelques secondes auparavant s'était évaporé. Je me sentais prise en défaut, sur la défensive.

— Ne me regarde pas comme ça, soupira-t-il en posant sa main en visière sur son front afin de s'abriter les yeux des rayons du soleil. Je ne veux pas t'épouser ni quoi que ce soit. Je dis juste que… Je n'ai encore jamais rencontré de femme qui refuse d'évoquer le sujet. Ça me va très bien si tu n'as pas envie d'une relation sur le long terme… Enfin non, ça ne me conviendrait pas, mais j'ai besoin de savoir ce que tu penses. Après la mort d'Ellen, je me suis rendu compte que la vie est courte. Je ne veux pas…

— Tu ne veux pas quoi ?

— Perdre mon temps avec une histoire qui ne mène nulle part.

— Perdre ton temps ?

— Mauvais choix de mots. Je ne suis pas doué pour ça.

— Pourquoi est-ce qu'il faudrait mettre une étiquette sur notre relation ? On s'amuse bien ensemble. Pourquoi on ne pourrait pas seulement continuer ainsi et, je ne sais pas, voir ce qui en découle ?

— Parce que je suis un être humain, OK ? C'est déjà assez dur d'être avec une femme qui est toujours amoureuse d'un fantôme, je n'ai pas besoin qu'en plus elle me donne l'impression de se servir de moi uniquement pour le sexe !

Il se tut et pressa sa main sur sa bouche.

— Oh, bordel, je n'arrive pas à croire que j'ai dit ça tout haut…

Lorsque je trouvai enfin la force de répliquer, ma voix était un peu tremblante :

— Je ne suis pas amoureuse d'un fantôme.

Cette fois, il ne me regarda pas. Il se redressa en position assise et se frotta le visage.

— Alors laisse-le s'en aller, Lou.

Il se leva lourdement et s'éloigna vers son wagon, me laissant seule à le regarder d'un air hébété.

Lily revint le lendemain soir avec un léger coup de soleil. Elle entra dans l'appartement et passa devant la kitchenette, où je vidais le lave-linge en me demandant pour la cinquantième fois si je devais appeler Sam, puis se laissa tomber sur le canapé. Elle posa les pieds sur la table basse, s'empara de la télécommande et alluma la télévision.

— Alors, comment ça s'est passé ? demandai-je au bout d'un long silence.

— Bien.

J'attendis qu'elle ajoute quelque chose, me préparai à voir voler la télécommande et à ce qu'elle disparaisse dans sa chambre en marmonnant « famille de tarés ». Mais elle se contenta de zapper.

— Qu'est-ce que vous avez fait ?

— Pas grand-chose. On a un peu parlé. On a surtout jardiné, en fait.

Elle se tourna vers moi et posa son menton sur le dossier du canapé.

— Dis, Lou, est-ce qu'il nous reste des céréales ? Je meurs de faim.

Chapitre 25

Est-ce qu'on se parle ?

Bien sûr. De quoi veux-tu qu'on parle ?

Parfois, je songeais aux vies des gens qui m'entouraient et me demandais si nous étions tous destinés à laisser des ruines dans notre sillage. Non, M. Larkin, nos parents ne sont pas les seuls à nous foutre en l'air. Je regardais autour de moi, comme si on venait soudain de m'offrir un don de seconde vue, et me rendais compte que presque tout le monde portait au cœur les stigmates de l'amour, qu'il soit perdu, arraché ou simplement disparu au fond d'un tombeau.

Will nous avait fait subir cette épreuve à tous, je le comprenais à présent. Il n'en avait pas eu l'intention, mais l'avait fait rien qu'en refusant de vivre.

Je chérissais la mémoire d'un homme qui avait ouvert tout un monde devant moi, mais qui ne m'avait pas assez aimée pour vouloir y rester. Et à présent, j'avais trop peur pour aimer un homme qui m'aimait peut-être sincèrement, parce que… Parce que quoi ? Au cours des heures silencieuses qui avaient suivi la retraite de Lily vers les distractions numériques de sa chambre, cette question n'avait cessé de tourbillonner dans mon esprit.

Sam ne m'appela pas. Je pouvais difficilement l'en blâmer. Et s'il avait téléphoné, que lui aurais-je dit ? En vérité, je ne voulais pas parler de ce que nous étions l'un pour l'autre parce que je n'en avais aucune idée.

Bien sûr, j'aimais être avec lui. Je me trouvais même légèrement ridicule en sa compagnie : sa présence rendait mon rire idiot, mes plaisanteries stupides et mes passions si intenses qu'elles parvenaient à me surprendre moi-même. Je me sentais mieux quand il était là, plus proche de la personne que j'avais envie d'être. Et pourtant.

Et pourtant.

M'engager dans une relation avec Sam, c'était m'exposer au risque d'une nouvelle perte. Statistiquement, la plupart des relations finissaient mal et, vu mon état émotionnel des deux dernières années, j'avais toutes les chances de mon côté pour battre des records. Nous pouvions tourner autour du pot, nous perdre dans de brefs instants, mais au final aimer signifiait souffrir... pour moi ou, pire encore, pour lui.

Qui pouvait bien avoir la force de supporter cela ?

Je souffrais de nouveau d'insomnies. Je n'entendis pas sonner mon réveil et arrivai en retard à la fête d'anniversaire de grand-père. Pour les quatre-vingts ans de son beau-père, papa avait ressorti le chapiteau démontable qui nous avait servi pour le baptême de Thomas et qui, à présent, claquait mollement dans le vent, couvert de mousse, au fond du jardin. Par la porte ouverte de la maison, une file de voisins entraient et sortaient, apportant du gâteau ou leurs meilleurs vœux. Grand-père était assis sur une chaise en plastique au milieu de toute cette agitation, adressant des signes de tête à des gens qu'il ne reconnaissait plus et jetant de temps en temps des regards mélancoliques à son exemplaire replié du *Journal des courses*.

— Alors, cette promotion ? me demanda Treena, occupée à servir du thé à tout le monde. De quoi il s'agit exactement ?

— Eh bien, j'obtiens un titre, je fais les comptes à la fin de chaque journée et j'ai la garde d'un trousseau de clés.

« Il s'agit d'une lourde responsabilité, Louisa, avait déclaré Richard Percival en me tendant le trousseau d'un air aussi pompeux que s'il me confiait le Saint Graal. Faites-en bon usage. » Il avait réellement prononcé ces mots. « Faites-en bon usage. » J'avais eu envie de lui répondre : « Qu'est-ce que je suis censée faire d'autre avec les clés d'un bar ? Labourer un champ ? »

— Le salaire ? demanda Treena en me tendant une tasse.

— Augmentation d'une livre de l'heure.

— Mmm, dit-elle d'un air peu convaincu.

— Et je suis dispensée de porter l'uniforme.

Elle examina longuement la combinaison *Drôles de dames* que j'avais revêtue ce matin-là pour l'occasion.

— Oui, j'imagine que c'est un progrès, répliqua-t-elle enfin en indiquant d'un geste à Mme Laslow où se trouvaient les sandwichs.

Que pouvais-je ajouter ? J'avais un travail. C'était déjà un miracle. Je ne lui parlai pas de ces jours où je vivais comme une torture le fait de bosser dans un endroit où j'étais obligée de voir tous ces avions accélérer sur la piste et rassembler leur énergie comme d'immenses oiseaux avant de décoller. Je ne lui avouai pas qu'enfiler ce fichu polo vert me donnait chaque fois l'impression d'avoir perdu mon âme.

— Maman dit que tu as un copain.

— Ce n'est pas vraiment mon copain.

— Oui, ça aussi elle l'a dit. Mais alors c'est quoi ? Vous vous envoyez juste en l'air de temps en temps ?

— Non. On est bons amis…

— Alors il est moche.

— Non, il est très beau.

— Mais il est nul au lit.

— Il est génial. Même si ça ne te regarde pas. Et intelligent, avant que tu…

— Donc il est marié.

— Il n'est pas marié. Bon sang, Treen. Tu ne veux pas me laisser en placer une ? Je l'aime bien, mais je ne suis pas sûre d'avoir envie de m'impliquer dans une relation pour le moment.

— À cause de tous les autres mecs sexy et stables qui font la queue en bas de chez toi ?

Je la fusillai du regard.

— Moi, ce que j'en dis…

— Tu reçois quand tes résultats de partiels ? demandai-je.

— Ne change pas de sujet.

Elle soupira et ouvrit une nouvelle brique de lait, puis répondit tout de même d'un air maussade :

— Dans quelques semaines.

— Qu'est-ce qui ne va pas ? Tu vas avoir de super notes. Tu le sais.

— Mais à quoi bon ? Je suis coincée.

Je fronçai les sourcils.

— On ne trouve pas de travail à Stortfold, expliqua-t-elle. Mais je ne peux pas me permettre de payer un loyer à Londres, pas avec les frais de garde pour Thom. Et on ne gagne pas bien sa vie quand on débute, même quand on a eu de super notes.

Elle servit une énième tasse de thé. Je voulus protester, la détromper, mais je ne savais que trop bien à quel point il était difficile de trouver un emploi.

— Alors qu'est-ce que tu vas faire ? demandai-je.

— Pour le moment, rester ici, j'imagine. Peut-être faire des allers et retours entre Stortfold et Londres. J'espère que la métamorphose féministe de maman ne l'empêchera pas d'aller chercher Thom à l'école, ajouta-t-elle avec un petit sourire sans conviction.

Je n'avais jamais vu ma sœur aussi découragée. J'essayais de trouver quoi répondre lorsqu'une soudaine agitation au niveau du buffet détourna mon attention. Maman et papa se faisaient face au-dessus d'un gâteau au chocolat. Ils se parlaient d'une voix basse et sifflante, comme deux personnes qui ne veulent pas qu'on les entende se disputer.

— Maman ? Papa ? Tout va bien ? demandai-je en m'approchant.

— Ce n'est pas un gâteau maison, déclara papa en désignant la table.

— Quoi ?

— Le gâteau. Il n'est pas fait maison. Regarde.

Je le regardai. C'était un gros gâteau au chocolat, généreusement recouvert de glaçage, décoré entre les bougies de petites pastilles de chocolat.

— J'avais une dissertation à rédiger, rétorqua maman en secouant la tête d'un air exaspéré.

— Une dissertation. Tu n'es pas à l'école ! Tu fais toujours un gâteau maison pour grand-père.

— C'est un très beau gâteau. Il vient de la pâtisserie. Papa se fiche qu'il soit fait maison.

— Non, il ne s'en fiche pas. C'est ton père. C'est important pour toi, n'est-ce pas, grand-père ?

Celui-ci les regarda alternativement, puis fit « non » de la tête. Autour de nous, les conversations s'arrêtèrent. Nos voisins échangeaient des regards gênés. Bernard et Josie Clark ne se disputaient jamais.

— Il dit ça seulement parce qu'il ne veut pas te blesser ! s'offusqua papa.

— Si lui n'est pas blessé, Bernard, pourquoi le serais-tu, toi ? Ce n'est qu'un gâteau au chocolat. Ce n'est pas comme si j'avais oublié son anniversaire.

— Je veux seulement que tu accordes la priorité à ta famille ! C'est trop te demander, Josie ? Un simple gâteau fait maison ?

— Je suis là ! Et là, c'est un gâteau, avec des bougies ! Et là, il y a des sandwichs ! Je ne suis pas en train de prendre un bain de soleil aux Bahamas ! s'écria maman en posant violemment sa pile d'assiettes sur la table à tréteaux avant de croiser les bras.

Papa voulut répliquer, mais elle le fit taire d'un geste de la main.

— Alors, Bernard ? reprit-elle. Toi, l'homme si dévoué à ta famille, quelle a été ta contribution dans tout ça ?

— Oh oh..., dit Treena en s'approchant de moi.

— Est-ce que c'est toi qui es allé acheter le nouveau pyjama de grand-père ? Qui l'a emballé ? Non. Tu n'aurais même pas su sa taille. Tu ne connais même pas la taille de tes propres pantalons parce que C'EST MOI QUI TE LES ACHÈTE ! Est-ce que tu t'es levé à 7 heures ce matin pour aller chercher du pain pour les sandwichs parce qu'un idiot est rentré du bar hier soir et a décidé de se faire deux fournées de toasts avant de laisser le reste du pain rassir sur la table toute la nuit ? Non. Tu es resté assis à lire ton journal. Tu te plains en permanence depuis des semaines parce que j'ai osé reprendre vingt pour cent de ma vie pour m'occuper de moi, pour essayer de déterminer s'il y a autre chose que je puisse faire de mon existence avant de rendre l'âme, et alors que je fais toujours ta lessive, que je m'occupe de grand-père et que je cuisine, tu me rebats les oreilles avec ce foutu gâteau que j'ai acheté ! Eh bien, Bernard, tu peux prendre ce foutu gâteau qui est apparemment la preuve de ma négligence et te le mettre au... au... enfin... La cuisine est par là, tu peux aller t'en faire un toi-même !

Sur ces mots, maman retourna le gâteau, qui atterrit à l'envers sous le nez de papa, s'essuya les mains sur son tablier et repartit vers la maison d'un pas furibond.

Elle s'arrêta en arrivant sur la terrasse, arracha son tablier et le jeta par terre.

— Oh oui ! Treena ? Tu devrais montrer à ton père où se trouvent les livres de recettes. Il ne vit dans cette maison que depuis trente-huit ans. Il ne peut pas savoir.

Après cet incident, la fête en l'honneur de grand-père ne dura pas. Les voisins s'en allèrent les uns après les autres en échangeant des commentaires en sourdine avant de nous remercier avec effusion pour cette « charmante » petite fête. Ils semblaient tout aussi abasourdis que moi.

— Ça couvait depuis des semaines, murmura Treena tandis que nous débarrassions la table. Lui se sent négligé, et elle ne comprend pas pourquoi il refuse de la laisser s'épanouir un peu.

Je jetai un coup d'œil à papa, qui ramassait en grommelant des serviettes en papier et des canettes de bière tombées sur la pelouse. Il paraissait terriblement malheureux. Je songeai à ma mère à Londres, rayonnante de vie.

— Mais ils sont vieux ! Ils sont censés avoir réglé depuis longtemps tous ces problèmes !

Ma sœur haussa les sourcils.

— Tu ne penses pas…

— Bien sûr que non, répondit Treena.

Mais elle ne semblait pas aussi sûre d'elle qu'elle l'aurait souhaité.

Je l'aidai à ranger la cuisine et jouai avec Thom à Super Mario pendant dix minutes. Maman s'était enfermée dans sa chambre, apparemment pour travailler sur sa dissertation, et grand-père s'était retiré avec un certain soulagement vers le monde rassurant des programmes de courses hippiques. Je me demandai si papa était retourné au bar, mais quand j'ouvris la porte d'entrée pour m'en aller, je l'aperçus, assis sur le siège conducteur de sa camionnette.

Lorsque je frappai à sa vitre, il sursauta. J'ouvris la portière et me glissai à côté de lui. Je m'étais dit qu'il devait être en train d'écouter les résultats sportifs, mais l'autoradio était éteint.

— Tu dois me prendre pour un vieux fou, soupira-t-il.

— Tu n'es pas un vieux fou, papa, protestai-je. En tout cas, tu n'es pas vieux.

Nous restâmes assis là en silence, à regarder les fils du voisin monter et redescendre la rue à vélo, et grimaçâmes à l'unisson lorsque le plus petit rata son dérapage et s'étala au milieu du trottoir.

— Je veux que les choses ne changent pas, dit-il enfin. Est-ce que c'est trop demander ?

— Les choses changent, papa.

— Mais je… ma femme me manque, dit-il d'un air lugubre.

— Tu sais, tu pourrais aussi t'estimer heureux d'avoir épousé une femme qui a toujours autant de vie en elle. Maman est pleine d'enthousiasme, elle a l'impression de voir le monde d'un tout nouvel œil. Elle aspire juste à un peu de liberté.

Il ne répondit pas, la mâchoire serrée.

— Elle est toujours ta femme, papa. Elle t'aime.

Enfin, il tourna la tête pour me regarder bien en face.

— Et si elle se met en tête que c'est moi qui manque de projets ? demanda-t-il. Et si toutes ces nouveautés lui montent au cerveau et qu'elle... et qu'elle me quitte ?

Je serrai sa main dans la mienne, puis me ravisai et me penchai afin de le prendre dans mes bras.

— Aucun risque, assurai-je. Tu feras en sorte que ça n'arrive pas.

Le sourire triste qu'il m'adressa alors me hanta durant tout le chemin du retour.

Lily revint juste au moment où je m'apprêtais à partir pour ma séance au cercle. Elle avait de nouveau passé la journée en compagnie de Camilla et, comme souvent, avait les ongles noirs d'avoir jardiné. Elles avaient créé tout un parterre de fleurs chez une voisine, m'annonça-t-elle gaiement, et la femme avait été si contente de leur travail qu'elle avait donné à Lily trente livres.

— Elle nous a aussi offert une bouteille de vin, ajouta-t-elle, mais j'ai dit à mamie de la garder.

Je remarquai au passage son usage spontané et naturel du mot « mamie ».

— Oh, et j'ai discuté avec Georgina sur Skype hier soir. C'était le matin pour elle puisqu'elle vit en Australie, mais c'était vraiment sympa. Elle va m'envoyer par mail tout un tas de photos de quand elle et mon père étaient petits. Elle dit que je ressemble beaucoup à Will. Elle est très jolie. Elle a un chien qui s'appelle Jacob, et il hurle à la mort quand elle joue du piano.

Je lui servis de la salade avec du pain et du fromage, et nous continuâmes à bavarder. Je me demandai si je devais lui apprendre que

Steven Traynor avait appelé, pour la quatrième fois en quatre semaines, afin de tenter de la convaincre de venir voir le bébé : « Nous sommes une grande famille, après tout. Et Della est bien plus détendue, je vous jure, maintenant que le bébé est là. » Peut-être n'était-ce pas le moment de lui en parler. Je pris mes clés dans ma poche.

— Oh, dit-elle. Avant que tu y ailles. Je retourne à l'école.

— Quoi ?

— Je retourne à l'école, pas loin de chez mamie. Tu te souviens ? Celle dont je t'avais parlé ? Celle que j'aimais bien ? Je resterai en pension la semaine, et je rentrerai chez mamie les week-ends.

— Oh.

— Désolée. Je voulais te le dire, mais tout est arrivé si vite… J'étais en train d'en parler, et juste comme ça, mamie a appelé l'école et ils ont accepté de me reprendre. Et tu ne sais pas la meilleure ? Mon amie Holly est toujours là-bas ! Je lui ai parlé sur Facebook, et elle dit qu'elle a trop hâte que je revienne ! Je ne lui ai pas raconté tout ce qui s'est passé, et je ne sais même pas si je le ferai, mais c'était vraiment sympa. Elle m'a connue avant que tout parte en cacahuètes. Elle est juste… elle est cool, tu vois ?

Je l'écoutais parler avec animation et tentais d'ignorer cette horrible impression qu'elle se débarrassait de moi comme un serpent qui se délesterait de son ancienne peau.

— Je dois être là-bas pour la rentrée, en septembre, mais mamie dit que ce serait bien si je m'installais chez elle un peu plus tôt. Peut-être la semaine prochaine ?

— La semaine prochaine ? répétai-je, le souffle court. Qu'est-ce que… qu'est-ce que ta mère en pense ?

— Elle est juste contente que je reprenne mes études, surtout si c'est mamie qui paie. Elle a dû aller au secrétariat de ma nouvelle école pour parler de mon dernier lycée et du fait que je n'ai pas passé mes examens, et ça se voit qu'elle n'aime pas trop mamie, mais ça devrait aller. « Si ça peut te rendre heureuse, Lily… J'espère toutefois que tu ne traiteras pas ta grand-mère comme tu as traité le reste du monde», caqueta-t-elle. J'ai croisé le regard de mamie quand elle a dit ça. Elle a juste un tout petit peu haussé les sourcils, mais ça a suffi à montrer ce qu'elle en pensait. Au fait, je t'ai dit qu'elle s'est teint les cheveux? Elle est châtain maintenant. Ça lui va beaucoup mieux, on n'a plus l'impression qu'elle vient de faire une chimio.

— Lily!

— Ça va, ça l'a fait rire quand j'ai dit ça. C'est le genre de truc que papa aurait dit.

— Eh bien, murmurai-je, on dirait que vous avez tout bien arrangé.

Elle me jeta un regard perçant.

— Ne dis pas ça comme ça.

— Désolée. C'est juste que… tu vas me manquer.

— Mais non, idiote, je ne vais pas te manquer, répliqua-t-elle avec un grand sourire. Je reviendrai pour les vacances. Je ne vais quand même pas passer ma vie dans l'Oxfordshire avec des vieux, je deviendrais dingue. Mais c'est bien. J'ai… j'ai vraiment l'impression qu'elle fait partie de ma famille. Ça ne me fait pas bizarre. Je pensais que j'aurais du mal, mais non. Lou… Tu seras toujours mon amie, dit-elle en me serrant très fort dans ses bras. Tu es comme la grande sœur que je n'ai jamais eue.

Je lui rendis son étreinte en m'efforçant de sourire.

— Bref. Tu as besoin d'avoir ton appart pour toi, de toute façon, reprit-elle en reculant d'un pas avant de sortir son chewing-gum de sa bouche pour le coller avec soin dans un petit bout de papier. T'entendre baiser avec Sam l'Ambulancier de l'autre côté du couloir, c'était carrément dégueulasse.

Lily s'en va.

Où ça?

Vivre chez sa grand-mère. C'est bizarre. Elle est tellement heureuse. Je suis désolée. Je te parle sans cesse de choses qui se rattachent à Will, mais tu es le seul à pouvoir les comprendre.

Lily fit ses valises, dépouillant joyeusement ma chambre d'amis de toute trace de sa présence, hormis la reproduction de Kandinsky, le lit de camp, une pile de magazines et une vieille bombe de déodorant. Je l'emmenai à la gare en écoutant son flot de paroles incessant, en tentant de paraître normale.

— Tu pourras passer me voir. J'ai une jolie chambre. Il y a un cheval sur le terrain d'à côté, et le voisin a dit que je pourrai le monter. Oh, et il y a aussi un petit bar très sympa.

Elle leva les yeux vers l'écran des départs et bondit sur place lorsqu'elle repéra son horaire.

— Merde. Mon train. Où est le quai numéro onze ?

Elle se mit à courir parmi les passagers, son sac à dos jeté sur son épaule. Paralysée, je la regardai s'éloigner.

Soudain, elle se retourna, m'aperçut près de l'entrée et me fit un signe de la main, un grand sourire aux lèvres, ses cheveux voletant autour de son visage.

— Lou ! cria-t-elle. Je voulais te dire : aller de l'avant ne signifie pas que tu aimais moins mon père, tu sais. Je suis sûre qu'il te dirait la même chose.

Puis elle disparut, avalée par la foule.

Son sourire ressemblait au sien.

Elle n'a jamais été à toi, Lou.

Je sais. Mais j'imagine qu'elle donnait un but à ma vie.

Une seule personne peut donner un but à ta vie.

Ces mots me firent réfléchir un moment.

On peut se voir ? S'il te plaît ?

Je travaille ce soir.

Tu viens chez moi après ?

Peut-être plus tard dans la semaine. Je t'appellerai.

Ce « peut-être » présageait quelque chose de définitif, comme une porte qui se ferme lentement. Je restai un instant les yeux fixés sur mon téléphone tandis que les voyageurs passaient à côté de moi. Et soudain, ce fut comme un déclic : soit je passais le reste de la journée à me lamenter sur cette nouvelle perte, soit je profitais de cette liberté inattendue.

Je rentrai chez moi, me préparai un café et contemplai longuement le mur vert. Puis j'allumai mon ordinateur.

Cher Monsieur Gopnik,

Le mois dernier, vous avez eu la gentillesse de me proposer un poste que j'ai dû refuser. Je me doute bien que le poste en question est à présent pourvu, mais si je ne vous écris pas, je le regretterai toute ma vie.

Je voulais vraiment ce travail. Si la fille de mon ancien employeur n'avait pas eu besoin de moi, j'aurais accepté sans hésitation. Je n'essaie pas de la rendre responsable de ma décision, car ce fut un privilège de l'aider à se sortir de cette mauvaise passe, mais je voulais vous dire que si vous avez toujours besoin de quelqu'un, j'espère vraiment que vous envisagerez de me recontacter.

Je sais que vous êtes très occupé, donc je vais m'arrêter là, mais j'avais envie que vous le sachiez.

Meilleurs sentiments,

Louisa Clark.

Je ne savais pas vraiment ce que je faisais, mais au moins je faisais quelque chose. Je cliquai sur « envoyer », et cette action infime éveilla soudain en moi une toute nouvelle détermination. Je courus dans la salle de bains et fis couler l'eau de la douche tout en me déshabillant. Je trébuchai presque dans ma hâte à enlever mon pantalon et me plaçai sous le jet brûlant. Je commençai à me laver les cheveux, planifiant déjà la suite des opérations. J'allais me rendre à la station d'ambulances, trouver Sam et…

La sonnette retentit. Je marmonnai un juron et attrapai une serviette.

— Ça y est, dit ma mère.

Je mis un moment à comprendre que c'était bien elle qui se tenait là, un sac de voyage à la main. Je m'enroulai dans ma serviette, les cheveux dégoulinant sur le tapis.

— Ça y est quoi ?

Elle entra et ferma la porte derrière elle.

— Ton père. Qui passe son temps à m'accabler de reproches. Qui me traite comme une espèce de catin juste parce que je veux prendre un peu de temps pour moi. Je lui ai dit que je m'installais chez toi pour quelques jours. Que j'avais besoin d'une pause.

— D'une pause ?

— Louisa, tu n'as pas idée de ce que je subis. Tous ces grommellements, ces critiques… Je ne suis pas gravée dans le marbre, tu sais ? Tout le monde change autour de moi. Pourquoi pas moi ?

J'avais l'impression d'arriver au milieu d'une conversation qui avait démarré depuis une heure. Dans un bar. Après quelques verres.

— Quand j'ai commencé à suivre ce cours sur la prise de conscience féministe, je me suis dit que tout ça était très exagéré. Le contrôle patriarcal de la femme ? Même inconscient ? Eh bien, figure-toi qu'ils étaient bien en dessous de la réalité. Ton père est tout simplement incapable de me voir en tant que personne, en dehors de ce que je lui apporte au dîner et au lit.

— Euh…

— Oh. C'est trop ?

— Probablement.

— Discutons-en autour d'un thé.

Sans attendre ma réponse, ma mère passa dans la cuisine.

— Cet appartement commence à ressembler à quelque chose, fit-elle remarquer. Même si je ne suis toujours pas convaincue par ce vert. Ça te donne l'air maladif. Bon, où sont tes sachets de thé ?

Ma mère s'assit sur le canapé et, tandis que son thé refroidissait, j'écoutai toute la litanie de ses frustrations en essayant de ne pas penser à l'heure qu'il était. Dans trente minutes, Sam arriverait à la station. Puis la voix de maman partit dans les aigus, et ma mère se couvrit le visage, et je sus que je n'irais nulle part.

— Tu imagines à quel point c'est angoissant de te dire que tu ne seras jamais en mesure de changer ? Pour le restant de tes jours ? Parce que personne n'a envie de te voir évoluer ? Tu te rends compte à quel point c'est terrible de se sentir bloqué ?

Je hochai vigoureusement la tête. Je m'en rendais compte. Vraiment.

— Je suis sûre que papa ne pense pas à mal… Mais écoute, je…

— Je lui ai même proposé de suivre des cours du soir, lui aussi. Un cours qui lui plairait, par exemple restauration de meubles anciens, ou dessin de modèle vivant… Ça ne me dérange pas qu'il regarde des femmes nues ! Je m'étais dit qu'on pourrait grandir ensemble ! Voilà le genre d'épouse que j'essaie de devenir, le genre qui permet à son mari de regarder d'autres femmes nues si c'est au nom de la culture… Mais tout ce qu'il m'a répondu, c'est : « Qu'est-ce que tu veux que j'aille foutre là-bas ? » Et ce cinéma qu'il me fait pour mes poils aux jambes… Oh, bonté divine ! Cette hypocrisie ! Tu as déjà remarqué la longueur de ses poils de nez, Louisa ?

— N-non.

— Je vais te dire ! Il pourrait saucer son assiette avec. Pendant quinze ans, c'est moi qui ai dû demander au barbier de les lui couper, tu sais ? C'était comme si je m'occupais d'un enfant. Est-ce que je me suis plainte ? Non ! Parce que je l'accepte tel qu'il est. C'est un être humain ! Avec ses poils de nez et tout le reste ! Mais si j'ai le malheur de ne pas avoir la peau aussi douce que les fesses d'un bébé, il pique sa crise comme si je m'étais changée en Chewbacca !

Il était 17 h 50. Sam sortirait à la demie. Je poussai un soupir et tirai sur ma serviette.

— Et… euh… tu penses rester ici combien de temps ?

— Écoute, je n'en sais rien, répondit maman en buvant une gorgée de thé. Une aide ménagère apporte son déjeuner à grand-père maintenant, donc ce n'est pas comme s'il fallait que je sois là-bas en permanence. Je pourrais rester quelques jours. On s'est bien amusées la dernière fois que je suis venue, non ? On pourrait aller voir Maria aux toilettes demain !

— Charmant.

— Oui. Bon. Je vais aller faire mon lit. Où est la chambre d'amis ?

Nous venions de nous lever quand la sonnette retentit de nouveau. J'ouvris la porte, prête à rediriger un livreur de pizza égaré, et tombai nez à nez avec Treena et Thom. Derrière eux, les mains enfoncées dans les poches de son pantalon comme un ado récalcitrant, se tenait mon père.

Treena ne m'accorda pas même un regard. Elle passa droit devant moi pour aller retrouver ma mère.

— Maman, dit-elle. C'est ridicule. Tu ne peux pas fuir papa comme ça. Tu as quel âge ? Quinze ans ?

— Je ne fuis pas ton père, Treena. Je m'offre un peu d'espace pour respirer.

— Eh bien, on restera tous là jusqu'à ce que vous ayez réglé cette chamaillerie grotesque. Tu sais qu'il dort dans sa camionnette depuis des jours, Lou ?

— Quoi ? Tu ne m'as pas dit ça ! m'écriai-je en me tournant vers maman.

— Tu ne m'en as pas laissé le temps, tu parles sans cesse, rétorqua-t-elle en levant le menton.

Maman et papa refusaient de se regarder.

— Je n'ai rien à dire à votre père pour le moment, déclara maman.

— Asseyez-vous, ordonna Treena. Tous les deux.

Ils s'approchèrent du canapé en traînant des pieds, se jetant mutuellement des regards furieux. Treena se tourna vers moi.

— Très bien, dit-elle. Faisons du thé. Ensuite, on va arranger ça comme une vraie famille.

— Bonne idée ! répliquai-je, sentant que j'avais là une chance à saisir. Il y a du lait au frigo. Le thé est prêt. Servez-vous. Je dois sortir, j'en ai pour une demi-heure.

Et avant que quiconque puisse m'arrêter, j'avais enfilé un jean et un tee-shirt et sortais en courant, mes clés de voiture à la main.

Je l'aperçus en me garant devant la station d'ambulances. Il marchait à grands pas vers son véhicule, son sac jeté sur son épaule. En le voyant, j'éprouvai une brusque bouffée de désir. Je connaissais la délicieuse solidité de son corps, les doux angles de son visage. Lorsqu'il me repéra, il ralentit soudain l'allure, comme si j'étais la dernière personne qu'il s'attendait à trouver là. Puis il se retourna vers son ambulance afin d'ouvrir les portes arrière.

— Est-ce qu'on peut discuter ? demandai-je en arrivant à sa hauteur.

Il souleva une bouteille d'oxygène comme s'il s'agissait d'une bombe de laque et la fixa sur son support.

— Bien sûr. Mais pas maintenant. Je m'apprête à partir.

— Ça ne peut pas attendre.

Son expression resta indéchiffrable. Il se baissa pour ramasser un paquet de gaze.

— Écoute. Je voulais seulement t'expliquer... Au sujet de ce dont on a parlé. Je t'aime bien. Vraiment. Mais j'ai... j'ai peur.

— Tout le monde a peur, Lou.

— Toi, tu n'as peur de rien.

— Bien sûr que si. Mais pas de choses que tu remarques.

Il baissa les yeux sur ses bottes. Puis il aperçut Donna, qui courait vers lui.

— Ah, merde. Je dois y aller.

Je sautai à l'arrière de l'ambulance.

— Je viens avec vous. Je prendrai un taxi au prochain arrêt.

— Non.

— Oh, allez. S'il te plaît...

— Tu veux m'attirer d'autres ennuis ?

— Blessure à l'arme blanche, un jeune homme, annonça Donna en jetant son sac à l'arrière du véhicule.

— On doit y aller, Louisa.

J'étais en train de le perdre. Je le sentais, au son de sa voix, à sa façon d'éviter mon regard. Je descendis de l'ambulance, maudissant mon arrivée tardive. Mais Donna me prit par le coude et m'entraîna à l'avant.

— Oh, ça va ! dit-elle lorsque Sam voulut protester. Tu t'es conduit comme un ours mal léché toute la semaine. Réglez vos problèmes, tous les deux. On la fera descendre avant d'arriver sur place.

La démarche raide, Sam vint ouvrir la portière côté passager en jetant un coup d'œil au bureau du superviseur.

— Elle ferait un super conseiller matrimonial, marmonna-t-il. Enfin, si on était un couple, ajouta-t-il d'un ton plus dur.

Sam s'installa sur le siège du conducteur et me regarda comme s'il s'apprêtait à parler, puis se ravisa. Donna dressait l'inventaire de son équipement. Il mit le contact et alluma le gyrophare.

— Où est-ce qu'on va ?

— Nous, on va à Kingsbury. À environ sept minutes d'ici avec le gyrophare. Toi, tu t'arrêtes sur la grande route, à deux minutes de Kingsbury.

— Ce qui me laisse cinq minutes ?

— Et une longue marche pour rentrer.

— D'accord.

Puis je me rendis compte que je n'avais aucune idée de ce que j'allais bien pouvoir dire.

Chapitre 26

— Alors voilà, commençai-je.

Je devais crier pour me faire entendre malgré le hurlement de la sirène. Sam mit son clignotant et déboîta. Il était concentré sur la route.

— Qu'est-ce qu'on a, Don ? s'enquit-il en jetant un coup d'œil à l'écran du tableau de bord.

— Une possible blessure par arme blanche. Deux appels. Un jeune homme est tombé dans l'escalier.

— C'est vraiment le bon moment pour parler ? demandai-je.

— Tout dépend de ce que tu as envie de dire.

— Ce n'est pas que je ne veux pas d'une relation sérieuse, déclarai-je. Je me sens juste un peu perdue.

— Tout le monde se sent perdu, répliqua Donna. Tous les mecs avec qui je sors me parlent dès le premier soir de leurs difficultés à accorder leur confiance. Oh, pardon ! se reprit-elle en levant les yeux vers Sam. Faites comme si je n'étais pas là.

Sam regardait toujours droit devant lui.

— D'abord tu me traites de connard parce que tu t'imagines que je couche avec d'autres femmes, puis tu me tiens à distance parce que tu es toujours attachée à ton ex. C'est trop…

— Will n'est plus là. Je le sais. Mais je ne suis pas capable de me jeter à l'eau comme toi, Sam. J'ai l'impression de commencer tout juste à redevenir moi-même après deux ans de… Je ne sais pas… Je n'allais pas bien du tout.

— Je sais que tu n'allais pas bien. C'est moi qui t'ai ramassée.

— Le problème, c'est que je t'apprécie trop. Tellement que si ça se passe mal, je risque de retomber dans cet état. Et je ne suis pas sûre d'en avoir la force.

— Et comment ça pourrait arriver ?

— Tu pourrais te lasser de moi. Tu pourrais changer d'avis. Tu es un bel homme. Une autre femme pourrait tomber d'un toit et atterrir dans ton ambulance, et tu pourrais aimer ça. Tu pourrais aussi tomber malade, ou avoir un accident de moto.

— On y est dans deux minutes, avertit Donna, les yeux fixés sur le GPS. Promis, je ne suis pas en train d'écouter.

— Ce que tu dis, c'est valable pour n'importe qui, me répondit Sam. Mais et alors ? On devrait passer nos journées à ne rien faire de peur d'avoir un accident ? C'est vraiment comme ça que tu as envie de vivre ?

Il vira brutalement à gauche, si bien que je dus m'agripper à mon siège.

— Je suis toujours un donut, OK ? répliquai-je. J'aimerais bien être un petit pain. Vraiment. Mais je suis toujours un donut.

— Mais enfin, Lou ! On est tous des donuts ! Tu crois qu'en voyant ma sœur rongée par le cancer, je ne savais pas que j'aurais le cœur brisé, non seulement pour elle, mais aussi pour son fils, chaque jour de ma vie ? Tu crois que je ne sais pas ce que tu ressens ? Il n'y a qu'une seule réponse, je peux te le dire parce que je la vois tous les jours : tu es en vie. Et quand on a cette chance, il faut se lancer dans la mêlée en essayant d'oublier ses blessures.

— Oh, c'est charmant, dit Donna en hochant la tête.

— J'essaie vraiment, Sam. Tu n'as pas idée des progrès que j'ai accomplis.

À cet instant, le panneau annonçant le quartier de Kingsbury apparut devant nous. L'ambulance passa une arche immense, traversa un parking et s'engagea dans une cour plongée dans l'ombre. Sam arrêta le véhicule, puis marmonna entre ses dents :

— Mince. On était censés te déposer un peu avant.

— Je ne voulais pas vous interrompre, dit Donna.

— Je vais attendre ici que vous soyez revenus, dis-je en croisant les bras.

— Ça ne sert à rien, répliqua Sam en mettant pied à terre. Je ne vais pas me couper en quatre pour te convaincre de rester avec moi. Oh, merde ! Il n'y a aucune indication ! Il pourrait se trouver n'importe où !

Je parcourus des yeux les bâtiments austères en briques brunes. Il devait bien y avoir une vingtaine de cages d'escalier dans cette barre d'immeubles, et aucune ne me donnait envie de m'y promener sans la présence rassurante d'un garde du corps.

— La dernière fois que je suis venue ici – pour une crise cardiaque –, il nous a fallu quatre essais pour identifier la bonne porte, raconta Donna en enfilant sa veste. Et elle était fermée. On a dû dénicher un concierge pour la déverrouiller, et le temps qu'on arrive à son appartement, le patient était mort.

— Il y a eu une fusillade entre deux gangs ici le mois dernier.

— Tu veux que j'appelle une escorte policière ? demanda Donna.

— Non. Pas le temps.

Il était à peine 20 heures, mais l'endroit était mortellement silencieux. Quelques années à peine auparavant, dans ce genre de quartier, on aurait entendu les cris des gamins en train de jouer sur leurs vélos et de fumer des cigarettes en douce. À présent, les résidents s'enfermaient à double tour longtemps avant la tombée de la nuit, et les fenêtres étaient protégées par des barres de fer. La moitié des lampadaires avaient été détruits, et ceux qui restaient clignotaient d'un air hésitant, comme s'ils craignaient de briller trop fort.

Sam et sa collègue, debout à côté de l'ambulance, discutaient à voix basse. Donna ouvrit la portière côté passager et me tendit un gilet réfléchissant.

— Enfile ça et viens avec nous. Sam n'a pas envie de te laisser seule ici.

— Il ne pourrait pas…

— Oh, vous deux ! soupira-t-elle. Bon, je vais partir de ce côté. Toi, suis-le par là. OK ?

Je la regardai fixement.

— Vous réglerez ça plus tard, répliqua-t-elle en s'éloignant en hâte, son talkie-walkie bourdonnant dans sa main.

J'emboîtai le pas à Sam, qui emprunta une allée en béton, puis une autre.

— Bâtiment Savernake, marmonnait-il. Comment on est censés deviner où ça se trouve ? Contrôle, dit-il dans sa radio, est-ce que vous pouvez nous guider ? Il n'y a aucune indication sur les immeubles, on ne peut pas localiser le patient.

— Désolé, répondit la voix. Notre carte n'indique pas les noms des bâtiments.

— Tu veux que je parte par là ? demandai-je. Comme ça, on pourra couvrir trois allées en même temps. J'ai mon portable sur moi.

Nous nous arrêtâmes au milieu d'une volée de marches qui empestait l'urine, jonchée de vieux emballages de plats à emporter. Les lieux étaient plongés dans l'ombre, éclairés çà et là par la lueur d'une télévision derrière une fenêtre, seul signe de vie qui émanait des petits appartements silencieux. Je m'étais attendue à un brouhaha lointain, une vibration dans l'air qui nous aurait menés jusqu'au blessé. Mais tout était étrangement calme.

— Non, répondit Sam. Reste près de moi.

Je voyais bien que ma présence le rendait nerveux. Je me demandai si je ne ferais pas mieux de m'en aller, mais je ne voulais pas être obligée de retrouver mon chemin seule.

Arrivé au bout de l'allée, Sam s'arrêta. Il se retourna en secouant la tête, les lèvres serrées. Dans sa radio, la voix de Donna s'éleva :

— Rien de ce côté.

Puis un hurlement retentit.

— Par ici ! m'écriai-je.

De l'autre côté du square, dans la pénombre, nous aperçûmes une vague silhouette, un corps recroquevillé par terre sous les lampadaires.

— On y va ! dit Sam en se lançant au pas de course.

Je l'imitai aussitôt. La vitesse, m'avait-il expliqué, était cruciale dans son travail. Cela faisait partie des premières choses qu'ils apprenaient : une différence de quelques secondes pouvait changer drastiquement les chances de survie d'un blessé. Si le patient faisait une hémorragie, un AVC ou un infarctus, ces quelques secondes critiques pouvaient lui être fatales.

Nous suivîmes en courant des allées en béton, dévalâmes des volées de marches à l'odeur pestilentielle et traversâmes un carré d'herbe rase pour nous approcher de la silhouette prostrée.

— Une fille, annonça Sam en déposant son matériel. Je suis sûr qu'ils ont parlé d'un homme.

Tandis que Donna examinait la jeune fille, Sam rappela le contrôle.

— C'est bien ça. Un jeune homme d'une vingtaine d'années, de type afro-antillais, répondit la voix dans la radio.

— Ils ont dû mal entendre, marmonna Sam. C'est un vrai téléphone arabe, en ce moment.

La jeune fille devait avoir environ seize ans. Ses cheveux étaient joliment tressés, et elle gisait par terre comme si elle venait de tomber. Elle paraissait étrangement paisible. Je me demandai un instant si c'était ce à quoi je ressemblais quand Sam m'avait trouvée.

— Tu m'entends, petite ?

Elle ne bougea pas. Il vérifia ses pupilles, son pouls, son souffle. Elle respirait et ne présentait aucun signe de blessure externe, mais ne réagissait à aucune stimulation. Sam examina le sol autour d'elle une seconde fois.

— Elle est vivante ? demanda Donna.

Sam se redressa et parcourut des yeux les alentours, l'air songeur. Puis il leva la tête vers les fenêtres des immeubles, qui semblaient nous observer d'un air hostile. Enfin, il nous fit signe de nous approcher et parla à voix basse :

— Quelque chose cloche. Écoutez, je vais faire le test du lâcher de main. À ce moment-là, vous allez retourner dans l'ambulance et démarrer le moteur. Si c'est ce que je pense, on va devoir partir d'ici.

— Une embuscade pour de la drogue ? murmura Donna en jetant un coup d'œil furtif derrière mon épaule.

— Peut-être. Ou bien c'est une querelle de territoire entre gangs. On aurait dû comparer les localisations. Je suis sûr que c'est ici qu'Andy Gibson s'est fait tirer dessus.

— C'est quoi, le test du lâcher de main ? demandai-je en m'efforçant de garder mon calme.

— Je vais soulever sa main, puis la laisser tomber au-dessus de son visage. Si elle simule, elle bougera pour ne pas se frapper. C'est systématique. C'est une sorte de réflexe. Mais si on est surveillés, il vaut mieux la jouer profil bas. Louisa, tu vas faire comme si tu allais chercher des équipements supplémentaires, d'accord ? Je ferai le test dès que tu m'auras envoyé un SMS depuis l'ambulance. Si tu repères quelqu'un à proximité, fais demi-tour et reviens vers moi. Donna, prends ton sac et prépare-toi. Tu partiras après elle. S'ils voient deux d'entre nous partir ensemble, ils comprendront.

Il me tendit les clés. Je pris un sac, comme si c'était le mien, et partis d'un pas vif en direction de l'ambulance. Soudain, je sentis des présences invisibles qui m'observaient dans l'ombre. J'entendais mon sang battre dans mes tempes. Je m'efforçai d'avoir l'air à la fois impassible et affairée.

Mes pas résonnaient dans le silence ; le trajet vers l'ambulance me parut durer une éternité. Lorsque enfin j'arrivai au véhicule, je poussai un soupir de soulagement. Je pris les clés et ouvris la porte. Mais alors que je m'apprêtais à monter à bord, une voix m'interpella :

— Madame.

Je me retournai. Rien.

— Madame !

Un jeune garçon apparut, dissimulé par un pilier en béton. Un autre se tenait derrière lui, le visage caché sous une capuche. Je reculai d'un pas, le cœur battant.

— J'ai du renfort en route, déclarai-je en essayant de contrôler ma voix. Il n'y a pas de drogue ici. Allez-vous-en, d'accord ?

— Il est à côté des poubelles. Ils ne veulent pas que vous le trouviez. Il saigne vraiment beaucoup. C'est pour ça que la cousine d'Emeka fait semblant, là-bas. Pour vous distraire. Pour que vous partiez.

— Quoi ? Comment ça ?

— Il est près des poubelles. Vous devez l'aider, madame.

— Quoi ? Où se trouvent les poubelles ?

Mais le garçon jeta un coup d'œil inquiet en arrière et, lorsque je me retournai afin de reposer la question, tous deux avaient disparu.

Et soudain, je l'aperçus. Non loin des garages, un grand conteneur vert en plastique. Je me glissai dans les ombres de l'allée, hors de vue depuis le square, jusqu'à trouver une porte ouverte menant au local à poubelles. Là, derrière le bac à déchets recyclables, je repérai une paire de jambes étendues sur le sol, vêtues d'un pantalon de jogging imbibé de sang. Le haut de son corps était affalé contre le conteneur. Lorsque je m'accroupis, le garçon tourna la tête et grogna faiblement.

— Bonsoir. Est-ce que vous m'entendez ? demandai-je.

— Ils m'ont eu.

Un sang épais coulait lentement de deux blessures à ses jambes.

— Ils m'ont eu…

Je saisis mon portable et appelai Sam.

— Je suis près des poubelles, à ta droite, indiquai-je d'une voix basse et pressante. Viens vite.

Je le vis scruter l'obscurité et finir par me repérer. Deux personnes âgées, des samaritains d'un autre âge, étaient apparues à ses côtés. Je les voyais poser des questions au sujet de la jeune fille qui gisait par terre, l'air inquiet. Sam posa doucement une couverture sur elle et demanda aux deux témoins de la surveiller, puis partit d'un pas vif en direction de l'ambulance, son sac à la main, comme pour aller chercher de nouveaux instruments. Donna avait disparu.

J'ouvris le sac qu'il m'avait donné et déchirai un paquet de gaze afin d'en appliquer sur la jambe du blessé, mais il y avait beaucoup trop de sang.

— OK. Quelqu'un arrive pour vous aider. On va vous charger dans l'ambulance dans un instant.

J'avais l'impression de sortir des répliques d'un film de série B. Je ne savais pas quoi dire.

Allez, Sam.

— Vous devez me faire partir d'ici, grogna le garçon.

Je posai la main sur son bras, m'efforçant de ne pas paniquer.

Allez, Sam ! Où est-ce que tu es passé ?

Soudain, j'entendis démarrer l'ambulance. Le véhicule s'approcha en marche arrière entre les poubelles, le moteur rugissant, puis s'arrêta dans un sursaut. Aussitôt, Donna mit pied à terre. Elle courut vers moi, puis ouvrit en grand les portes arrière.

— Aide-moi à le faire monter, dit-elle. On se tire !

On n'avait pas le temps de sortir la civière. Quelque part au-dessus de nous, j'entendis des cris et des bruits de cavalcade. Nous soulevâmes le garçon pour le charger dans l'ambulance, et Donna claqua les portes derrière lui. Aussitôt, je courus à l'avant, le cœur battant, et verrouillai la portière. Je les voyais à présent, un groupe de jeunes qui se ruaient vers nous au premier étage, armés de… quoi ? De pistolets ? De couteaux ? Je sentis mes entrailles se liquéfier. Je jetai un coup d'œil par la vitre : Sam traversait la zone découverte, les yeux levés vers le ciel. Lui aussi les avait repérés.

Donna l'aperçut avant lui : le pistolet qu'un d'entre eux brandissait. Elle poussa un juron et enclencha la marche arrière, puis contourna le garage et fonça droit vers la zone herbeuse que traversait Sam afin de nous rejoindre.

— Sam ! criai-je par la fenêtre.

Il leva les yeux vers moi, puis se tourna vers les jeunes gens qui nous surplombaient.

— Laissez partir l'ambulance ! leur cria-t-il, sa voix couvrant le rugissement du véhicule lancé à pleine vitesse. On ne fait que notre travail !

— Ce n'est pas le moment de jouer les héros, Sam. Pas maintenant, répétait Donna entre ses dents.

Les jeunes continuaient à courir. Ils semblaient calculer le moyen le plus rapide de descendre, aussi implacables qu'une marée montante. L'un d'eux sauta lestement au-dessus d'un muret et dévala une volée de marches. J'étais sur le point de m'évanouir de terreur.

Mais Sam marchait toujours dans leur direction, les mains levées, paumes en avant.

— Laissez l'ambulance, les mecs, OK ? On est juste là pour aider.

Son ton était calme et autoritaire. Contrairement à moi qui étais morte de peur, il avait l'air de maîtriser la situation. Soudain, par la vitre arrière, je vis que nos assaillants avaient ralenti. À présent, ils ne couraient plus. Ils marchaient.

Oh, Dieu merci.

Derrière nous, le blessé gémissait toujours.

— C'est ça, dit Donna. Allez, Sam ! Viens ici. Viens ici tout de suite. Et on pourra se…

Pan !

Le bruit me transperça les tympans, si amplifié dans l'espace réduit de l'habitacle que j'eus un instant l'impression que ma tête entière explosait. Puis, bien trop vite…

Pan !

— C'est quoi, ce bordel ? hurla Donna.

— On doit se tirer d'ici ! cria le garçon à l'arrière.

Je me retournai. Je voulais que Sam entre dans l'ambulance.

Allez, viens. S'il te plaît.

Mais Sam était parti. Non, erreur. Il y avait quelque chose par terre : un gilet phosphorescent. Une tache jaune sur le béton gris.

Mon cœur s'arrêta.

Non, me dis-je. *Non !*

L'ambulance s'immobilisa dans un crissement de pneus. Puis Donna en sortit, et je la suivis. Sam ne bougeait plus. Il baignait dans une mare de sang. Au loin, les deux personnes âgées se hâtaient avec raideur de retrouver la sécurité de leur appartement ; de son côté, la jeune fille qui avait servi de leurre traversait la pelouse avec la foulée d'une véritable athlète. Le gang approchait toujours, courant le long de la passerelle. Un goût métallique m'emplissait la bouche.

— Lou ! Attrape-le !

À deux, nous tirâmes Sam vers l'arrière de l'ambulance. Il semblait peser des tonnes, comme s'il faisait exprès de résister. Je tirai sur son col, le pris par les aisselles. Je haletais. Il était livide. Des cernes noirs se creusaient sous ses yeux mi-clos, comme s'il n'avait pas dormi depuis des semaines. Son sang rougit ma peau. Comment avais-je pu ignorer à quel point celui-ci était chaud ? Donna était déjà dans l'ambulance. Elle tirait et je poussais, un sanglot coincé dans la gorge.

— À l'aide ! criais-je, comme si quelqu'un allait venir. À l'aide !

Et soudain, Sam fut dans l'ambulance, ses jambes à moitié repliées sous lui. Les portes claquèrent derrière moi.

Crac !

Un projectile s'abattit sur le toit. Je poussai un hurlement et me baissai.

Mes pensées tourbillonnaient à toute vitesse.

Est-ce que c'est fini ? Est-ce que c'est ainsi que je vais mourir, avec ce jean moche, pendant que mes parents et ma sœur se disputent au sujet d'un gâteau d'anniversaire ?

Le jeune garçon poignardé poussait des cris suraigus, terrifié. Brusquement, l'ambulance fit un bond en avant et tourna vers la droite pendant que les jeunes nous approchaient par la gauche. Je vis une main se lever et crus entendre une détonation. Instinctivement, je baissai la tête.

— Putain de merde ! jura Donna en faisant une embardée.

Je relevai la tête. Je voyais déjà la sortie. Donna prit un virage en épingle à cheveux vers la gauche, puis la droite. L'ambulance tourna au coin, presque sur deux roues. Le rétroviseur extérieur accrocha une voiture. Quelqu'un fondit sur nous, mais Donna se contenta de donner un coup de volant sans même ralentir. J'entendis le choc métallique d'un poing qui s'écrasait de dépit sur le flanc du véhicule. Puis, enfin, nous nous retrouvâmes sur la route. Les jeunes gens qui nous poursuivaient ralentirent, furieux, pour nous regarder nous éloigner.

— Oh, mon Dieu.

Gyrophare allumé, Donna se servit de sa radio afin de contacter l'hôpital. Mon sang tambourinait si fort dans mes tempes que je ne pus entendre ce qu'elle racontait. Je berçais entre mes bras le visage de Sam, grisâtre et couvert d'un mince voile de sueur. Ses yeux étaient vitreux, et il était mortellement silencieux.

— Qu'est-ce que je fais ? criai-je à Donna. Qu'est-ce que je fais, bordel ?

Elle contourna un rond-point en faisant crisser ses pneus, puis pivota brièvement vers moi.

— Trouve la blessure, répondit-elle. Qu'est-ce que tu vois ?

— Il est touché au ventre. Il y a un trou. Deux même. Il y a trop de sang. Oh, mon Dieu, il y a tellement de sang !

Mes mains étaient rouges et poisseuses. Je haletais. L'espace d'un instant, je crus défaillir.

— J'ai besoin que tu te calmes, Louisa. D'accord ? Est-ce qu'il respire ? Est-ce que tu sens son pouls ?

Je vérifiai et poussai un soupir de soulagement.

— Oui.

— Je ne peux pas m'arrêter. On est trop près. Surélève ses pieds, d'accord ? Remonte-lui les genoux. Ça maintiendra le sang au niveau de sa poitrine. Maintenant, ouvre bien sa chemise. Déchire-la si besoin. Tu peux me décrire la blessure ?

Ce ventre lisse et musclé, que j'avais si souvent senti contre le mien, n'était plus qu'un amas de chair déchiquetée. Un sanglot m'échappa.

— Oh, mon Dieu…

— Ne panique pas maintenant, Louisa. Tu m'entends ? On y est presque. Tu dois exercer une pression sur la blessure. Vas-y, tu peux y arriver. Sers-toi de la gaze qu'il y a dans le paquet. Le gros. Fais ce que tu peux, mais arrête l'hémorragie. OK ?

Elle se retourna vers la route, prenant une rue à contresens. Le garçon étendu sur la civière marmonnait des jurons, perdu dans sa propre douleur. Face à nous, les voitures se rangeaient docilement pour nous laisser passer. Une sirène, il y avait toujours une sirène.

— Ambulancier blessé. Je répète, ambulancier blessé. Plaie par balle à l'abdomen ! criait Donna dans sa radio. Arrivée prévue dans trois minutes. Il va nous falloir un chariot !

Je déballai les bandages, les doigts tremblants, et déchirai la chemise de Sam. Comment cet homme pouvait-il être celui avec qui je me disputais à peine un quart d'heure auparavant ? Comment un être aussi solide pouvait-il décliner ainsi devant moi ?

— Sam ? Tu m'entends ? demandai-je, agenouillée au-dessus de lui, mon jean rougi de sang.

Il ferma les yeux un instant. Lorsqu'il les rouvrit, ceux-ci semblaient fixés sur un point au loin. Je me penchai afin de me trouver dans son champ de vision. L'espace d'une seconde, nos regards se croisèrent, et je crus déceler dans le sien comme une étincelle de conscience. Il me reconnaissait.

Je pris sa main, comme il avait pris la mienne dans une autre ambulance, un million d'années auparavant.

— Tu vas t'en sortir, tu m'entends ? Tu vas t'en sortir.

Pas de réponse. Il ne semblait même pas entendre ma voix.

— Sam ? Regarde-moi, Sam.

Rien.

Soudain, je fus de retour dans cette clinique suisse. Will détournait son regard du mien. Je le perdais.

— Non. Je ne te le permets pas !

Je posai ma bouche tout contre son oreille et poursuivis :

— Sam. Tu restes avec moi, tu m'entends ?

J'avais la paume pressée sur la compresse de gaze, mon corps penché sur le sien, tressautant au rythme des soubresauts de l'ambulance. Des sanglots résonnaient à mes tympans, et je me rendis compte qu'il s'agissait des miens. Je pris son visage à deux mains, l'obligeai à me regarder.

— Reste avec moi ! Tu m'entends ? Sam ? Sam ! Sam !

Jamais je n'avais ressenti une telle terreur. C'était dans ses pupilles qui devenaient fixes, la chaleur de son sang qui affluait comme une marée montante.

Le claquement d'une portière.

— Sam !

L'ambulance s'était arrêtée.

Donna se rua à l'arrière. Elle déchira un sac en plastique transparent, en sortit des médicaments, des bandages et une seringue, et injecta un liquide dans le bras de son partenaire. Les mains agitées de spasmes, elle lui installa une perfusion et posa un masque à oxygène sur son nez et sa bouche. Dehors, j'entendais des coups de Klaxon. Je tremblais violemment.

— Ne bouge pas ! ordonna-t-elle lorsque je voulus m'écarter pour lui laisser le champ libre. Continue à appuyer. Voilà. C'est ça. Tu t'en sors bien. Allez, Sam, murmura-t-elle en se tournant vers lui. Tiens bon. On y est presque.

J'entendais des sirènes s'approcher tandis qu'elle travaillait sans cesser de parler, les gestes vifs et efficaces, toujours occupée, toujours en mouvement.

— Ça va aller, mon pote. Accroche-toi, d'accord ?

L'écran clignotait en vert et noir. Des bips réguliers se faisaient entendre.

À cet instant, les portes se rouvrirent. L'arrière de l'ambulance fut soudain noyé de lumières mouvantes, empli d'uniformes verts et de blouses blanches. Ils emportèrent d'abord le jeune garçon, toujours jurant et gémissant de douleur. Puis Sam me fut arraché et disparut dans la nuit noire. Son sang maculait le sol de l'ambulance. En voulant me lever, je glissai et posai une main par terre pour me redresser. Elle devint rouge.

Leurs voix s'éloignèrent. J'aperçus un instant le visage de Donna, blanc comme un linge. On aboya un ordre : « En salle d'opération ! » Je restai là, figée, debout sur le marchepied de l'ambulance, à les regarder s'éloigner en courant. Le claquement de leurs bottes résonnait sur le bitume. Les portes automatiques de l'hôpital s'ouvrirent pour l'engloutir, puis se refermèrent. Et je me retrouvai seule dans le parking désert et silencieux.

Chapitre 27

À L'HÔPITAL, LES HEURES D'ATTENTE ONT UNE QUALITÉ étrangement élastique. À l'époque où j'attendais que Will ait fini ses examens de routine, je voyais à peine le temps passer : je lisais des magazines, envoyais des SMS, commandais des cafés beaucoup trop forts et hors de prix à la cafétéria, m'inquiétais du prix du parking... Je me plaignais de la lenteur des services hospitaliers, mais au fond je ne pensais pas vraiment ce que je disais.

À présent, j'étais assise sur une chaise en plastique moulé, l'esprit engourdi, le regard rivé sur le mur du fond, incapable de dire depuis combien de temps j'étais là. Incapable de penser. De ressentir. Je me contentais d'exister : moi, la chaise, le vieux linoléum sous mes tennis ensanglantées.

Au-dessus de ma tête, un néon éclairait d'une lumière crue les infirmières qui traversaient la salle d'un pas vif sans me prêter la moindre attention. Quelque temps après mon arrivée, l'une d'elles avait été assez gentille pour m'indiquer les toilettes afin que je puisse me laver les mains, mais je distinguais toujours le sang de Sam dans les petites crevasses qui entouraient mes ongles. Des parties de lui dans des parties de moi. Des fragments de lui dans des endroits qui ne lui appartenaient pas.

Quand je fermais les yeux, j'entendais de nouveau leurs voix, l'impact de la balle sur le toit de l'ambulance, l'écho de la déflagration, les hurlements de la sirène. Je revoyais son visage, ce bref instant où il m'avait regardée et où aucune émotion n'avait transparu : pas la moindre inquiétude, rien qu'un vague étonnement à se trouver ainsi couché par terre, incapable du moindre mouvement.

Je ne cessais de revoir ses blessures ; pas de jolis petits trous bien propres, comme dans les films, mais des plaies vivantes, palpitantes, résolues à cracher tout le sang de son corps.

Je restais assise sans bouger sur cette chaise en plastique parce que je ne savais pas quoi faire d'autre. Quelque part, au bout de ce couloir, se trouvaient les salles d'opération. Sam y était en ce moment même, entre la vie et la mort. Soit ses collègues soulagés l'emportaient vers un autre service, soit l'un d'eux tirait ce drap vert sur son…

Je me pris la tête à deux mains et m'écoutai inspirer, puis expirer. Inspirer, expirer. Je ne reconnaissais pas ma propre odeur : j'empestais le sang et l'antiseptique, qui se mêlaient à la senteur âcre d'une peur viscérale. De temps en temps, je me rendais vaguement compte que je tremblais comme une feuille. Je ne savais pas vraiment si cela provenait de la fatigue ou de l'hypoglycémie, mais la seule idée d'essayer de me procurer à manger me répugnait. Bouger était au-dessus de mes forces.

À un moment donné, ma sœur m'avait envoyé un SMS :

Tu es passée où ? On va se commander des pizzas. Ils se parlent, mais j'ai besoin de toi pour jouer les Nations unies.

Je n'avais pas répondu, car je ne savais pas quoi dire.

Il s'est remis à parler de ses poils aux pattes. S'il te plaît, reviens. Ça pourrait mal tourner. Elle peut lui faire vachement mal en lançant ses croûtes de pizza.

Je fermai les yeux et tentai de me rappeler ce que j'avais ressenti, une semaine auparavant, étendue sur l'herbe à côté de Sam.

Ses jambes tellement plus longues que les miennes, l'odeur rassurante de sa chemise, sa voix grave, le soleil sur ma peau. Son visage qui se tournait vers le mien pour me voler des baisers, l'expression de bonheur qui se lisait dans ses yeux dès que je l'embrassais. Sa façon de marcher légèrement penché en avant tout en restant parfaitement équilibré sur son centre de gravité. C'était l'homme le plus solide, le plus stable que j'avais jamais rencontré. On aurait dit que rien ne pouvait l'abattre.

Je sentis mon téléphone vibrer et le sortis de ma poche.

Où es-tu ? me demandait ma sœur.

Maman s'inquiète.

Je regardai l'heure : 22 h 48. Je n'arrivais pas à croire que j'étais la même personne qui s'était réveillée ce matin-là pour emmener Lily à la gare. Je me calai contre le dossier de ma chaise, réfléchis un moment, puis commençai à taper :

Je suis à l'hôpital du centre. Il y a eu un accident. Je vais bien.

Je rentre quand je saurai

quand je saurai.

Mon doigt resta en suspens au-dessus des touches. Je cillai à plusieurs reprises et, au bout de quelques secondes, appuyai sur « envoyer ».

Puis je fermai les yeux et priai.

Le bruit des portes battantes me fit revenir brutalement à la réalité. Ma mère remontait le couloir d'un pas vif, les bras déjà tendus vers moi.

— Qu'est-ce qui s'est passé ? s'enquit Treena, qui la suivait de près.

Elle traînait par la main un Thom ensommeillé à qui on avait enfilé un manteau par-dessus son pyjama.

— Maman ne voulait pas venir sans papa, expliqua-t-elle, et il fallait absolument que je vienne.

— On n'avait aucune idée de ce qui t'était arrivé ! s'écria maman en s'asseyant à côté de moi. Pourquoi n'as-tu rien dit ?

— Qu'est-ce qui se passe ?

— Sam s'est fait tirer dessus.

— Tirer dessus ? Ton ambulancier ?

— Avec un flingue ? demanda Treena.

C'est alors que ma mère posa les yeux sur mon jean. Elle contempla un instant les taches rouges, abasourdie, puis se tourna vers mon père.

— J'étais avec lui, expliquai-je.

Elle plaqua ses deux mains sur sa bouche, horrifiée.

— Est-ce que ça va ?

Puis, lorsqu'elle comprit que la réponse était « oui », du moins physiquement, elle ajouta :

— Et… et lui ?

Tous les quatre se tenaient devant moi, le visage figé par le choc et l'inquiétude. Et soudain, je me sentis incroyablement soulagée de les avoir auprès de moi.

— Je ne sais pas, répondis-je.

Mon père esquissa un pas en avant pour me prendre dans ses bras et alors, enfin, je me mis à pleurer.

Nous restâmes de longues années assis sur ces chaises en plastique. Ce fut du moins mon impression. Thom s'endormit sur les genoux de Treena, son petit visage pâle sous la lumière des néons, son vieux chat en peluche calé entre sa joue et son menton. J'étais assise entre papa et maman, et il ne se passait pas un instant sans que l'un d'eux me tienne la main ou me caresse l'épaule en m'assurant que tout irait bien. Appuyée contre papa, je laissai les larmes couler en silence. Maman m'essuya les yeux à l'aide de son éternel mouchoir propre. De temps à autre, elle partait en repérage dans les couloirs de l'hôpital pour chercher des boissons chaudes.

— Il y a un an, elle n'aurait jamais fait ça toute seule, me fit remarquer papa la première fois qu'elle s'en alla.

Je fus incapable de déterminer s'il l'avait dit avec regret ou admiration.

Nous parlions peu. Il n'y avait rien à dire. Ma prière muette résonnait dans ma tête à la façon d'un mantra.

Faites qu'il aille bien. Faites qu'il aille bien. Faites qu'il aille bien.

C'était l'effet que provoquaient les cataclysmes : ils dépouillaient l'univers des questions inutiles, les « devrais-je vraiment » et les « mais et si ». Je voulais Sam. Je le compris avec une clarté aveuglante. Je voulais le serrer contre mon cœur, entendre sa voix, m'asseoir dans son ambulance. Je voulais qu'il me prépare une salade des légumes qu'il cultivait dans son jardin. Je voulais sentir sa poitrine s'élever et retomber sous mon bras quand il dormait. Pourquoi avais-je été incapable de lui dire cela ? Pourquoi avais-je perdu tant de temps à l'inquiéter de choses futiles ?

Puis, au moment même où maman poussait les portes battantes à l'autre bout du couloir, quatre gobelets de thé à la main, celles de la salle d'opération s'ouvrirent et Donna apparut, son uniforme toujours taché de sang. Elle se passa les doigts dans les cheveux. Je me levai. Elle ralentit l'allure et s'arrêta devant nous. Son expression était grave, ses yeux cernés de rouge. Elle semblait épuisée. L'espace d'un instant, je crus défaillir. Elle croisa mon regard.

— Aussi coriace qu'une vieille semelle, celui-là, dit-elle enfin.

Un sanglot m'échappa. Elle me prit le bras.

— Tu t'en es bien sortie, Lou, déclara-t-elle avec un long soupir tremblotant. Tu t'en es très bien sortie ce soir.

Sam passa le reste de la nuit aux soins intensifs, puis fut transféré en réanimation. Donna appela ses parents et annonça qu'elle irait chez lui nourrir les animaux dès qu'elle aurait un peu récupéré. Nous vînmes lui rendre visite ensemble peu après minuit, mais il dormait, le teint toujours blafard. Un masque à oxygène dissimulait la majeure partie de son visage. Je voulais l'approcher, mais j'eus peur de le toucher, dépendant qu'il était de toutes ces machines.

— Il va vraiment s'en tirer ?

Donna acquiesça. Une infirmière évoluait en silence autour de son lit, vérifiant des niveaux, prenant son pouls.

— On a eu du bol, ce n'était qu'un vieux pistolet, m'expliqua Donna en se frottant les yeux. De plus en plus de gosses se procurent des semi-automatiques, de nos jours. Là, il n'aurait eu aucune chance. Si rien de plus grave ne se produit, il passera sûrement aux infos. Encore que ce n'est pas dit, puisqu'un autre gang a assassiné une mère et son bébé sur Athena Road la nuit dernière.

Je m'efforçai de ne plus le regarder et pivota vers elle.

— Tu vas continuer ? demandai-je.

— Continuer ?

— Comme ambulancière.

Elle grimaça, comme si elle ne comprenait pas vraiment la question.

— Bien sûr, répondit-elle enfin. C'est mon job.

Elle me tapota l'épaule, puis se tourna vers la porte.

— Dors un peu, Lou. De toute façon, il ne se réveillera probablement pas avant demain matin. En ce moment, il est constitué à quatre-vingt-sept pour cent de fentanyl.

Mes parents m'attendaient quand je ressortis dans le couloir. Ils ne prononcèrent pas un mot. Je hochai faiblement la tête. Papa me prit par le bras, et maman me tapota le dos.

— On te ramène à la maison, ma chérie, dit-elle. Et on va te mettre des vêtements propres.

Le lendemain, j'appris qu'il existait un ton de voix bien particulier chez un employeur qui, quelques mois auparavant, vous avait écouté lui expliquer que vous ne pourriez pas venir au travail car vous étiez tombé du toit d'un immeuble, et à qui vous demandiez à présent d'aménager vos horaires car un homme qui était peut-être votre petit ami avait reçu deux balles dans le ventre.

— Vous… il a… quoi ?

— Il a reçu deux balles. Il est sorti des soins intensifs, mais j'aimerais être là ce matin quand il se réveillera. Du coup, je me demandais si je pouvais échanger mes heures avec vous.

S'ensuivit un bref silence.

— Oui, euh… D'accord. Mais il s'est vraiment fait tirer dessus ? Avec un vrai flingue ?

— Vous pouvez venir inspecter les trous si ça vous chante, répliquai-je d'une voix si calme que je faillis éclater de rire.

Nous discutâmes de quelques détails logistiques : des appels à passer, une visite au siège social… Puis, juste avant que je raccroche, Richard resta silencieux un moment avant de me demander :

— Louisa, est-ce que votre vie est toujours comme ça ?

Je songeai à celle que j'avais été deux ans et demi auparavant. À mes journées rythmées par le court trajet entre chez mes parents et le café où je travaillais ; à la routine du mardi soir, quand je regardais Patrick courir ; aux dîners familiaux. Puis je posai les yeux sur le sac en plastique où j'avais enfermé mes tennis couvertes de sang.

— Un peu, oui, répondis-je. Même si j'aime à penser qu'il ne s'agit que d'une phase.

Après le petit déjeuner, mes parents prirent congé. Maman ne voulait pas partir, mais je lui assurai que j'allais bien et que, de toute façon, j'ignorais où je me trouverais au cours des jours à venir. Je lui rappelai également que la dernière fois que grand-père avait été laissé seul plus de vingt-quatre heures, il s'était nourri exclusivement de confiture de framboises et de lait concentré sucré.

— Mais tu vas bien, alors, dit-elle, la main posée sur ma joue.

Elle l'avait prononcé comme une affirmation, mais je lisais le doute dans son regard.

— Maman, ça va.

Elle secoua la tête et ramassa son sac.

— Je ne sais pas, Louisa. Tu as vraiment le chic pour les choisir.

Ma propre hilarité me surprit. Peut-être était-ce simplement le contrecoup de la nuit que j'avais passée. Mais je préfère penser que c'est à cet instant que je compris que je n'avais plus peur de rien.

Je pris une douche, essayant de ne pas regarder l'eau rosâtre qui coulait le long de mes jambes, et me lavai les cheveux. Puis j'allai acheter le bouquet de fleurs le moins fané que je pus trouver chez Samir et revins à l'hôpital pour 10 heures. Les parents de Sam étaient passés plusieurs heures avant moi, m'apprit l'infirmière en me conduisant jusqu'à sa chambre. Ils s'étaient rendus au terrain de Sam en compagnie de Jake et de son père afin de récupérer ses affaires.

— Il avait encore l'esprit confus lors de leur visite, mais il va beaucoup mieux à présent, dit-elle. Ce n'est pas inhabituel chez les patients qui sortent de chirurgie. Certains se remettent plus vite que d'autres.

— Vous êtes sûre que je peux entrer ?

— Vous êtes Louisa, c'est bien ça ? Il vous a demandée. D'ailleurs, appelez-nous si vous en avez marre de lui, ajouta-t-elle avec un sourire complice. Il est charmant.

Je poussai doucement la porte. Aussitôt, il ouvrit les yeux. Il semblait content de me voir. Soulagée, j'entrai et refermai derrière moi.

— Il y en a qui feraient n'importe quoi pour me battre au jeu des cicatrices, ricanai-je.

— Je suis hors compétition pour ce jeu-là, dit-il d'une voix rauque.

Il m'adressa un petit sourire fatigué. Mal à l'aise, je me balançais d'une jambe sur l'autre. Je détestais les hôpitaux. J'étais prête à presque tout pour ne plus jamais y mettre les pieds.

— Approche.

J'abandonnai mes fleurs sur la table et m'avançai vers lui. Il me fit signe de m'asseoir sur le lit. Je m'exécutai et, comme je n'aimais pas le regarder d'en haut, finis par m'allonger à ses côtés avec mille précautions. Je posai ma joue sur son épaule et sentis sa tête s'appuyer tendrement sur la mienne. Il leva le bras pour me maintenir contre lui, et nous restâmes étendus là en silence, écoutant les pas étouffés des infirmières dans le couloir et des échos de conversations lointaines.

—Je t'ai cru mort, murmurai-je.

—À ce qu'il paraît, une femme formidable qui n'aurait jamais dû se trouver à l'arrière de l'ambulance a réussi à stopper mon hémorragie.

—Ce doit être une sacrée nana !

—C'est ce que je me suis dit.

Je fermai les yeux. Je sentais la tiédeur de sa peau contre ma joue, l'odeur désagréable de désinfectant qu'il dégageait. Je ne pensais à rien. Je profitais simplement de l'instant ; du profond plaisir d'être là avec lui, de savourer le poids de son corps à côté du mien, de percevoir l'espace qu'il occupait dans l'atmosphère. Je baissai la tête pour déposer un baiser au creux de son bras et sentis ses doigts passer doucement dans mes cheveux.

—Tu m'as fait très peur, Sam l'Ambulancier.

Un long silence s'installa. Je l'entendais presque songer à ces millions de choses dont il préférait ne pas me parler.

—Je suis heureux que tu sois là, dit-il enfin.

Nous restâmes couchés encore un long moment, sans mot dire. Quand l'infirmière entra et haussa un sourcil en constatant ma dangereuse proximité avec divers tubes et câbles, je descendis du lit à contrecœur et décidai de partir en quête d'un petit déjeuner pendant qu'elle faisait son travail. J'embrassai Sam, un peu gênée, et lorsque je lui caressai le front, je vis avec soulagement une étincelle passer dans son regard.

—Je reviens après le travail, annonçai-je.

—Tu risques de croiser mes parents, me prévint-il.

—Ne t'en fais pas, répliquai-je. Je mettrai mon plus beau tee-shirt « Fuck la police ».

Il éclata de rire, ce qui lui arracha une grimace de douleur.

Je traînai encore un peu dans sa chambre pendant que l'infirmière s'occupait de lui : comme tout visiteur qui se cherche des excuses pour rester au chevet d'un malade, je posai des fruits sur la table, jetai un mouchoir, réorganisai une pile de magazines qu'il ne lirait jamais. Puis il fut temps pour moi de m'en aller. Je m'apprêtais à ouvrir la porte lorsqu'il déclara :

— Je t'ai entendue.

Je me retournai.

— Hier soir, reprit-il. Quand je me vidais de mon sang. Je t'ai entendue.

Il plongea son regard dans le mien. Et à cet instant, tout changea. Je vis ce que j'avais réellement accompli. Je compris que j'étais capable d'être le centre de gravité de quelqu'un, sa raison de continuer à se battre. Je revins vers lui, pris son visage à deux mains et l'embrassai avec fougue. Je sentis des larmes couler le long de ses joues et son bras me serrer contre lui tandis qu'il me rendait mon baiser. Je pressai ma bouche contre la sienne, riant et pleurant à la fois. Je me fichais de l'infirmière, je me fichais de tout sauf de l'homme qui me serrait dans ses bras. Puis, enfin, je quittai sa chambre et me rendis au rez-de-chaussée, m'essuyant le visage, riant de mes propres larmes, ignorant les regards curieux des gens qui me croisaient.

La journée était belle, même à la lumière des néons. Dehors, c'était le matin ; les oiseaux chantaient, les gens vivaient et grandissaient, devenaient meilleurs et attendaient avec impatience de vieillir. J'achetai un café et mangeai un muffin trop sucré qui me fit l'effet du mets le plus délicieux que j'aie jamais goûté. J'envoyai des messages à mes parents et à Treena, ainsi qu'à Richard pour l'informer que j'arrivais sous peu. J'envoyai à Lily :

Je me suis dit qu'il fallait que tu saches que Sam est à l'hôpital. Il s'est fait tirer dessus, mais il va bien. Je sais qu'il apprécierait que tu lui envoies une carte. Ou même juste un texto si tu n'as pas le temps.

La réponse arriva en quelques secondes. Je souris. Comment les filles de son âge parvenaient-elles à taper un SMS aussi vite alors qu'elles étaient aussi lentes pour tout le reste ?

OMG. Je viens d'en parler aux copines, et maintenant je suis la fille la plus cool qu'elles connaissent. Sérieusement, embrasse-le pour moi. Si tu me donnes ses coordonnées, je lui enverrai une carte après le lycée. Oh, et désolée de m'être exhibée devant lui en petite culotte l'autre fois. Je ne voulais pas. Enfin, je n'avais pas d'intentions bizarres. J'espère que vous êtes heureux tous les deux. Bisous.

Je n'attendis pas un instant pour lui répondre. Je parcourus des yeux la cafétéria de l'hôpital, les patients qui traînaient des pieds, le grand ciel bleu qu'on apercevait par le Velux, et pianotai sur les touches du bout des doigts avant même que je puisse me rendre compte de ce que j'écrivais :

Oui, je suis heureuse.

Chapitre 28

Lorsque j'arrivai à la salle pour la réunion du cercle, Jake attendait sous le porche. Il pleuvait des cordes. De lourds nuages violacés venaient de se crever pour lâcher un déluge qui m'avait trempée jusqu'aux os en dix secondes, le temps de traverser en courant le parking.

— Tu n'entres pas ? lui demandai-je. Il fait…

Il s'avança vers moi et, sans crier gare, me serra brièvement dans ses bras.

— Oh ! m'écriai-je en levant les mains pour ne pas trop dégouliner sur lui.

Il me relâcha et recula d'un pas.

— Donna m'a dit ce que tu as fait. Je… je voulais te remercier.

Face à ses yeux rouges et cernés, je me rendis compte de l'épreuve que ces derniers jours avaient dû représenter pour lui, qui venait tout juste de perdre sa mère.

— Il est robuste, dis-je.

— Il est en Teflon, oui ! répliqua-t-il.

Nous éclatâmes d'un rire gêné, comme le font tous les Anglais sous le coup d'une vive émotion.

Au cours de la réunion, Jake fut inhabituellement volubile au sujet de sa petite amie, qui ne comprenait pas ce qu'il ressentait :

— Elle ne comprend pas qu'il y a des matins où j'ai juste envie de rester couché, avec les couvertures sur la tête. Ou pourquoi je panique un peu quand il arrive des choses aux gens que j'aime. Elle, il ne lui est jamais rien arrivé de grave. Jamais. Même son lapin de compagnie est toujours en vie, et il a au moins neuf ans.

— Je crois que les gens se lassent du chagrin des autres, déclara Natasha. C'est comme s'ils nous accordaient de manière tacite un temps bien défini pour porter le deuil – six mois, mettons – et après ce délai, ça les agace de voir qu'on ne va pas « mieux ». Ils se disent qu'on se complaît dans notre malheur.

— Tout à fait ! murmura le cercle.

— Des fois, dit Daphne, je pense que ce serait plus facile si on devait toujours porter le voile noir. Comme ça, tout le monde saurait tout de suite qu'on est en deuil.

— On pourrait même changer de couleur au bout d'un an. Peut-être passer du noir au violet foncé, ajouta Leanne.

— Et remonter peu à peu jusqu'au jaune pour montrer qu'on a vraiment retrouvé le bonheur, s'esclaffa Natasha.

— Oh, non. Le jaune ne me va pas du tout au teint, rétorqua Daphne avec un petit sourire. Je vais être obligée de rester un peu malheureuse.

Dans la salle paroissiale froide et humide, je les écoutai raconter leurs histoires ; leurs timides pas en avant visant à contourner de minuscules obstacles émotionnels. Fred avait rejoint une équipe de bowling et se réjouissait d'avoir une nouvelle raison de sortir le mardi, une raison qui n'impliquait pas de parler du décès de sa femme. Sunil avait fini par accepter que sa mère lui présente une cousine éloignée.

— Je ne suis pas vraiment en faveur des mariages arrangés, déclara-t-il, mais pour être honnête, les autres techniques de rencontre ne me réussissent pas. Je n'arrête pas de me répéter que c'est ma mère et qu'elle n'irait pas me présenter à une horrible bonne femme.

— Je trouve l'idée charmante, déclara Daphne. Ma mère aurait certainement su que mon Alan n'était pas fait pour moi. Elle a toujours été bon juge de caractère.

Je les observais avec l'impression de les voir de l'extérieur. Je riais à leurs plaisanteries, grimaçais intérieurement à leurs récits de crises de larmes impromptues ou de commentaires malvenus, mais alors que je sirotais mon café soluble, assise sur ma chaise en plastique, il devenait de plus en plus clair à mes yeux que j'étais parvenue à passer de l'autre côté. J'avais traversé un pont. Leur combat n'était plus le mien. Cela ne signifiait pas que je cesserais un jour de porter le deuil de Will, ou de l'aimer, ou de regretter son absence, mais ma vie semblait de nouveau se dérouler dans le présent. Et c'était avec une satisfaction grandissante que je me rendais compte que même si je me trouvais en compagnie de gens que j'appréciais réellement, j'avais envie d'être ailleurs ; aux côtés d'un homme aux larges épaules, couché dans un lit d'hôpital, qui, je le savais, guettait déjà l'horloge en se demandant dans combien de temps je lui reviendrais.

— Rien à raconter ce soir, Louisa ?

Marc me regardait en haussant un sourcil.

— Non, ça va, répondis-je.

Il sourit. Peut-être avait-il perçu une inflexion dans le ton de ma voix.

— Très bien, dit-il.

— Oui. En fait, je crois que je n'aurai plus besoin de venir ici. Je… je vais mieux.

— Je savais bien qu'il y avait quelque chose de changé chez toi, déclara Natasha en se penchant pour me dévisager d'un regard presque suspicieux.

— C'est la baise, affirma Fred. Je suis sûr que c'est le remède. Je parie qu'en baisant j'aurais tourné la page beaucoup plus vite.

Natasha et William échangèrent un regard étrange.

— Cependant, dis-je à Marc, j'aimerais continuer à venir jusqu'aux dernières séances. Si c'est possible. C'est juste que… je commence à vous considérer tous comme des amis. Je n'en ai peut-être plus besoin, mais j'aimerais continuer encore un peu. Juste pour être sûre. Et pour le plaisir d'être avec vous.

Jake m'adressa un petit sourire.

— On devrait aller danser, toutes les deux, déclara Natasha.

— Tu peux venir aussi longtemps que tu le souhaites, me répondit Marc. C'est pour ça qu'on est là.

Mes amis. Un groupe hétéroclite, mais après tout, c'était souvent le cas.

Orecchiette cuites al dente, pignons de pin, basilic, tomates du jardin, olives, thon et parmesan. J'avais préparé ma salade de pâtes d'après la recette que Lily m'avait donnée au téléphone en répétant les instructions de sa grand-mère.

— C'est un bon menu pour invalide, avait crié Camilla du fond de sa cuisine. Facile à digérer s'il passe beaucoup de temps au lit.

— À ta place, je lui aurais pris une pizza à emporter, gloussa Lily à voix basse. Ce pauvre homme a déjà assez souffert.

Un peu plus tard ce soir-là, j'arpentais les couloirs de l'hôpital avec ma petite boîte en plastique contenant ma salade faite maison. Je l'avais préparée la veille et la brandissais devant moi comme un insigne de fierté, espérant à moitié que quelqu'un m'arrête pour me demander ce que c'était.

Oui, mon petit ami est en convalescence. Je lui apporte son dîner tous les jours. Oh, de petits plats qu'il aime bien. Vous savez que je fais pousser moi-même ces tomates ?

Les blessures de Sam commençaient à cicatriser, il guérissait peu à peu. Il essayait trop souvent de se lever et devenait bougon à force de rester cloué au lit. Il s'inquiétait également pour ses animaux, même si Donna, Jake et moi avions mis en place un planning parfaitement efficace pour nous en occuper.

Deux à trois semaines, avaient dit les médecins. À condition qu'il suive à la lettre leurs instructions. Vu la gravité de ses blessures, il avait eu de la chance. Plus d'une conversation entre internes s'était déroulée en ma présence, et je les avais entendus murmurer : « un centimètre de l'autre côté, et… » Pour ne plus les entendre, j'avais chanté « la la la la la la la la » dans ma tête.

J'arrivai dans son couloir, me nettoyai les mains au gel antibactérien et poussai la porte battante d'un coup de hanche.

— Bonsoir, me dit l'infirmière aux lunettes. Vous êtes en retard !

— J'avais une réunion.

— Vous venez de rater sa mère. Elle lui a apporté une délicieuse tourte à la viande faite maison qui a embaumé tout le service. On en a encore l'eau à la bouche.

— Oh, dis-je en dissimulant ma boîte. C'est gentil de sa part.

— Ça fait plaisir de le voir bien manger. Le médecin de garde sera là dans une demi-heure environ.

Je m'apprêtais à ranger mon Tupperware au fond de mon sac lorsque mon portable sonna. Je décrochai tout en me battant avec ma fermeture Éclair.

— Louisa ?

— Oui ?

— C'est Leonard Gopnik.

Je mis deux bonnes secondes à comprendre de qui il s'agissait. Je me redressai et regardai bêtement autour de moi, comme s'il pouvait se trouver là.

— Monsieur Gopnik, répondis-je enfin.

— J'ai lu votre mail.

— D'accord, dis-je en posant sur une chaise ma boîte de salade.

— C'était une lecture intéressante. J'ai été très surpris de vous voir refuser mon offre. Tout comme Nathan d'ailleurs. Vous étiez faite pour ce travail.

— Comme je l'ai dit dans mon message, je voulais ce travail, monsieur Gopnik. Mais je… des incidents m'ont obligée à y renoncer.

— Et cette jeune fille va mieux à présent ?

— Lily. Oui. Elle a repris l'école. Elle est heureuse. Elle vit auprès de sa famille. Sa nouvelle famille. Ce n'était qu'une période… d'ajustement.

— Vous avez pris cela très au sérieux.

— Je ne suis pas le genre de personne à abandonner ceux qui ont besoin de mon aide.

S'ensuivit un long silence. Je tournai le dos à la porte de la chambre de Sam et regardai par la fenêtre un gros 4x4 rater son créneau dans une place de parking trop petite. En avant, en arrière. Je voyais bien que le véhicule ne passerait jamais.

— Alors voilà, Louisa : ça ne fonctionne pas avec notre nouvelle employée. Elle ne se plaît pas à ce poste. Pour une raison que j'ignore, elle et mon épouse ne s'entendent pas. D'un commun accord, il a été décidé qu'elle partirait à la fin du mois. Ce qui me laisse avec un gros problème.

Je continuai à l'écouter.

— J'aimerais vous offrir cette place. Mais je n'aime pas l'agitation, surtout quand il s'agit de mes proches. Alors je vous appelle parce que j'essaie de me faire une idée de ce que vous voulez vraiment.

— Oh, je voulais vraiment ce travail. Mais je…

Je sentis une main se poser sur mon épaule. Je fis volte-face et découvris Sam, appuyé contre le mur.

— Je… euh…

— Vous avez trouvé un autre emploi ?

— J'ai eu une promotion.

— Est-ce une position que vous souhaitez conserver ?

Sam me dévisageait.

— P-pas nécessairement. Mais…

— Mais bien évidemment, vous avez besoin de peser le pour et le contre. Je comprends. J'imagine que je vous prends au dépourvu avec ce coup de fil. Mais en réponse à ce que vous m'avez écrit, si vous êtes toujours véritablement intéressée, j'aimerais vous proposer ce poste. Mêmes termes qu'auparavant, et vous commenceriez le plus tôt possible. À condition que vous soyez sûre d'en avoir envie. Pensez-vous pouvoir me donner une réponse dans les quarante-huit heures ?

— Oui. Oui, monsieur Gopnik. Merci. Merci de votre appel.

Je l'entendis raccrocher et levai les yeux sur Sam. Il portait une robe de chambre de l'hôpital par-dessus une chemise de nuit trop courte. Nous restâmes silencieux un moment.

— Tu t'es levé. Tu devrais être au lit.

— Je t'ai vue par la fenêtre.

— Un seul courant d'air, et les infirmières parleront encore de toi à Noël.

— C'était le type de New York ?

Je me sentis étrangement coupable. Je glissai mon portable dans ma poche et m'emparai de ma boîte en plastique.

— Le poste s'est libéré, répondis-je.

Son regard dériva brièvement loin de moi.

— Mais c'est... Je viens à peine de te retrouver, poursuivis-je. Alors je vais refuser. Tu crois que tu auras encore un peu de place pour des pâtes après cette tourte légendaire ? Je sais que tu n'as sûrement plus faim, mais c'est tellement rare que j'arrive à cuisiner un plat comestible...

— Non.

— Ce n'est pas si mauvais. Tu pourrais au moins goûter...

— Pas les pâtes. Le poste.

Nous échangeâmes un long regard. Il passa une main dans ses cheveux, et son regard se perdit de nouveau au fond du couloir.

— Tu dois accepter, Lou. Tu le sais, je le sais. Tu dois le faire.

— Mais j'ai déjà essayé de partir, et j'ai fini encore plus paumée.

— Parce que c'était trop tôt. Et tu prenais la fuite. Cette fois, c'est différent.

Je levai les yeux vers lui. Je me détestais pour ce que j'avais envie de faire. Et je le détestais parce qu'il le savait. De longues minutes, nous restâmes debout en silence dans ce couloir d'hôpital. Puis je me rendis compte qu'il pâlissait à vue d'œil.

— Tu dois t'allonger.

Il ne protesta pas. Je le tins par le bras et le ramenai jusqu'à son lit. Il grimaça en s'appuyant avec précaution contre ses oreillers. J'attendis de le voir reprendre des couleurs, puis m'étendis à côté de lui et lui pris la main.

— J'ai l'impression qu'on vient à peine de tout arranger entre nous, dis-je, la tête posée sur son épaule, la gorge serrée.

— C'est le cas.

— Je ne veux pas être avec quelqu'un d'autre que toi, Sam.

— Pffff. Comme si j'en avais jamais douté.

— Mais les relations à distance fonctionnent rarement.

— Alors on est bien un couple ?

Je m'apprêtai à protester, mais il m'arrêta d'un sourire.

— Je plaisante. Il y a des relations qui survivent à la distance. J'imagine que ça dépend de la motivation de chacun.

Il passa son bras musclé autour de mon cou et m'attira contre lui. Je me rendis compte que je pleurais. Du pouce, il essuya doucement mes larmes.

— Lou, je ne sais pas ce qui va se passer. Personne ne peut le prévoir. Tu peux sortir de chez toi un matin, t'arrêter devant une moto et voir toute ta vie basculer. Tu peux partir pour une mission de routine et te faire tirer dessus par un ado qui croit que ça va l'aider à devenir un homme.

— Tu peux tomber du toit d'un immeuble.

— Oui. Ou tu peux aller rendre visite à un mec en nuisette dans un lit d'hôpital et recevoir la meilleure offre d'emploi que tu aurais pu espérer. C'est la vie. On ne sait jamais ce qui peut arriver. C'est pour ça qu'il faut toujours saisir sa chance. Et… je crois qu'aujourd'hui tu as une chance à saisir.

Je fermai les yeux très fort. Je ne voulais pas l'entendre, je refusais de reconnaître qu'il avait raison. Je séchai mes larmes d'un revers de main. Il me tendit un mouchoir et attendit que j'aie terminé d'essuyer les traînées noires qui me maculaient le visage.

— Les yeux de panda te vont très bien.

— Je crois que je suis un peu amoureuse de toi.

— Je parie que tu dis ça à tous les patients en soins intensifs.

Je l'embrassai. Lorsque je rouvris les yeux, il me regardait.

— J'aimerais essayer, si tu veux bien, dit-il.

La boule qui s'était formée dans ma gorge mit un moment à se résorber.

— Je ne sais pas, Sam, répondis-je enfin.

— Tu ne sais pas quoi ?

— La vie est courte, non ? On le sait tous les deux. Et si c'était toi, ma chance à saisir ? Et si c'était toi qui me rendais vraiment heureuse ?

Chapitre 29

Quand les gens disent que l'automne est leur saison favorite, je pense qu'ils veulent parler de ce genre de journée : une brume matinale qui se lève au profit d'une lumière claire et froide ; des tas de feuilles mortes dans les caniveaux ; la douce odeur de l'humus. Certains prétendent qu'on ne remarque pas vraiment le passage des saisons en ville, que les bâtisses grises et le microclimat causé par la pollution les rendent toutes semblables. Mais sur le toit, la différence était notable. Pas seulement dans le ciel qui s'étendait à l'infini au-dessus de ma tête, mais aussi dans les plants de tomates de Lily, qui avaient donné pendant des semaines de gros fruits bien juteux. Les végétaux faisaient des boutons, fleurissaient et se fanaient, et les fraîches pousses vertes du début de l'été laissaient la place à des brindilles et des branches nues. Sur le toit, on sentait déjà les prémices des brises hivernales. Un avion traçait dans le ciel une longue ligne blanche, et je remarquai que les lampadaires étaient toujours allumés.

Ma mère émergea de l'escalier de secours et parcourut des yeux les invités.

— C'est vraiment quelque chose, cette terrasse, Louisa. On peut facilement y faire tenir une centaine de personnes.

Elle portait un sac plein de bouteilles de champagne, qu'elle posa avec précaution.

— Est-ce que je t'ai déjà dit que je te trouve très courageuse d'être parvenue à remonter ici après ton accident ?

— Je n'arrive toujours pas à croire que tu aies réussi à tomber, fit remarquer ma sœur, occupée à remplir des verres. Il n'y a que toi pour tomber d'un espace aussi grand.

— Elle était soûle comme un Polonais, ma chérie, tu te souviens ? répliqua maman en repartant en direction de l'escalier. Où as-tu trouvé tout ce champagne, Louisa ? Ça a dû te coûter terriblement cher !

— C'est un cadeau de mon chef.

Quelques soirs auparavant, nous étions en train de faire les comptes en bavardant (nous discutions beaucoup à présent, surtout depuis qu'il avait eu son bébé. J'en savais d'ailleurs plus sur les problèmes de rétention d'eau de Mme Percival que je l'aurais souhaité). J'avais mentionné mes projets et Richard s'était éclipsé sans même me répondre, comme s'il ne m'écoutait pas. Je m'étais apprêtée à en conclure qu'il était toujours un peu idiot quand il était remonté de la cave avec une caisse de douze bouteilles de champagne.

— Voilà. Soixante pour cent de réduction !

Il me tendit la caisse, puis haussa les épaules.

— En fait, tu sais quoi ? On s'en fout. C'est cadeau. Vas-y, prends-les. Tu les as bien méritées.

J'avais bafouillé un merci, et il avait marmonné que de toute façon ce n'était pas un très bon cru, mais ses oreilles avaient rougi.

— Tu pourrais quand même faire semblant d'être contente que je sois encore en vie, dis-je à Treena en lui passant un plateau rempli de verres.

— Oh, ça fait longtemps que j'ai dépassé ma phase « Si seulement j'étais restée fille unique », rétorqua-t-elle. Deux ans, au moins.

Maman s'approchait, armée d'un paquet de serviettes.

— Vous pensez que ça va aller ? nous demanda-t-elle à voix basse.

— Qu'est-ce qui n'irait pas ?

—C'est les Traynor, non ? Ils ne se servent pas de serviettes en papier. Ils ont des serviettes en tissu. Probablement avec leurs armoiries brodées dessus, ou je ne sais quoi.

—Maman, ils sont venus passer la soirée sur le toit d'un ancien immeuble de bureaux dans l'est de Londres. Je ne crois pas qu'ils s'attendent à des couverts en argent.

—Oh, dit Treena. J'ai apporté la deuxième couette de Thom, et son oreiller. Je me suis dit qu'on pourrait aussi bien commencer à emménager petit à petit chaque fois qu'on passe. Demain, j'ai un rendez-vous pour visiter une garderie.

—C'est formidable que vous ayez tout arrangé, les filles. Treena, si tu veux, je pourrai garder Thom. Tiens-moi juste au courant.

Nous nous affairâmes un instant toutes ensemble pour disposer des verres et des assiettes en carton, jusqu'à ce que maman s'en aille chercher de nouvelles serviettes en papier. Je baissai la voix pour que seule ma sœur puisse m'entendre.

—Treen ? C'est vrai que papa ne viendra pas ?

Elle grimaça, et je m'efforçai de ne pas avoir l'air trop déçue.

—Ça ne va toujours pas mieux entre eux ?

—J'espère que quand je serai partie, ils pourront se parler. La plupart du temps, ils s'évitent et s'adressent à moi ou à Thom. C'est à devenir dingue. Maman fait comme si ça ne la touchait pas qu'il ait refusé de venir, mais je sais qu'elle a de la peine.

—Je pensais vraiment qu'il serait là.

Depuis la nuit de la fusillade, j'avais vu ma mère à deux reprises. Elle s'était inscrite à un nouveau cours du soir –poésie anglaise moderne– et voyait à présent des symboles funestes partout autour d'elle. La moindre feuille soufflée par le vent était un signe de décrépitude imminente, le moindre oiseau planant dans le ciel un présage d'espoir et de rêves réalisés. La première fois qu'elle était venue à Londres, nous avions assisté à une lecture de poésie ; elle avait été entièrement absorbée par les mots du poète et avait applaudi dans un silence de mort. La deuxième fois, nous étions allées au cinéma puis aux toilettes de l'hôtel, où elle avait partagé des sandwichs avec Maria. Chaque fois, lorsque nous avions été seules toutes les deux, elle s'était montrée étrangement nerveuse. « On passe de bons moments, non ? » ne cessait-elle de répéter, comme si elle me défiait de la contredire. Puis elle s'enfermait dans un mutisme complet ou s'offusquait des prix des sandwichs.

Treena déplaça le banc et tapota les coussins qu'elle avait rapportés de mon salon.

— C'est surtout pour grand-père que je m'inquiète, avoua-t-elle. Il supporte mal toute cette tension. Il change de chaussettes quatre fois par jour, et il a déjà cassé deux boutons de la télécommande parce qu'il appuie trop fort dessus.

— Oh, merde… Je viens de penser… Qui en aurait la garde ?

Ma sœur me regarda, horrifiée. Et nous nous écriâmes en chœur :

— Pas moi !

Nous fûmes interrompues par les premiers membres du cercle, Sunil et Leanne, qui venaient d'arriver. Ils s'extasièrent sur la taille de la terrasse et sur la vue imprenable qu'on y avait sur tout l'est de la City.

Lily arriva à midi pile. Elle se jeta à mon cou avec un petit gémissement de bonheur.

— J'adore ta robe ! Tu es sublime !

Elle avait bronzé, et son joyeux visage était parsemé de taches de rousseur. Elle portait une robe bleu pâle et des spartiates. Je la regardai admirer la terrasse, visiblement ravie d'être de retour. Camilla, qui venait d'achever l'ascension de l'escalier de secours, lissa sa veste et s'avança vers moi, l'air vaguement abasourdi.

— Tu aurais pu m'attendre, Lily.

— Pourquoi ? Tu n'es pas une petite vieille.

Camilla et moi échangeâmes des sourires en coin. Puis, cédant à une impulsion, je l'embrassai sur la joue. Elle sentait le parfum de luxe, et sa coiffure était impeccable.

— Je suis heureuse que vous soyez venues.

— Tu t'es même occupée de mes plantes ! s'écria Lily. Je m'étais dit que tout serait mort. Oh, et ça ! J'aime beaucoup. C'est nouveau ? demanda-t-elle.

Elle désignait les deux pots que j'avais achetés au marché aux fleurs une semaine auparavant en prévision de cette journée. Je n'avais pas voulu de fleurs coupées vouées à dépérir.

— Ce sont des pélargoniums, déclara Camilla. Il ne faudra pas les laisser là-haut pour l'hiver.

— Elle peut les bâcher. Ces pots en terre cuite sont durs à transporter.

— Ils ne survivront pas, répliqua Camilla. Ils seront trop exposés ici.

— En fait, dis-je, Thom va venir vivre ici, et vu ce qui m'est arrivé, on préfère interdire l'accès au toit. Si tu as envie de les prendre avec toi en repartant...

— Non, répondit Lily après un instant de réflexion. Je préfère les laisser ici. Comme ça, je penserai à eux comme ils sont maintenant.

Tout en m'aidant à installer la table à tréteaux, elle me parla un peu du lycée – elle s'y sentait bien, mais se trouvait toujours un peu en difficulté avec ses devoirs – et de sa mère, qui commençait à faire de l'œil à un architecte espagnol du nom de Felipe qui venait d'acheter la maison voisine de la leur.

— Je suis presque triste pour Tête-de-Nœud, dit-elle. Il ne va pas le voir venir.

— Mais toi, ça va ?

— Ça va. La vie est plutôt cool en ce moment, répondit-elle en avalant une poignée de chips. Mamie m'a emmené voir le bébé, je te l'avais dit ?

Ma surprise dut se lire sur mon visage, car elle poursuivit :

— Je sais. Mais elle a dit qu'il fallait bien que l'un de nous agisse en adulte. Elle est même venue avec moi. Elle a été méga cool. Je ne suis pas censée être au courant, mais elle s'est acheté une veste Jaeger spécialement pour l'occasion. Je crois qu'elle avait besoin de ça pour se mettre en confiance.

Elle jeta un coup d'œil furtif à Camilla, qui discutait avec Sam un peu plus loin, et reprit :

— En fait, j'étais un peu désolée pour mon grand-père. Quand il croyait que personne ne le voyait, il n'arrêtait pas de la regarder, comme s'il était triste que les choses se soient finies comme ça.

— Et alors, c'était comment ?

— Bah, c'était un bébé, quoi. Ils se ressemblent tous, non ? Bref, tout le monde était super poli, genre : « Alors, Lily, comment ça se passe à l'école ? Tu as envie de venir séjourner quelques jours ici ? Tu as envie de prendre ta tante dans tes bras ? » Comme si ce n'était pas le truc le plus bizarre à dire.

— Tu vas retourner les voir ?

— J'imagine. Ils ne sont pas trop coincés, au final.

Je jetai un coup d'œil à Georgina, qui s'entretenait poliment avec son père. Ce dernier éclata de rire, un peu trop fort. Il ne l'avait pas quittée d'une semelle depuis son arrivée.

— Il m'appelle deux fois par semaine pour discuter de tout et de rien, et Della n'arrête pas de répéter qu'elle veut que je « construise une relation » avec le bébé. Comme si leur fille était capable de faire autre chose que manger, crier et remplir ses couches, grimaça-t-elle.

J'éclatai de rire.

— Quoi ? dit-elle.

— Rien. Je suis contente de te revoir.

— Oh. Je t'ai apporté un cadeau.

Elle sortit une petite boîte de son sac.

— J'ai trouvé ça dans un salon d'antiquités hyper chiant où mamie m'a emmenée, et j'ai pensé à toi.

Prudemment, j'ouvris le coffret. À l'intérieur, dans un écrin de velours bleu nuit, se trouvait un bracelet Art déco aux perles cylindriques, alternativement noires et ambrées. Je le pris dans la paume de ma main.

— Il m'a fait penser à…

— À mon collant.

— Exact. C'est pour te remercier. Pour tout. Tu es la seule personne que je connais qui aurait été capable d'aimer ce bracelet. Ou moi. À l'époque. En fait, il va vachement bien avec ta robe.

Je tendis le bras, et elle l'attacha à mon poignet. Je le fis tourner lentement.

— Je l'adore.

Elle donna un coup de pied dans un gravillon, soudain très sérieuse.

— Eh bien, je crois que je te devais des bijoux, lâcha-t-elle.

— Tu ne me dois rien.

Je regardai Lily, avec sa nouvelle confiance en elle et les yeux de son père, et songeai à tout ce qu'elle m'avait apporté sans même s'en douter. Puis elle m'envoya un grand coup de poing dans le bras.

— Bon allez, arrête d'être aussi émotive. Sinon, je vais encore finir avec des yeux de panda. Viens, on descend chercher le reste du buffet. Au fait, tu as vu qu'il y a un poster Transformers dans ma chambre ? Et un autre de Katy Perry ? Quelle horreur ! C'est qui, ton nouveau coloc ?

Les autres membres du cercle d'accompagnement venaient d'arriver, manifestant divers degrés de peur ou d'hilarité face à l'épreuve de l'escalier de secours : Daphne posa le pied sur le toit en poussant de bruyantes exclamations de soulagement, pendue au bras de Fred ; William sauta les dernières marches d'un air nonchalant, sous le regard exaspéré de Natasha. D'autres s'arrêtèrent pour pousser des cris d'émerveillement devant les ballons blancs à l'hélium qui dansaient dans la maigre lumière. Marc me baisa la main et me dit que c'était la première fois qu'une telle chose se produisait depuis qu'il s'occupait du groupe. Natasha et William, remarquai-je avec amusement, passèrent beaucoup de temps à discuter ensemble.

Nous posâmes les plats sur la table à tréteaux. Jake avait été nommé barman : il servait le champagne et semblait étrangement ravi de cette responsabilité. Au début, Lily et lui s'étaient ignorés, conscients que tout le monde s'attendait à ce qu'ils se parlent. Lorsque enfin elle se décida à aller vers lui, elle lui tendit la main avec une politesse exagérée. Il regarda un instant cette main tendue, puis un sourire s'esquissa sur ses lèvres.

— Une partie de moi a envie qu'ils soient amis, murmura Sam à mon oreille. L'autre moitié est absolument terrifiée rien qu'à l'idée de ce qui pourrait en résulter.

Je glissai ma main dans sa poche arrière.

— Elle est heureuse, répliquai-je.

— Elle est magnifique. Et il vient de rompre avec sa copine.

— Mais dites donc, monsieur, je croyais que selon vous il fallait vivre la vie à fond ?

Il me répondit par un grognement.

— Il ne risque rien, m'esclaffai-je. Elle est coincée dans un internat de l'Oxfordshire.

— Personne n'est en sécurité nulle part, avec vous deux.

Il m'embrassa, et le monde entier disparut pendant ces deux secondes.

— J'aime beaucoup ta robe, dit-il.

— Pas trop frivole ? demandai-je en tirant sur les plis de ma jupe rayée.

Mon quartier regorgeait de boutiques vintage. J'avais passé tout mon samedi perdue dans des présentoirs bourrés de soie et de plumes.

— Je t'aime bien en frivole. Même si j'aurais préféré te voir dans ta tenue de petit lutin sexy.

Il se décolla de moi en voyant ma mère arriver, munie d'un nouveau paquet de serviettes en papier.

— Comment vas-tu, Sam ? Toujours en voie de guérison ?

Elle était passée le voir deux fois à l'hôpital. Très préoccupée du sort des malades forcés d'ingurgiter des plateaux-repas immondes, elle lui avait apporté des friands à la saucisse et des sandwichs à l'œuf et à la mayonnaise.

— Ça va de mieux en mieux, merci.

— N'en fais pas trop aujourd'hui. Ne porte rien. Avec les filles, on s'en sort très bien.

— On devrait peut-être commencer, intervins-je.

Maman jeta un nouveau coup d'œil à sa montre, puis parcourut des yeux la terrasse.

— Est-ce qu'on ne devrait pas attendre encore cinq minutes ? Le temps que tout le monde ait un verre ?

Son sourire – figé et beaucoup trop grand pour être honnête – était un crève-cœur. Sam s'en rendit compte. Il la prit par le bras.

— Josie, est-ce que tu pourrais me montrer où vous avez mis les salades ? Je viens de me rappeler que j'ai oublié la vinaigrette dans la cuisine.

— Où est-elle ?

Une vive émotion traversa le petit groupe rassemblé autour de la table. Nous nous retournâmes vers la voix qui tonnait toujours :

— Bordel, est-ce qu'elle est vraiment là-haut ou est-ce que Thommo m'a encore envoyé chasser le dahu ?

— Bernard ! s'écria ma mère en laissant tomber ses serviettes.

Le visage de mon père apparut au-dessus de la rambarde. Il balaya la terrasse du regard, puis grimpa les dernières marches en soufflant bruyamment. Un léger voile de sueur luisait sur son front.

— Qu'est-ce qui t'a pris de faire ça là-haut, Louisa ? Nom de Dieu !

— Bernard !

— On n'est pas à l'église, Josie. Et j'ai un message important.

— Bernard, protesta maman en regardant autour d'elle d'un air gêné. Ce n'est pas le…

— Et voilà mon message !

Mon père se pencha en avant et, avec mille précautions, releva les jambes de son pantalon. D'abord la gauche, puis la droite. De ma position, située de l'autre côté du réservoir d'eau, je vis que la peau de ses mollets était pâle et légèrement marbrée. Tout le monde se tut et le regarda. Il tendit une jambe.

— Aussi lisse que les fesses d'un bébé, annonça-t-il. Viens, Josie, viens toucher.

Ma mère, nerveuse, avança d'un pas et s'accroupit afin de passer les doigts sur le tibia de mon père.

— Tu as dit que tu me prendrais au sérieux le jour où je me ferais épiler les jambes. Eh bien, voilà. Je l'ai fait.

Ma mère le contemplait, abasourdie.

— Tu t'es fait épiler les jambes ?

— Oui. Et si je m'étais douté que tu endurais une telle souffrance, mon amour, j'aurais fermé mon grand clapet. C'est une véritable torture !

— Bernard...

— J'ai vécu un enfer, Josie, mais je le referai sans hésiter si c'est le prix à payer pour que tu reviennes vers moi. Tu me manques terriblement. Tu peux suivre une centaine de cours si tu veux – politique féministe, études orientales, macramé pour chiens, je m'en fiche – du moment qu'on reste ensemble. Et pour te montrer ma détermination, je me suis pris un nouveau rendez-vous pour la semaine prochaine. Pour une intégrale.

— Oh, mon Dieu ! s'exclama maman.

À côté de moi, Sam était secoué d'éclats de rire.

— Pince-moi, murmura-t-il. Sinon, je vais déchirer mes points de suture.

— Je suis prêt à devenir un poulet tout plumé pour te prouver à quel point je tiens à toi, poursuivit mon père.

— Bonté divine, Bernard.

— Et ce ne sont pas des paroles en l'air, Josie. Je suis désespéré à ce point-là.

— Et voilà pourquoi notre famille ne donne pas dans le romantisme, marmonna Treena.

— Oh, mon chéri, tu m'as tellement manqué ! s'écria maman en serrant mon père dans ses bras.

Le soulagement se lisait sur son visage. Mon père enfouit la tête dans le creux de son épaule et l'embrassa, dans l'oreille et dans les cheveux, en lui tenant les mains comme un petit garçon.

— Beurk ! dit Thomas.

— Du coup, demanda papa, je ne suis pas obligé de…

— On annulera ton rendez-vous demain matin, promit maman en lui caressant la joue.

Instantanément, mon père se détendit.

— Très bien ! intervins-je lorsque l'agitation se fut calmée. Est-ce que tout le monde a un verre ? Et si on commençait ?

Entre l'émerveillement des convives pour le geste de papa, le changement de couche explosif de bébé Traynor et la révélation que Thomas jetait des sandwichs aux œufs sur le balcon de M. Antony Gardiner (et sa toute nouvelle chaise longue), le silence ne retomba sur le toit qu'au bout d'une bonne vingtaine de minutes. Alors, vérifiant subrepticement ses notes et se raclant la gorge, Marc s'avança. Il était plus grand que ce que je m'étais imaginé : je l'avais toujours vu assis.

— Bienvenue à tous. Tout d'abord, j'aimerais remercier Louisa de nous avoir offert ce bel endroit pour notre cérémonie de fin de trimestre. D'une manière très appropriée, nous nous trouvons au plus près des cieux…

Il marqua une pause afin de nous laisser rire, puis reprit :

— Cette cérémonie d'adieux est inhabituelle pour le groupe : pour la première fois, nous ne sommes pas qu'entre nous. Cependant, je trouve formidable l'idée de fêter ça entre amis. Tout le monde ici sait ce que c'est d'avoir perdu un être cher. Nous sommes donc tous aujourd'hui membres honoraires du groupe.

Jake se tenait à côté de son père, un homme aux cheveux blond-roux et au visage couvert de taches de rousseur que, malheureusement, je ne pouvais cesser de me le figurer en train de pleurer après une relation sexuelle. Il tendit la main pour la poser sur l'épaule de son fils. Jake croisa mon regard et leva les yeux au ciel, mais il souriait.

— Même si nous encourageons nos membres à aller de l'avant, personne n'y parvient sans jeter un petit coup d'œil en arrière. Nous portons toujours en nous ceux que nous avons perdus. Ce que nous cherchons à atteindre au sein de notre petit groupe, c'est que leur poids ne pèse pas trop lourd sur nos épaules ; qu'il ne nous empêche pas d'avancer. Nous voulons que leur présence soit ressentie comme un cadeau.

» Et ce que nous apprenons en partageant nos souvenirs, notre peine et nos petites victoires, c'est qu'il est normal d'être triste. Ou perdu. Ou en colère. Il est parfaitement normal d'être en proie à toutes sortes d'émotions contradictoires que les autres ne peuvent pas comprendre, et souvent pendant très longtemps. Chacun suit son propre chemin vers la guérison. Nous ne jugeons pas.

— Sauf pour les biscuits, marmonna Fred. Je juge coupables ces biscuits. Ils étaient dégueulasses.

— Et que, même si au début ça nous paraît impossible, nous finirons tous par arriver à un point où nous nous réjouirons de la présence de chaque personne avec qui nous avons discuté et partagé nos peines, avec qui nous avons parcouru ce chemin.

Je regardai ces visages que j'avais appris à aimer, tous attentifs au discours de Marc, et songeai à Will. Je fermai les yeux et me représentai son visage, son sourire et son rire. Je songeai à tout ce que m'avait coûté mon amour pour lui, mais surtout à tout ce qu'il m'avait apporté.

Marc nous regarda à son tour. Daphne se tapotait discrètement les coins des yeux.

— Et donc… selon la coutume, nous allons à présent prononcer quelques mots pour faire le bilan et raconter où nous en sommes. Inutile de trop en dire. Il ne s'agit que de fermer une porte sur ce petit bout de chemin. Ce n'est pas une obligation, bien entendu, mais ceux qui prendront la parole peuvent partager avec le groupe quelque chose de très beau.

Des sourires gênés s'échangèrent dans l'assemblée. L'espace d'un instant, je crus que personne n'oserait se lancer. Puis Fred fit un pas en avant. Il rajusta le mouchoir qui dépassait de la poche avant de sa veste et se redressa légèrement.

— J'aimerais seulement te dire merci, Jilly. Tu as été une épouse épatante, et j'ai été un homme comblé pendant trente-huit ans. Tu me manques tous les jours, ma chérie.

Il reprit sa place, un peu maladroit. « Très bien, Fred », articula Daphne en silence. Puis elle fit à son tour un pas en avant :

— Je voulais seulement dire… Je suis désolée, Alan. Tu étais si gentil, je regrette qu'on n'ait pu être entièrement honnêtes l'un envers l'autre. J'aurais voulu pouvoir t'aider. J'aurais voulu… eh bien… j'espère qu'où que tu sois, tu vas bien et tu t'es trouvé un bon ami.

Fred lui tapota le bras.

Jake se frotta la nuque, puis s'avança, rougissant, et se plaça face à son père.

— Tu nous manques à tous les deux, maman. Mais on s'en sort. Je ne veux pas que tu t'inquiètes pour nous.

Lorsqu'il eut terminé, son père le serra dans ses bras, déposa un baiser sur son front et lui fit un clin d'œil. Lui et Sam échangèrent de petits sourires complices.

Leanne et Sunil suivirent. Chacun prononça quelques mots, les yeux levés vers le ciel afin de mieux dissimuler les larmes, s'adressant mutuellement de discrets signes d'encouragement.

William s'avança à son tour et posa sans mot dire une rose blanche à ses pieds. Inhabituellement silencieux, il baissa un instant les yeux sur sa fleur, l'air impassible, puis recula. Natasha le serra brièvement contre elle. Il déglutit avec peine, puis croisa les bras.

Marc se tourna vers moi, et je sentis la main de Sam se fermer sur la mienne. Je lui souris et fis « non » de la tête.

— Pas moi, dis-je. Mais Lily voudrait prononcer quelques mots, si vous le permettez.

En se mordillant la lèvre, Lily se plaça au milieu du groupe. Elle baissa les yeux sur un bout de papier où elle avait rédigé quelques lignes, puis parut changer d'avis et le chiffonna.

— Euh… J'ai demandé à Louisa si je pouvais parler, même si je ne suis pas un membre de votre groupe. Je n'ai pas connu mon père et je n'ai pas eu l'occasion de lui dire au revoir lors de son enterrement, alors j'ai pensé que ce serait bien de dire quelques mots maintenant que j'ai l'impression de mieux le connaître.

Elle me gratifia d'un sourire nerveux et repoussa une mèche de cheveux qui retombait sur son visage.

— Donc, reprit-elle. Will… Papa. Quand j'ai découvert ton identité, j'ai un peu flippé. J'avais espéré que mon vrai père serait un homme sage, élégant, qui aurait envie de m'apprendre des tas de trucs et de me protéger, et de m'emmener en voyage pour me faire découvrir des endroits magiques. Ce que j'ai découvert à la place, c'est un homme en colère coincé dans un fauteuil, qui venait de mettre fin à ses jours. Mais grâce à Lou, et à ta famille, j'ai appris en quelques mois à mieux te comprendre.

» Je serai toujours triste et peut-être même un peu en colère de ne pas avoir pu te rencontrer, mais maintenant je voudrais également te remercier. Sans le savoir, tu m'as donné beaucoup. Je crois que j'ai hérité de certaines de tes qualités… et probablement de tes défauts. Tu m'as donné des yeux bleus, et la couleur de mes cheveux ; tu m'as transmis ton dégoût pour la pâte à tartiner Marmite, ta capacité à descendre une piste noire et… apparemment, à en croire les autres, tu m'as aussi légué ton sale caractère.

Des rires parcoururent l'assemblée.

— Mais surtout, poursuivit-elle, tu m'as donné une famille dont j'ignorais l'existence. Et ça, c'est cool. Parce que, franchement, ça n'allait pas super bien avant que je les rencontre.

— C'est nous qui sommes heureux de t'avoir rencontrée, cria Georgina.

Je sentis les doigts de Sam serrer les miens. Il n'était pas censé rester debout si longtemps, mais, comme toujours, il refusait de s'asseoir.

« Je ne suis pas handicapé, bordel. »

J'appuyai ma tête contre lui, m'efforçant de ravaler la boule qui s'était formée dans ma gorge.

— Merci, G. Et donc, euh, Will… Papa, je ne vais pas continuer pendant des heures, parce que les discours, c'est un peu chiant. Et de toute manière, le bébé va se mettre à brailler d'un instant à l'autre, ce qui va totalement ruiner l'ambiance. Mais je voulais seulement te dire merci, de la part de ta fille. Je… je t'aime et tu me manqueras toujours, et j'espère que si tu me regardes, tu seras content de moi. Content que j'existe. Parce que si je suis là, toi aussi, d'une certaine façon, tu es toujours là.

Sa voix se brisa. Ses yeux s'emplirent de larmes. Elle se tourna vers Camilla, qui hocha discrètement la tête. Lily renifla bruyamment, puis leva le menton.

— Je me disais que c'était peut-être le bon moment pour que tout le monde lâche son ballon ? suggéra-t-elle.

À cet instant, l'assistance parut se remettre à respirer. Derrière moi, les membres du cercle murmuraient entre eux tout en s'approchant des ballons, qui dansaient doucement dans la brise. Chacun s'empara d'une ficelle.

Lily fut la première à s'avancer, son petit ballon blanc à la main. Elle tendit le bras puis, prise d'une idée subite, cueillit un bleuet dans une jardinière et l'attacha soigneusement à la ficelle. Enfin, après une infime hésitation, elle laissa s'envoler son ballon.

Steven Traynor suivit ; je vis Della lui serrer le bras pour l'encourager. Camilla lâcha son ballon, imitée par Fred, Sunil et Georgina. Puis il y eut ma mère, Treena, papa qui se mouchait avec force, et Sam. Debout en silence sur le toit, nous les regardâmes s'élever dans les airs, un par un dans le ciel bleu, et devenir de plus en plus petits jusqu'à disparaître dans l'infini.

Alors je relâchai le mien.

Chapitre 30

L'HOMME À LA CHEMISE COULEUR SAUMON EN ÉTAIT À SON quatrième pain aux raisins. De ses doigts potelés, il avalait d'énormes bouchées qu'il faisait descendre à l'aide de longues gorgées de bière.

— Le petit déjeuner des champions, marmonna Vera en passant devant moi avec un plateau rempli de verres.

Un instant, par réflexe, je ressentis un vague soulagement à l'idée de ne plus être chargée de nettoyer les toilettes.

— Et alors, Lou ! Qu'est-ce qu'il faut faire ici pour être enfin servi ?

Un peu plus loin, papa, perché sur son tabouret, s'était penché en avant sur le bar afin de passer en revue les diverses variétés de bière.

— Est-ce qu'il faut que je sorte une carte d'embarquement pour commander un verre ?

— Papa…

— Un petit voyage à Alicante ? Qu'est-ce que tu en dis, Josie ?

Ma mère lui donna un coup de coude.

— On devrait faire ça cette année. Sérieusement.

— Tu sais, ce n'est pas si mal ici. Une fois qu'on s'est fait à l'idée que les enfants ont le droit d'entrer dans un pub, dit papa en réprimant un frisson à la vue d'une jeune famille qui avait étalé sur une table un mélange de Lego et de raisins pendant que les parents buvaient leur café. Alors, chérie, me demanda-t-il, qu'est-ce que tu me recommandes ? Qu'est-ce qu'il y a de bon en pression ?

Je jetai un coup d'œil à Richard, qui s'approchait armé de son calepin.

— Tout est bon, papa.

— À part ces tenues, fit remarquer maman en contemplant d'un œil atterré la minijupe en Lurex de Vera.

— Une idée de mes chefs, déclara Richard, qui avait déjà subi deux conversations avec ma mère au sujet de l'objectification des femmes au travail. Rien à voir avec moi.

— Vous avez de la bière brune ici, Richard ?

— Nous avons de la Murphy's, monsieur Clark. Ça ressemble beaucoup à la Guinness, mais je ne devrais pas dire ça à un puriste.

— Je ne suis pas un puriste, petit. Si c'est liquide et qu'il y a marqué « bière » sur l'étiquette, ça me va.

Papa claqua la langue d'un air approbateur lorsque son verre fut posé devant lui. Ma mère, avec son ton mondain, accepta un café. Elle se servait de cette voix partout à Londres à présent, comme un haut dignitaire à qui on fait visiter une chaîne de production.

« C'est donc ça, un latte ? C'est adorable. Et quelle machine intéressante. »

Mon père désigna le siège voisin du sien.

— Viens t'asseoir, Lou. J'ai envie de payer un verre à ma fille.

Je jetai un coup d'œil à Richard.

— Je vais prendre un café, papa. Merci.

Un silence s'installa pendant que Richard nous servait. Mon père, de toute évidence, se sentait chez lui, comme dans tous les bars où il mettait les pieds : il accueillait d'un signe de tête les nouveaux clients, bien calé sur son tabouret comme s'il s'agissait de son fauteuil préféré. C'était comme si la présence des pompes à bière et d'une surface dure où poser ses coudes suffisait à lui créer un foyer. Et à aucun moment il ne s'éloigna d'un centimètre de ma mère, ne cessant de lui tapoter la jambe ou de lui tenir la main. Ces jours-ci, ils étaient toujours fourrés ensemble et passaient leur temps à glousser comme des adolescents. Ma sœur trouvait ce petit cinéma parfaitement répugnant. Elle m'avait avoué avant de partir au travail qu'elle regrettait presque le temps où ils ne se parlaient plus.

— Samedi dernier, j'ai dû dormir avec des boules Quies. Tu imagines l'horreur ? Pendant le petit déjeuner, grand-père en avait l'air malade.

Dehors, un petit avion ralentissait sur la piste d'atterrissage. Un homme en gilet réfléchissant agitait des espèces de raquettes pour le guider. Maman, son sac à main bien calé sur ses genoux, l'observait.

— Thom adorerait voir ça, dit-elle. Tu ne crois pas, Bernard ? Je parie qu'il passerait la journée le nez collé à la vitre.

— Eh bien, il peut venir maintenant, non ? Puisqu'il habite à côté. Treena pourrait l'emmener ici le week-end. Je pourrais venir aussi, si la bière est bonne.

— C'est très gentil de les avoir laissés emménager dans ton appartement, me dit maman en regardant l'avion disparaître. Ça va vraiment changer la vie de Treena, avec son salaire de débutante.

— C'est normal.

— Ils vont nous manquer, mais on savait bien qu'elle ne resterait pas éternellement chez nous. Je sais qu'elle apprécie ton geste, ma chérie. Même si elle ne le montre pas toujours.

Qu'elle le montre ou pas m'importait peu. Je m'étais rendu compte d'une chose lorsqu'elle et Thom avaient passé ma porte en portant leurs cartons. C'était à cet instant précis que je m'étais enfin sentie en paix avec cet appartement que m'avait offert l'argent de Will.

— Louisa vous a-t-elle dit que sa sœur s'installait en ville, Richard ?

Ma mère agissait à présent comme si toute personne qu'elle rencontrait à Londres était son ami, et par conséquent ravie d'entendre ses petites histoires de famille. Elle avait abreuvé ce matin-là Richard de conseils au sujet de l'infection mammaire de sa femme pendant dix minutes, et ne voyait pas ce qui pourrait l'empêcher de passer chez lui rendre visite au bébé. Après tout, Maria des toilettes de l'hôtel était invitée à prendre le thé à Stortfold dans deux semaines, en compagnie de sa fille.

— Notre Katrina est une fille formidable. Brillante. Si vous avez besoin d'aide pour vos bilans comptables, c'est elle qu'il vous faut.

— Je m'en souviendrai, répliqua Richard, le regard fuyant.

Je jetai un coup d'œil à l'horloge. Midi moins le quart. Mon estomac se noua.

— Ça va, ma chérie ?

Il fallait bien le lui accorder : rien n'échappait à ma mère.

— Ça va, maman.

Elle serra mes doigts entre les siens.

— Je suis si fière de toi. Tu le sais, n'est-ce pas ? Pour tout ce que tu as accompli ces derniers mois. Je sais que ça n'a pas été facile. Oh, regarde ! Je savais bien qu'il viendrait. Vas-y, ma chérie !

Il était là. L'air un peu hésitant, il traversait la foule, un bras en avant, comme s'il craignait que quelqu'un ne le bouscule. Il ne m'avait pas encore vue. Souriante, j'agitai vivement les bras dans sa direction. Il m'aperçut alors et m'adressa un petit signe de tête.

Lorsque je me retournai vers elle, ma mère m'observait, un fin sourire aux lèvres.

— Celui-là, il faut que tu le gardes, dit-elle.

— Je sais.

Elle me regarda longuement, avec sur le visage un mélange de fierté et d'une émotion plus complexe. Puis elle me tapota la main.

— Bien, dit-elle en descendant de son tabouret. Il est temps que tu partes à l'aventure.

Je quittai mes parents au bar. C'était bien mieux ainsi. Sam avait eu une brève discussion avec eux – au cours de laquelle papa s'était senti obligé d'imiter la sirène d'une ambulance – et Richard avait demandé à Sam des nouvelles de ses blessures avant de rire nerveusement lorsque papa avait déclaré qu'au moins il s'en sortait mieux que mon ex. Papa dut s'y reprendre à trois fois pour convaincre Richard que non, il ne plaisantait pas au sujet de Dignitas et que toute cette histoire avait été terrible. À cet instant, je crois que Richard décida qu'il était en fin de compte heureux de me voir partir.

Je me dégageai de l'étreinte de maman, et nous nous éloignâmes en silence dans le hall de l'aéroport. Pendue au bras de Sam, je faisais de mon mieux pour ignorer le fait que mon cœur battait à tout rompre et que mes parents étaient probablement en train de nous espionner. Je me tournai vers Sam, sur le point de paniquer. Je pensais que nous aurions eu plus de temps pour nous dire au revoir.

Il jeta un coup d'œil à sa montre, puis au tableau des départs.

— Il est l'heure, dit-il.

Il me tendit ma petite valise à roulettes. Je la pris et tentai de sourire.

— Jolie tenue de voyage.

Je baissai les yeux sur ma chemise imprimée léopard, avec mes lunettes de soleil Jackie Ohh coincées dans la poche avant.

— J'étais partie sur un look jet-set façon années 1970.

— C'est un bon look. Pour une jet-setteuse.

— Bon. On se voit dans quatre semaines… Il est censé faire beau à New York en automne.

Je regardais fixement nos mains, toujours entrelacées, comme pour mémoriser le moindre de leurs détails. Comme si j'avais oublié de réviser pour un examen qui était arrivé bien trop tôt. Je cédai à un soudain accès d'angoisse. Il dut le sentir, car il serra mes doigts.

— Tu as tout ? demanda-t-il. Passeport ? Carte d'embarquement ? Adresse de ton employeur ?

— Nathan doit me retrouver à JFK.

Je ne voulais pas qu'il s'en aille. Je me sentais comme un aimant pris entre deux pôles. Autour de nous, je voyais d'autres couples s'avancer ensemble vers la porte d'embarquement, ou se séparer en larmes.

Lui aussi les regardait. Il s'écarta doucement de moi et m'embrassa le bout des doigts avant de relâcher ma main.

— Il est temps, dit-il.

J'avais un million de trucs à dire, mais j'étais incapable de les exprimer. Je m'avançai vers lui pour l'embrasser, comme les gens s'embrassent à l'aéroport : un baiser plein d'amour et de désespoir, fait pour rester imprimé sur son destinataire tout au long du voyage, pour les semaines ou les mois à venir. Par ce baiser, j'essayai de lui faire comprendre à quel point il comptait pour moi ; qu'il était la réponse à une question que je m'étais posée sans même le savoir. Mais en vérité, la seule chose qu'il avait dû deviner, c'était que j'avais bu deux grands cafés sans me brosser les dents.

— Prends soin de toi, dis-je. Ne reprends pas le travail trop rapidement. Et je t'interdis de faire des travaux de construction.

— Mon frère passe demain au terrain pour prendre le relais.

— Et si tu repars au boulot, fais attention. Tu es vraiment nul pour éviter les balles.

— Lou. Ça va aller.

— Je suis sérieuse. Dès que j'arrive à New York, j'envoie un mail à Donna pour l'informer que je la tiendrai personnellement pour responsable si quelque chose t'arrive. À moins que je demande simplement à ton chef de t'enfermer dans un bureau. Ou de t'envoyer uniquement dans des quartiers de petits vieux. Ou peut-être de te fournir un gilet pare-balles. Ils ont déjà pensé aux gilets pare-balles ? Je parie que je pourrai en trouver un bon à New York si…

— Louisa.

Il écarta de mes yeux une mèche de cheveux. Mon menton se mit à trembler. J'appuyai mon front contre le sien et serrai la mâchoire en m'imprégnant de son odeur, m'efforçant de m'approprier un peu de sa force. Puis, avant de pouvoir changer d'avis, je lâchai un « bye » étranglé, à mi-chemin entre le sanglot, la toux et le rire idiot. Enfin, je me retournai et partis d'un pas vif vers le poste de douane, traînant ma valise derrière moi.

Je présentai mon passeport et mon visa, la clé de mon avenir, à un homme en uniforme dont je pouvais à peine distinguer le visage à travers mes larmes. Puis, poussée par un élan irrésistible, je fis volte-face. Il était là, accoudé à la barrière. Il me regardait. Il leva la main, la paume ouverte, et je l'imitai. J'imprimai cette image de lui dans mon cerveau – un peu penché en avant, la lumière dans ses cheveux, son regard toujours franc – pour les jours où je me sentirais seule. Car il y aurait des jours de solitude. Et de mauvais jours. Et des jours où je me demanderais ce qui m'avait pris de partir.

Je t'aime, articulai-je en silence.

Je ne savais même pas si, à cette distance, il était capable de lire sur mes lèvres.

Les doigts serrés sur mon passeport, je m'éloignai.

Il serait là quand mon avion prendrait de la vitesse avant de s'élever dans le ciel bleu. Et, avec un peu de chance, il serait encore là à m'attendre lorsque je reviendrais.

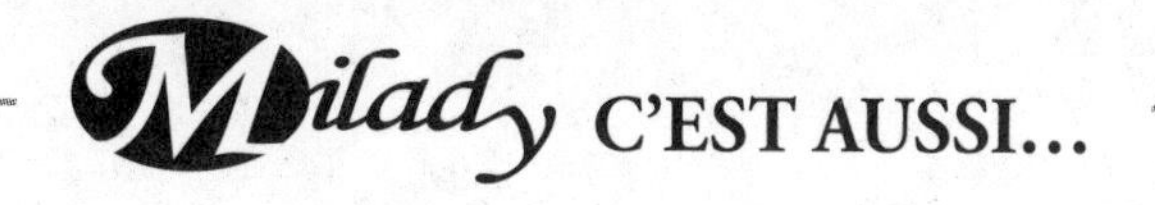

... LES RÉSEAUX SOCIAUX

Toute notre actualité en temps réel :
annonces exclusives, dédicaces des auteurs, bons plans...

facebook.com/MiladyFR

Pour suivre le quotidien de la maison d'édition et
trouver des réponses à vos questions !

twitter.com/MiladyFR

Les bandes-annonces et interviews vidéo sont ici !

youtube.com/MiladyFR

... LA NEWSLETTER

Pour être averti tous les mois par e-mail de la sortie de nos romans.

www.bragelonne.fr/abonnements

... ET LE MAGAZINE NEVERLAND

Chaque trimestre, une revue de 48 pages sur nos livres
et nos auteurs vous est envoyée gratuitement !

Pour vous abonner au magazine, rendez-vous sur :

www.neverland.fr

Milady est un label des éditions Bragelonne.

M
MARQUIS
Québec, Canada